CW00819400

CERDDI R. WILLIAMS PARRY

Y Casgliad Cyflawn

Cerddi
R. Williams Parry

Y Casgliad Cyflawn

1905 – 1950

**Golygwyd, ynghyd â
Rhagymadrodd a Nodiadau,**

gan

ALAN LLWYD

Cyflwyniad gan
EMLYN EVANS

❖

Gwasg Gee, Dinbych

Argraffiad Cyntaf: Hydref 1998

ISBN 0 7074 0315 4

Dymuna'r cyhoeddwyr gydnabod cymorth Adrannau Cyngor Llyfrau Cymru.

Argraffwyd, Rhwymwyd a Chyhoeddwyd

gan

WASG GEE, DINBYCH

Cyflwyniad

gan

EMLYN EVANS

Bachgen ysgol saith oed oeddwn i pan ddaeth Robert a Myfanwy Williams Parry i fyw i 'Heulfryn' yn Y Carneddi ym Methesda ddechrau'r tridegau, a dod yn gymdogion i'm teulu i am oddeutu wyth mlynedd. Yr oeddent hwy wedi byw, ar ôl eu priodas yn 1923, yn Rhif 18 Ffordd Ffrydlas, ryw ganllath yn is i lawr Dyffryn Ogwen i gyfeiriad y pentref. Ac yn y cyfnod y buont, i bob pwrpas, yn bobl-drws-nesaf i ni (gyda dim ond ysgol Y Carneddi a Chapel M.C. Y Carneddi rhwng y ddau dŷ), fe ddatblygodd cyfeillgarwch agos a chynnes iawn rhwng Mr. a Mrs. Parry a'm rhieni, a'm brawd a minnau. Yn 1938, fel yr oedd mwyaf siom, gorfu iddynt hwy ymadael o'r Carneddi i Stad Coetmor, tua hanner milltir i ffwrdd ar ochr Bangor i'r pentref, a hynny am fod angen 'Heulfryn' fel tŷ capel, ac mae gennyf gof am yr ymdeimlad o golled fawr yn ein teulu ni o symud y cymdogion a'r ffrindiau annwyl hyn oddi wrthym. Ond fe barhaodd y cyfeillgarwch, afraid dweud, am weddill eu dyddiau hwy a'm rhieni. Ac ers llawer blwyddyn bellach y maent ill pedwar yn gorffwys ym mynwent Coetmor, y ddau fedd o fewn ychydig lathenni i'w gilydd, a dim mwy na rhyw ddau gan llath o ddrws cartref olaf y bardd.

Nosweithiau i'w trysori yn y cof yw'r rhai hynny pan fyddai Bardd yr Haf a'i briod ar ein haelwyd ni – fel y digwyddai, er enghraifft, ar ambell nos Fawrth yn y gaeaf: Mr. Parry wedi mynd i gynnal ei ddosbarth (adnabyddus) ym Mynytho yn Llŷn, a'i briod hefo ni, gan nad oedd Mrs. Parry yn or-hoff o fod yn y tŷ ar ei phen ei hun gyda'r nos yr adeg honno o'r flwyddyn. Fe gymerai Mr. Parry ddiddordeb mawr yn ein haddysg ni'r hogiau, a sawl tro, wedi iddo gyrraedd yn ôl o Ben Llŷn, tra paratoai fy mam swper inni oll, fe roes gymorth i'm brawd Hywel a minnau i ddeall ambell ddarn o farddoniaeth Gymraeg neu Saesneg a fyddai'n rhan o'n gwaith cartref erbyn trannoeth, neu efallai ein goleuo ar fater o ramadeg. Yr wyf am gyfeirio'n fyr at ddau achlysur felly sydd wedi aros yn fyw gyda mi hyd heddiw, er bod dros drigain mlynedd wedi mynd heibio oddi ar hynny.

Bu'r naill ohonynt wedi imi ofyn ei gymorth ar ryw bwynt o ramadeg Cymraeg. Ar ôl iddo roi'r eglurhad – yn ei ffordd addfwyn arferol – meddai : 'Os ydych-chi am ddysgu Cymraeg cywir, astudiwch y *Llyfr Emynau*'.* Yr oedd yn amlwg fod ganddo feddwl uchel o'r llyfr hwnnw, ac nid anghofiais fyth ei gyngor imi. Yna, yr achlysur arall oedd pan dreuliodd gryn amser un noswaith yn egluro'n fanwl imi gefndir a chynnwys cerdd enwog Tennyson, 'The Lotos Eaters', cerdd y câi bachgen ysgol o Gymro deuddeg oed fel myfi anhawster mawr i'w deall. Nid ymhelaethaf gan imi wneud hynny mewn man arall‡, ond yn unig i ddweud y fath drysor yw'r atgof hwn heddiw – ac i nodi cyn lleied a feddyliai neb ohonom ar y pryd mai i'm rhan i y deuai'r cyfle a'r fraint yn y dyfodol pell i drefnu a chyhoeddi'r casgliad cyflawn o waith barddonol fy niweddar gymydog yn Y Carneddi gynt.

Daethai'r *syniad* o wneud hyn ar draws fy meddwl, mae'n wir, fwy nag unwaith dros y blynyddoedd, ond yr hyn a barodd imi wthio'r cwch i'r dŵr eleni oedd derbyn llythyr, ar fater arall, oddi wrth yr Athro Emeritws J. E. Caerwyn Williams yn atodi awgrym y byddai casglu holl gynnyrch barddonol R. Williams Parry i un gyfrol fawr safonol yn gymwynas â'r genedl. Ymgynghorais â'm cyfaill, yr Athro Gwyn Thomas, ac â Chyfarwyddwr Cyngor Llyfrau Cymru, Miss Gwerfyl Pierce Jones, gan

* Sef *Llyfr Emynau y Methodistiaid Calfinaidd a Wesleaidd,* 1927, y llyfr emynau Cymraeg cyntaf i'w gyhoeddi wedi safoni orgraff yr iaith.

‡ *O'r Niwl a'r Anialwch,* tt. 102-3.

gael ymateb brwd iawn gan y ddau ohonynt. Fe awgrymodd yr Athro ymhellach imi wahodd y Prifardd Alan Llwyd i'm cynorthwyo – y gŵr, meddai, 'sy'n gwybod mwy na neb arall am waith Williams Parry'. Euthum ar y ffôn â'r Prifardd ar unwaith, ac yr oedd wrth ei fodd, gan neidio'n llawen a dioed at y cyfle pan wahoddais ef i olygu'r gwaith. Pleser o'r mwyaf yw diolch iddo am ei lafur enfawr a thrylwyr, ac am ei gydweithrediad hyfryd gyfeillgar drwy gydol cyfnod y casglu, y trefnu, y cywiro a'r argraffu. Bydd Cymry'r dyfodol yn drwm yn ei ddyled, yn sicr ddigon.

Fe garwn ddiolch i Dr. T. Emrys Parry am ei ganiatâd i ddefnyddio'r 'Atodiad' o'i *Astudiaeth Feirniadol* o waith y bardd, sef cerddi nas cyhoeddwyd yn *Yr Haf a Cherddi Eraill* a *Cerddi'r Gaeaf;* ac i Dr. John Llywelyn Williams am ganiatáu defnyddio, ar glawr y gyfrol hon, y darlun a dynnwyd gan ei dad, y diweddar J. O. Williams.

Yr wyf am derfynu hyn o gyflwyniad gyda'r bardd ei hun. Aeth dros ddwy flynedd a deugain heibio bellach er pan fu ef farw yn 71 oed ar Ionawr 4, 1956, ac o edrych yn ôl dros y cyfnod maith yna, a thu hwnt iddo, ystyriaf imi yn wir gael braint unigryw o'i adnabod ar ein haelwyd ni ym Methesda fel y soniwyd, ac ar ei aelwyd ef a'i briod. Y mae pob barn gan ein beirniaid llenyddol a ddarllenais i – cryn nifer ohonynt hefyd – yn rhoi lle cwbl ddiogel iddo ymhlith beirdd mwyaf Cymru mewn unrhyw oes. Ac eto, yn naturiol mae'n debyg, Mr. Parry *y dyn* a fydd yn aros yn flaenaf oll yn fy nghof i tra byddwyf: y gŵr golygus, cymen ei wisg; y bonheddwr caredig a chlên a hwyliog; y llais tirion – a'r Cristion gloyw yn fy marn bendant i. A defnyddio'i eiriau adnabyddus ef ei hun am un o'i gyfeillion,

> O'r addfwyn yr addfwynaf,
> Ac o'r gwŷr y gorau gaf,

yr oedd Robert Williams Parry, i mi, yn ddibetrus yn eu plith hwy. Coffa gwych amdano.

Medi 1998

Rhagymadrodd

gan

ALAN LLWYD

Mae'n anodd i neb heddiw, ddeugain mlynedd a rhagor ar ôl ei farwolaeth, sylweddoli pa mor uchel oedd parch y Cymry llengar, yn feirniaid, llenorion a darllenwyr, at R. Williams Parry. Nid ei edmygu fel bardd yn unig a wneid, ond ei eilun-addoli. Er ei fod yn cyfoesi â mawrion fel T. Gwynn Jones, Saunders Lewis, T. H. Parry-Williams a Gwenallt, Williams Parry oedd y bardd mawr yn eu plith. Apeliai at y deallusion mwyaf ac at y gwerinwyr mwyaf diaddysg. Prin y câi neb ei feirniadu, a hyd yn oed pan geisiodd rhai ohonom dynnu sylw at y benthyciadau lluosog o waith beirdd eraill yn ei farddoniaeth tuag ugain mlynedd yn ôl, enynnwyd adwaith digon chwyrn. Nid beio na beirniadu'r benthyciwr a wnaed, ond edliw'r fath heresi i'r sawl a ddarganfu'r benthyciadau. 'Roedd Williams Parry yn benthyca yn dra helaeth oddi ar eraill, ac mae'n rhaid i feirniadaeth lenyddol onest gydnabod hynny.

Yn ôl rhai, 'doedd dim hawl gan neb i feirniadu Williams Parry; 'doedd dim angen dehongli ei gerddi na'i dynnu fel bardd drwy'r felin feirniadol. 'Roedd yn ddealladwy i bawb, a dyna un o'i gryfderau mawr. 'Roedd ei gerddi yn anghyffwrdd, yn batrymau o berffeithrwydd. 'Even today amongst the over-forties any attempt to interpret Williams Parry's poems or to submit them to close textual scrutiny is highly suspect,' meddai Bedwyr Lewis Jones.[1] Gwenallt oedd un o'r rhai cyntaf i daro nodyn beirniadol. 'I genhedlaeth yr Ail Ryfel,' meddai, 'nid

[1] *Writers of Wales: R. Williams Parry,* Bedwyr Lewis Jones (Goln y gyfres: Meic Stephens ac R. Brinley Jones), 1972, tt. 4-5.

oes ym marddoniaeth R. Williams Parry ddim ond miwsig ymadroddion a phlethu geiriau'. Ymhelaethodd: 'Ganed y genhedlaeth hon yng nghyfnod y dirwasgiad rhwng y ddau Ryfel; aethant trwy'r Ail Ryfel a buont fyw o hynny hyd heddiw tan gysgod y bomiau atomig. Pa gysur sydd i'r rhain yn Awdl 'Yr Haf', ac onid ynfyd yw 'llonydd gorffenedig' y Lôn Goed tan gysgod yr Armagedon nesaf?'[2] Proffwydodd Gwenallt y byddai barn y dyfodol am R. Williams Parry 'rywle yn y canol rhwng barnau eithafol y ddwy genhedlaeth',[3] sef cenhedlaeth y Rhyfel Byd Cyntaf a chenhedlaeth yr Ail Ryfel Byd. I genhedlaeth y Rhyfel Mawr, yn ôl Gwenallt, Bardd yr Haf oedd R. Williams Parry, a dirywiad a welid yn *Cerddi'r Gaeaf;* i genhedlaeth yr Ail Ryfel Byd, datblygiad a welid yn *Cerddi'r Gaeaf,* a'r gyfrol hon a achubodd Williams Parry rhag dirywio i fod yn ddim byd mwy na bardd natur melys a bardd dihangfa.

Tynnwyd R. Williams Parry drwy'r drain beirniadol eto gan Bobi Jones yn ei gyfrol bwysig *Llenyddiaeth Gymraeg 1902-1936.* Cŵyn fawr Bobi Jones yn y penodau hynny yn y gyfrol sy'n trafod R. Williams Parry oedd y modd y llesteiriwyd datblygiad barddoniaeth fodern gan yr eilun-addoliaeth ddall hon o R. Williams Parry. 'Teisen hufen yn dathlu ar blat blodeuog glas ar fwrdd hen ferch yn cadw cathod, ar brynhawn Sadwrn,'[4] oedd llawer o farddoniaeth R. Williams Parry yn ôl Bobi Jones, ac wrth restru, yn chwareus ac yn bryfoclyd, y gwahanol gynhwysion yn y deisen, nodwyd y pedwar anghenraid hyn: 'Llwyaid neu ddwy o 'hen bruddglwy'r pridd' . . . sef y tristwch merfaidd hwnnw a oedd yn boblogaidd iawn yn Lloegr yn wythdegau'r ganrif ddiwethaf ac yn nauddegau'r ganrif hon yng Nghymru' i ddechrau;[5] yn ail, 'roedd angen 'pinsiaid solet o'r dealladwy', ac yn ôl Bobi Jones, 'ystyr hynny i'r Cymro diwylliedig . . . oedd *peidio* â defnyddio'r deall';[6] yn drydydd, 'roedd angen 'llawer iawn iawn o

[2] 'R. Williams Parry: ei Syniadau Llenyddol', *Cyfres y Meistri 1: R. Williams Parry,* Gol. Alan Llwyd, 1979, t. 84.
[3] Ibid.
[4] 'Hufen Pigog', *Llenyddiaeth Gymraeg: 1902-1936,* 1987, t. 149.
[5] Ibid., t. 150.
[6] Ibid.

siwgr: pethau dymunol a thlws a melys . . . dim halen';[7] ac yn olaf, 'odlau ac iaith lenyddol daclus a chymedrol-lafar'.[8] Yn ôl Bobi Jones eto:[9]

> . . . yr esboniad gorau i egluro pam yr oedd R. W. Parry am fod yn deisen a thalp mawr o hufen arni ydyw'r Sioriaid Saesneg ac addysg Cymru ar y pryd. Fe roesant hwy iddo ddelwedd o brydyddiaeth beraidd a thelynegol a oedd wrth fodd ei galon. Ar ryw olwg, *apologia* dros Sioriaeth Gymraeg ydyw'r caneuon hynny yn *Cerddi'r Gaeaf* sy'n ceisio amddiffyn ei farddoniaeth ei hun yn erbyn y rhai (go dawel yng Nghymru) a awgrymai mai gwiw i farddoniaeth fod yn gyfrifol, yn llawn ei hymateb i'r byd cyfoes, ac yn finiog (yn ogystal ag yn llyfn) o ran iaith a rhythm . . .

Condemnio'r cerddi Sioriaidd a wnaeth Bobi Jones, sef y telynegion melys hynny a ganmolid gan bawb bron yn ddiwahân. Edmygid y cerddi gwleidyddol dychanol ac eironig ganddo. Ac ar Williams Parry ei hun 'roedd y bai, i raddau. Edmygai feirdd mwyaf gwantan mudiad y Sioriaid: W. H. Davies, Ralph Hodgson (bardd hynod o gloff, fel y tystia ei *Collected Poems*, 1958), Walter de la Mare, ac eraill. Dyma'r beirdd a gyfieithid ganddo a dyma'r beirdd y cyfeiriai atynt ac y benthyciai oddi arnynt. Synnwyd Gwenallt gan un cyfaddefiad o'i eiddo: 'Ni chefais i fawr o afael ar fardd y meddyliai ef gryn dipyn ohono, sef Walter de la Mare; ac ni chafodd ef fawr o afael ar fardd y meddyliwn i gryn dipyn ohono, sef W. B. Yeats'.[10] 'Does dim llawer o dystiolaeth i feirdd mawr fel Yeats, heb sôn am Eliot, gyffwrdd dim ag ef; ac ni ellir canfod ôl darllen beirdd gwirioneddol wych fel Edward Thomas ar ei farddoniaeth. Mae llawer o feirniaid llenyddol wedi ceisio achub Edward Thomas o grafangau'r Sioriaid, drwy fynnu nad oedd yn nodweddiadol o safon arferol canu'r mudiad hwnnw, ond y gwir yw i Sioriaeth

[7] Ibid., t. 151.
[8] Ibid.
[9] Ibid., t. 153.
[10] 'R. Williams Parry; ei Syniadau Llenyddol', *Cyfres y Meistri 1: R. Williams Parry,* t. 81.

gynhyrchu'r gwych a'r gwachul. Y gwachul a lygad-dynnai R. Williams Parry. Er bod rhai o'i gerddi mwyaf gwantan yntau yn nodweddiadol o waith y beirdd eilradd a edmygai, 'roedd ei gerddi gorau yn codi uwchlaw'r cyffredinedd Sioriaidd hwnnw a gollfarnwyd gymaint drwy gydol y ganrif hon.

Mae'n briodol gofyn: ym mha le y saif R. Williams Parry heddiw, ac a all cenedlaethau'r dyfodol ymateb i'w waith? Tra perchir crefft, crefft ymwybodol a gofalus a chyfewin, a mynegiant gloyw, bydd yn rhaid i unrhyw un a chanddo'r adnoddau meddyliol cymwys i ymateb i farddoniaeth ymateb i'w waith. Mae'n rhaid derbyn mai plentyn ei oes oedd R. Williams Parry, fel pob bardd arall. Gwendid y rhai a'i haddolai oedd tybio fod pob sillaf o'i eiddo yn rhodd gan y duwiau, a'r modd y bu iddynt gau llygad ar y gwendidau a'r benthyciadau yn ei waith. Syndod i lawer oedd y dadleniad nad rhodd gan y duwiau oedd rhai o'i syniadau a'i linellau gorau, ond rhoddion gan feirdd eraill.

Byddai bwrw golwg dros yrfa R. Williams Parry fel bardd, efallai, yn ein galluogi i'w ddeall yn well. Mae'n ymddangos i mi iddo fynd trwy bum cyfnod fel bardd. I ddechrau, dyna gyfnod yr ymbrentisio, cyfnod yr ymarfer a'r cystadlu eisteddfodol, er mwyn meistroli adnoddau'r iaith a thechnegau barddoniaeth. I'r flwyddyn 1905 y perthyn y cerddi cynharaf o'i waith sydd wedi goroesi, er iddo ddechrau ymhél â barddoni cyn hynny, wrth reswm, oherwydd mae rhai blynyddoedd o ymarfer y grefft y tu ôl i'r englyn cynharaf o'i waith i oroesi, sef yr englyn er cof am David Williams, Telephone Exchange, Tal-y-sarn, a'i ddau gywydd, 'Efo'r Sant ar Fore Sul', a'i gywydd i'r bwrdd biliards. Dechreuodd gystadlu mewn rhai eisteddfodau wedyn; anfonodd ei awdl 'Dechrau Haf' i gystadleuaeth y gadair yn Eisteddfod Flynyddol Annibynwyr Ffestiniog, Nadolig 1906, a throi ei olygon tua'r Eisteddfod Genedlaethol o 1907 ymlaen. Anodd dirnad sut y gallai testun mor ddieneiniad â 'John Bunyan' ddenu unrhyw fardd, ond dyna oedd testun yr awdl yn Eisteddfod Genedlaethol Abertawe ym 1907, ac fe ddenwyd R.

Williams Parry. Dengys y dyfyniadau o'r awdl a geir yn y beirniadaethau swyddogol nad oedd unrhyw fath o gamp ar yr awdl honno, a'i fod yn barddoni yn null beirdd eisteddfodol cynganeddol y bedwaredd ganrif ar bymtheg. Enillodd gadair Eisteddfod Myfyrwyr Colegau Bangor ym 1908, ag awdl ar y testun 'Cantre'r Gwaelod'. 'Roedd wedi cryfhau'n aruthrol fel bardd a chynganeddwr yn yr awdl honno, ac nid rhyfedd iddo ddod yn ail i T. Gwynn Jones yng nghystadleuaeth y Gadair yn Eisteddfod Genedlaethol Llundain ym 1909. Yn wir, 'roedd Williams Parry yn rhagorach cynganeddwr na Gwynn Jones yn ôl y ddau feirniad, John Morris-Jones a J. J. Williams. 'Y meistr mwyaf ar y gynghanedd o'r ymgeiswyr oll,' meddai John Morris-Jones amdano;[11] 'Pwy bynnag ydyw ni phetruswn ddweyd mai dyma'r cynganeddwr goreu'n fyw,' meddai J. J. Williams yntau.[12]

Uchafbwynt y cyfnod hwn, wrth gwrs, oedd ennill Cadair yr Eisteddfod Genedlaethol ym Mae Colwyn â'i awdl 'Yr Haf', a'r awdl hon a sefydlodd R. Williams Parry fel bardd o bwys yng ngolwg beirdd, beirniaid a llên-garwyr. Wrth drafod awdl 'Yr Haf' nododd y diweddar Bedwyr Lewis Jones mai 'Sut yr oedd dygymod â darfodedigrwydd ac â'r ffaith fod haf yn marw?' yw thema'r awdl.[13] 'I'w fam a'i dad a'u tebyg,' meddai, ' 'doedd hyn ddim yn broblem oherwydd iddynt hwy dros dro yn unig yr oedd pethau'r byd yma . . . 'Roeddynt hwy'n credu mewn Atgyfodiad a Nefoedd a Bywyd Tragwyddol'.[14] Cawn ein hatgoffa am yr ymwrthod hwn â chrefydd yr aelwyd yng nghartref R. Williams Parry yn Nhal-y-sarn eto yn wythfed bennod y cofiant: 'Cerdd yn gwrthod gwerthoedd Tal-y-sarn a chapel Hyfrydle yw awdl 'Yr Haf' '.[15] Mae'n wir i Williams Parry ymwrthod â dysgeidiaeth grefyddol blynyddoedd ei fagwraeth, ond dilyn confensiwn llenyddol yr oedd y bardd

[11] Awdl y Gadair: Beirniadaeth John Morris-Jones, *Cofnodion a Chyfansoddiadau Eisteddfod Genedlaethol 1909 (Llundain)*, Gol. E. Vincent Evans, t. 12.

[12] Beirniadaeth J. J. Williams, ibid., t. 22.

[13] *Dawn Dweud: R. Williams Parry,* 1997, t. 48.

[14] Ibid.

[15] Ibid., t. 86.

yn awdl 'Yr Haf' yn hytrach na mynegi protest. Un o brif themâu 'Yr Haf' yw'r ffaith fod gan yr unigolyn hawl i fyw bywyd y foment, ac ymgolli ym mhleserau synhwyrus bywyd yn hytrach na byw'n sychdduwiol sobor, gan obeithio fod nef ar ddiwedd y daith i'r sawl sy'n byw bywyd dilychwin lân. 'Diau deuwell/ Rhiain fo byw na'r nef bell' yw'r safbwynt a fynegir yn yr awdl, a 'Dygwch i minnau degwch y munud' – byw ar gyfer y presennol, ar gyfer gwefr a chyffro'r funud.

Dilyn eraill a wnaeth Williams Parry, a John Morris-Jones, yn ei gyfieithiad o gerdd Omar Khayyâm, a roddodd y thema hon iddo ef ac i feirdd eraill Cymru yn ystod cyfnod rhamantaidd mawr degawd cyntaf y ganrif. Dylanwadodd y cyfieithiad hwnnw ar nifer o feirdd. Y mae 'Awr yr Allt', W. J. Gruffydd, er enghraifft, yn dilyn athroniaeth Omar:

A beth os yw fy Nefoedd oreu i
Yn gorwedd yn dy Fynwes stormus di?
  Mi dynnaf ati pe bai Daer a Nef
Yn cynnig imi'n hytrach Werth eu Bri.

Dilyn John Morris-Jones yr oedd Gruffydd, wrth gwrs, ac mae'n arwyddocaol mai ar fesur Omar Khayyâm y lluniwyd y gerdd. Meddai Gruffydd yn yr un gerdd:

Anghofiwn Gŵyn y Byd a'i greulon Loes,
A Llwybrau Drain a Chreigiau ein ber Oes.
  Cawn dario mwy, a Sŵn yfory 'mhell, –
Heddiw, o leiaf, ni raid codi'r Groes.

Dyfynnwyd y llinell olaf uchod gan Williams Parry uwch ail ganiad awdl 'Yr Haf' yn wreiddiol, ond tynnwyd y dyfyniad ymaith pan gyhoeddwyd *Yr Haf a Cherddi Eraill.* Mae cerdd arall gan W. J. Gruffydd, 'Non Nobis', cerdd sy'n disgrifio macwy yn caru Gwen, hefyd yn mynegi'r un athroniaeth:

Melys yw pechod,
  Ni wrendy dy lef;
Heddiw mae pleser,
  Yfory mae nef.

Mae dylanwad cerdd Omar yn drwm ar awdl 'Yr Haf'. Pwysleisio byrder einioes dyn ar y ddaear a wneir ym Mhenillion Omar Khayyâm, a'r rheidrwydd, yn sgîl hynny, i ddyn ymollwng i'w fwynhau ei hun tra bo ar y ddaear. Mae'r ddelwedd o win, a'r pleser a geir o yfed gwin, yn symboleiddio'r rheidrwydd hwn i ymollwng i fwynhau gwefr a hyfrydwch y funud:

Yr haul a deifl ei dennyn am y to;
Kai Khwsraw'r dydd a dywallt ei win o;
Yf win! canys cyhoedda rhingyll gwawr,
'Yfwch, mae'r dyddiau'n prysur fynd ar ffo!'

Gwin, lluniaeth, serch, a chân y delyn – pleserau'r foment: cymell dynion i ymgolli yng ngwefr a chyffro'r presennol er mwyn anghofio am ddiddymdra a mudandod yfory a wneir yn y penillion hyn:

Ychydig wridog win a llyfr o gân,
A thorth wrth raid, a thithau, eneth lân,
Yn eistedd yn yr anial gyda mi –
Gwell yw na holl frenhiniaeth y Swltân.

Pwysleisir drachefn a thrachefn yn y penillion hyn fod yn rhaid byw i gyffro'r foment, ac anwybyddu'r nef bell:

Mwyn, meddant, yw rhianedd y Wlad Well;
Mwyn, meddaf innau, ydyw'r gwin o'r gell . . .

Dirgelion Tragwyddoldeb nis gwn i,
A darllain gair o'u gwers nis gelli di;
Soniant amdanom ni tu hwnt i'r llen,
Ond, pan ddisgynno'r llen, ple byddwn ni?

Dyma, wrth gwrs, un o ddadleuon Williams Parry yn erbyn rhybuddion a chynghorion y Brawd Llwyd yn awdl 'Yr Haf': 'Diau deuwell/ Rhiain fo byw na'r nef bell'. Mae'r brawd hwnnw, gan adleisio Omar Khayyâm, yn edliw i'r bardd ei awydd i ymgolli ym mhleserau'r cnawd a'r synhwyrau, pethau darfodedig y byd hwn:

Mae llwybr i'r llan o'r llannerch;
Daw'r meini mud, er min merch . . .

Ac mae'r geiriau hyn a roir yng ngenau'r brawd yn garreg ateb i lais Omar:

Tafl y cwpan odanad,
Nid yfi'n hir dy fwynhad.

Meddai Omar:

Rho'r cwpan yn fy llaw, tanbaid yw 'mron;
Llithro fel arian byw mae'n heinioes hon;
Ac nid yw ffafrau ffawd ond breuddwyd gwag,
Fe ffy'r ieuenctid fel llifeiriant ton.

Ac mae'r ddelwedd o win yn ddelwedd fynych yn awdl 'Yr Haf', wrth geisio cyfleu meddwdod, cyffro a synwyrusrwydd ieuenctid:

Ond ni dderfydd ffydd os ffoes
Grawnwin a gorau einioes;
Cronnodd yr ieuanc rawnwin,
A'u swyn a ges yn y gwin.

Ac i gof y dwg y gwin
Fy haf ar ei Fehefin . . .

Dyma athroniaeth Williams Parry yn awdl 'Yr Haf':

A swyn yr oes yn yr haf,
Ai am a ddêl meddyliaf?
Myfi ym Mai fy mywyd
Ganaf y Mai, gwyn fy myd . . .

Dygwch i minnau degwch y munud;
O gyfoeth o werth, gwae ef a'th wrthyd!
Mae'n haul lle bo'm hanwylyd. Llawenhaf.
Beth yw fy haf os gobeithiaf hefyd?

Heddiw mae nef. Eiddom ni
Yw llannerch rhwng y llwyni;
Ac o nefoedd gwin nwyfiant
Ni chenfydd serch nefoedd sant.

Cymharer â Phenillion Omar Khayyâm:

Fy nghyfaill am yfory na thristawn,
Ond heddiw yn ein hoen ymlawenhawn;
Yfory o'r hen westy, gyda llu
Seithmil blynyddoedd, ninnau ymadawn.

Ai griddfan am fy rhan yn drist fy mron,
Ai treulio 'myd a wnaf â chalon lon?
Llanw fy nghwpan gwin! Myfi ni wn
A dynnaf anadl wedi'r anadl hon.

Mae hyd yn oed y llinell ynghylch anfarwoldeb a pharhad – 'Marw i fyw mae'r haf o hyd' – yn adleisio llinell debyg ym Mhenillion Omar: 'O farw y tardd anfarwol oes i ni'.

Mae dylanwad agwedd arall ar y canu rhamantaidd hefyd yn drwm ar awdl 'Yr Haf', sef yr hyn y gellir ei alw yn Gwlt y Cnawd. Adwaith a gwrthryfel yn erbyn Cwlt yr Enaid, sef pryddestau niwlog-ddiwinyddol a haniaethol y 'Bardd Newydd' ac awdlau crefyddol diflas ac anghelfydd y beirdd caeth, oedd Cwlt y Cnawd. Ymhyfrydai beirdd fel T. Gwynn Jones, W. J. Gruffydd ac eraill mewn disgrifio harddwch corfforol merch, moli ei chorff, ac er bod dylanwad y chwedlau Cymreig â'u disgrifiadau synhwyrus o ferched ar y thema hon yng ngwaith y beirdd, 'roedd hefyd yn rhan o'r gwrthryfel yn erbyn Piwritaniaeth sychdduwiol barddoniaeth a beirniadaeth lenyddol Cymru ar y pryd. Mae 'Gwlad y Bryniau' Gwynn Jones, sef yr awdl y patrymwyd 'Yr Haf' arni, yn cynnwys sawl disgrifiad moethus o harddwch corfforol merch. 'Roedd yr awdl, yn sicr, yn brotest yn erbyn yr hyn a alwodd Williams Parry yn 'Ormes y loywach nen' yn ei ysgrif 'Pridd y Ddaear' (1912), a phrotest lenyddol ydoedd yn ei hanfod.

Gyda cherddi fel 'Y Mynydd a'r Allor' (1914) a'r gerdd fechan 'Y Bedd' (1916), dechreuodd Williams Parry leisio'i brotest yn erbyn crefydd ei rieni a'i fro. Ymosod ar ddefodaeth ac ar ddysgeidiaeth crefydd gyfundrefnol i ddechrau. Ymddengys mai camwedd pennaf crefydd yn nhyb Williams Parry oedd pregethu celwydd. Ni allai dderbyn yn ddigwestiwn y syniad o fywyd tragwyddol; terfynoldeb dychrynllyd y bedd a welai, diwedd y daith, ac nid drws mynediad i fyd arall. O 1924 ymlaen, gyda chyhoeddi 'Gwanwyn (Cân y Cigydd)' a 'Gaeaf (Yr Hen Weinidog)', dechreuodd ymosod ar gulni, rhagrith a dideimladrwydd y gyfundrefn gapelyddol. 'Roedd ganddo, felly, ddwy gŵyn fawr yn erbyn crefydd gyfundrefnol, sef ei dysgeidiaeth, ar y naill law, a'i threfniadaeth a'i hagwedd, ar y llaw arall.

Mae'r honiad mai gwrthryfela yn erbyn ei fagwraeth gapelgar yr oedd Williams Parry yn awdl 'Yr Haf' yn rhy gryf, yn fy marn i. 'Roedd yr awdl yn fwy o ymarferiad llenyddol nag o gyffes enaid, yn ymdrech ar ran bardd ifanc i ddod o hyd i'w lais drwy efelychu'r meistri, a mydryddu'r syniadau rhamantaidd a oedd yn boblogaidd ar y pryd. Yn ddiweddarach y daeth y gwir adwaith yn erbyn crefydd.

Cafodd Williams Parry, yn sicr, ei ddadrithio gan grefydd y Cymry. Yn wir, cafodd ei ddadrithio gan Gymru ei hun, ac, yn ehangach na hynny, gan ddynion a chan y ddynoliaeth yn gyffredinol. Bardd Dadrith Bywyd oedd Williams Parry yn y bôn. Ddwywaith yn ystod ei yrfa fel bardd chwiliodd am gysur ym myd natur a chael ei orfodi'n ôl y ddwy waith hynny i wynebu byd dynion. Chwiliodd am gysur ym myd natur, ym mhridd y ddaear, yn ystod y cyfnod rhwng awdl 'Yr Haf', 1910, a blynyddoedd y Rhyfel Mawr, a dyma'r ail gyfnod yn ei yrfa, sef y cyfnod 'paganaidd', cyfnod 'Yr Iberiad' (a gyhoeddwyd ym 1914):

> O ddyddiau fy niddanwch pur
> Pan oeddwn arglwydd ar fy nghur!
> Ar fron a chlogwyn, ac ar ffridd
> Yn profi'r heddwch sydd o'r pridd . . .
>
> Ond cefais gan yr hon a'm dug
> Fy ngeni'n frawd i flodau'r grug.

Dyma hefyd gyfnod 'Yr Hen Grown' (1914):

> Fe ddaethai gŵr i ben ei raff
> A phagan praff i'r pridd . . .

A dyma yn ogystal gyfnod 'Y Mynydd a'r Allor' (1914), cyfnod y cefnu ar grefydd dynion i ymgolli ym myd natur. 'Roedd a wnelo'r cyfnod hwn â'r ffaith iddo dreulio blwyddyn yn ardal wledig Cefnddwysarn, Penllyn,

Meirionnydd, ar drothwy'r Rhyfel Mawr. Gwirionodd ar fyw mewn ardal mor wledig, ardal nad oedd diwydiant wedi ei hanrheithio a'i hagru, a theimlai ei fod yn byw'n agos at y pridd. Yn wir, ceisiodd feithrin rhyw gyfriniaeth briddlyd yn ei waith, meithrin perthynas rhyngddo a natur o'i gwmpas, ac â phridd y ddaear dan ei draed.

Wedyn daeth y Rhyfel Mawr i'w ysgwyd o'i drwmgwsg, a'i orfodi i fyw yng nghanol byd cythryblus a chreulon dynion. Canodd wedyn am 'y gwn mud/ Yn ffroeni'r helfa o bell', ac am feirwon ifainc y Rhyfel Mawr. 'Roedd ei sonedau a'i englynion er cof am y milwyr mud yn brotest yn erbyn ynfydrwydd dynion ac, ar yr un pryd, yn fynegiant o alar rhieni, cyfeillion a chydnabod am y rhai a gollwyd. Hwn oedd y trydydd cyfnod yn ei yrfa. Ni chefnodd yn llwyr ar gyfriniaeth y pridd yn ystod y cyfnod hwn, ond o laid y ffosydd yn hytrach nag o bridd y ddaear y codai ei farddoniaeth. Yr hyn a wnaeth y Rhyfel Mawr, drwy'i amddifadu o'i gyfeillion a'i gyfoedion, oedd dwysáu a dyfnhau ei ymwybyddiaeth o farwolaeth, a dechreuodd ddod yn ymwybodol hefyd mai dinistriwr oedd dyn. Dyma wir gychwyn ei ddadrith mewn Dyn.

Ar ôl i'r Rhyfel Mawr ddechrau cilio yn ôl i wyll hanes, trodd at fyd natur drachefn. Lluniodd doreth o gerddi natur yn ystod trydydd degawd y ganrif hon: 'Y Llwynog', 'Haf Gwlyb', 'Diddanwch', 'Eifionydd', 'Y Sguthan', 'Y Gylfinir', 'Y Ceiliog Ffesant', 'Y Gwyddau', 'Yr Ieir', 'Dyffryn Clwyd', 'Sgyfarnog trwy Sbienddrych', 'Tylluanod', 'Yr Haf' (y gerdd), ac yn y blaen. Dyma gyfnod Sioriaidd Williams Parry; dyma gyfnod y dianc, ar un ystyr, yn enwedig yn 'Eifionydd'. Y thema lywodraethol yn y cerddi hyn yw anfarwoldeb natur, parhad a phrydferthwch natur. Mae dyn y dinistriwr yn bresennol o hyd, ond y tro hwn fel dinistriwr natur yn hytrach nag fel difäwr ei hiliogaeth ei hun ar y ddaear.

Nid y frwydr o fewn byd natur a welir yn y cerddi hyn, ond brwydr dyn yn erbyn natur. Prin y ceir unrhyw awgrym ynddynt fod creulondeb yn bodoli o fewn byd natur yn ogystal â byd dynion, ac mai 'Trechaf treisied, gwannaf gwaedded' yw hi ym myd natur hefyd, ac mai'r grymusaf a'r mwyaf atebol yn unig a all oroesi yn y goedwig. Brwydr rhwng dyn a natur yw hi, a natur sy'n ennill bob tro. Yn 'Sgyfarnog trwy Sbienddrych', mae gwareiddiad dyn yn bygwth y creadur hwnnw. Mae'r bryn lle mae'r ysgyfarnog yn pori 'ar sgwâr y dref/ Ymhlith segurwyr conglau'r stryd,/ Ac y mae cŵn y lle gerllaw'. Gall y cŵn hyn, neu geir, ei lladd:

A eill na chlyw ddolefus gyrn
A thost bangfeydd moduron dig?

Ni leddir yr ysgyfarnog. Mae hi'n llwyddo i oroesi er gwaethaf y peryglon o du dynion. Yn wir, mae hi'n anfarwol, mae natur yn dragwyddol, er gwaethaf tueddiadau dinistriol dyn. Y cyfan a ddigwyddodd, 'Uwchlaw terfysglyd ferw'r dref', oedd

I'w hanfarwoldeb aros dro
A bwrw angor ar ei hynt.

Yn 'Tylluanod', a luniwyd, fel 'Sgyfarnog trwy Sbienddrych', ym 1928, y mae'r adar hynny yn goroesi wedi i ddyn ei lwyr ddileu ei hun:

A phan dywylla'r cread
  Wedi'i wallgofddydd maith,
A dyfod gosteg ddiystŵr
  Pob gweithiwr a phob gwaith,
Ni bydd eu Lladin, ar fy llw,
Na llon na lleddf – 'Tw-whit, tw-hw'!

Yn y gerdd 'Yr Haf', mae'r tymor hwnnw yn dod yn ei bryd, er gwaethaf ymdrechion dyn i ddifa natur:

Deilio fu raid i'r ynn
  Na ddeilient, meddent, mwy.

Mae'r un agwedd, sef buddugoliaeth natur yn y frwydr rhyngddi a dyn, yn amlwg mewn cerdd ddiweddarach, y soned 'Y Peilon'. Yn honno, mae gwareiddiad dyn, gwareiddiad y peilon, wedi methu trechu natur unwaith yn rhagor:

Tybiais pan welais giang o hogiau iach
Yn plannu'r peilon ar y drum ddi-drwst
Na welwn mwy mo'r ysgyfarnog fach,
Y brid sydd rhwng Llanllechid a Llanrwst . . .

Ond

Heddiw'r pnawn,
O'r eithin wrth ei fôn fe wibiodd pry'
Ar garlam igam-ogam hyd y mawn,
Ac wele, nid oedd undim ond lle bu . . .

Yna, ar ddechrau'r tridegau, aeth y canu yn chwerwach, yn fwy cymdeithasol o ran cynnwys ac yn fwy dychanol o ran mynegiant. Trodd eto o fyd natur i fyd dynion. A dyma ni yn cyrraedd pumed cyfnod R. Williams Parry. Dadrith personol oedd y man cychwyn. 'Roedd a wnelo'r dadrith hwnnw ag agwedd Syr Ifor Williams ac Adran y Gymraeg ym Mangor tuag ato fel artist creadigol, a'r ffaith i'r Adran wrthod rhoi swydd barhaol iddo yn ddarlithydd, a gwrthod ei benodi i ddarlithio'n barhaol ar farddoniaeth. Dyma pryd yr aeth ar streic lenyddol. Dychanwyd agwedd y Brifysgol tuag ato yn 'Chwilota', ac yn y gerdd 'Megis ag yr oedd . . .', nas cyhoeddwyd yn *Cerddi'r Gaeaf*. Arweiniodd ei ddadrith personol ef, yn y man, at siomedigaethau enfawr ynglŷn ag ansawdd y bywyd Cymreig yn gyffredinol. Dechreuodd ymosod ar grefydd eto, dan ffugenwau. Un o'r cerddi hynny oedd y gerdd 'Rhith a Dadrith', a ymddangosodd dan y ffugenw 'W. P. Plus' yn *Y Ford Gron*, Medi 1932. Cefais hyd i gerdd arall ymhlith casgliad J. Maldwyn Davies o bapurau'r bardd yn y Llyfrgell Genedlaethol, 'Stori Fer Wir', â'r ffugenw *Dirwestwr* wrth ei chwt. Hyd y gwn, ni chyhoeddwyd y gerdd hon mewn unrhyw gylchgrawn (ac ni chrybwyllir mohoni yn llyfryddiaeth *Dawn Dweud*), ond mae'r ffaith iddo roi ffugenw wrth ei chwt yn awgrymu ei fod wedi bwriadu anfon y gerdd i ryw gylchgrawn neu'i gilydd. Ymosodiad dychanol ydyw ar Biwritaniaid sych-dduwiol a 'sanctaidd eu sŵn' a fyddai'n condemnio cyfeillach lawen y tafarnau, sef y gwmnïaeth yr oedd Williams Parry mor hoff ohoni. Yn y gerdd mae 'Rhyw fugail ifanc syn' yn gwahodd cyfaill i Williams Parry i fynd am lymaid gydag o, ond

> Ar hyn fe welai'n nesu
> Ddyn sanctaidd iawn ei sŵn:
> Os rhydd ei bres i'r Iesu
> Ni rydd mo'i faw i'r cŵn.
> 'Pe baech yn newid llefydd
> Mi ddawnsiwn,' meddai e.
> 'Gwna fwy o ddrwg i grefydd
> Na llanciau gwlypa'r lle.'

Dyfnhaodd y siom eto fyth adeg helynt yr Ysgol Fomio ym 1936/1937. Gwelai'r Cymry fel 'cenedl o gachgwn', am iddyn nhw wrthod eu cefnogaeth i'r tri ymgyrchwr.

Gyda chyhoeddi'r gerdd 'Canol Oed' ym 1931, mae tinc o chwerwedd a siom yn dod i mewn i'w ganu. Yn ystod blynyddoedd ei ganol oed 'roedd dadrith Williams Parry yn driphlyg. Cafodd ei siomi yn y Gymru academaidd-Philistaidd, i ddechrau; cafodd ei siomi yn ei llugoerni gwladgarol ac yn ei thaeogrwydd, a'i siomi hefyd yn holl ansawdd ei bywyd moesol a chrefyddol. Cerddi chwerw oedd cerddi olaf y bardd yn y cyswllt hwn, o'r cerddi gwrth-Brifysgol, 'Chwilota', 'Megis ag yr Oedd . . .', 'Cymry Gŵyl Ddewi', drwy'r clwstwr o gerddi i Saunders Lewis a helynt yr Ysgol Fomio, hyd at y cerddi gwrth-gapelyddol a gwrth-grefyddol, fel 'A. E. Housman' (amddiffyniad i agnostig), 'Democratiaeth', nas cynhwyswyd yn *Cerddi'r Gaeaf,* 'Hen Gychwr Afon Angau' (ymosodiad ar ragrith a rhwysg cymdeithas yn gyffredinol, a chymdeithas y capel yn enwedig), 'Y Cyrn Hyrddod', 'Yr Utgorn Arian', 'Y Barchus, Arswydus Swydd', ac yn y blaen. Ple ar ran gweinidogion yr Efengyl – Tom Nefyn, Lewis Valentine, George M. Ll. Davies, Canwy (J. H. Williams) – a phrotest yn erbyn crintachrwydd ac wyneb-galedrwydd blaenoriaid a phobol y capel a geir yn y cerddi hyn, er mai dychanu gweinidog haearnaidd ac anhyblyg-gul a wneir yn 'Yr Utgorn Arian', gan ymosod, ar yr un pryd, ar gyfundrefn sy'n anrhydeddu gweinidogion didostur a chymdeithasol dderbyniol nad ydyn nhw'n cynhyrfu'r dyfroedd mewn unrhyw fodd (yn wahanol i Valentine, Tom Nefyn, George M. Ll. Davies, ac yn y blaen).

Yn ail, cafodd ei siomi yn y ddynoliaeth. Ceisiais ddangos wrth drafod 'Pagan'[16] mai dychanu dyn, yn hytrach na'i glodfori, yr oedd Williams Parry yn y gerdd honno. Ymosodiad ar y 'duwiau cig a gwaed' newydd oedd y gerdd, sef yr arweinwyr militaraidd a'r unbenaethiaid a oedd yn prysur dynnu'r byd i ganol cyflafan ryngwladol arall ar y pryd. Ni allwn ond llwyr gytuno â'r hyn a ddywedir yn *Dawn Dweud: R. Williams Parry:* 'Fe'i siomwyd mewn Dyn. Yr un pryd ag y dadrithiwyd ef ei hun fel hyn, yr oedd pethau eraill yn tanseilio ei ymddiried mewn dyn. Yr oedd Hitleriaeth yn tyfu yn yr Almaen. Bomiwyd Guernica o'r awyr – Guernica yng ngwlad y Basgiaid, y lle cyntaf erioed i fomiau gael eu gollwng ar ddinasyddion diniwed'.[17] Dyma'r union bwynt y ceisiais ei wneud wrth drafod 'Pagan'. 'Roedd dyn hefyd yn ddi-feind o natur, ac 'roedd hynny yn ofid iddo yn ogystal. Daeth i sylweddoli fwyfwy mai dinistriwr oedd dyn yn y bôn. Cerddi sy'n lleisio'i brotest yn erbyn dyn y difäwr yw 'Pagan', 'Hitleriaeth', 'Rhyfeddodau'r Wawr', 'Y Peilon', 'Taw, Socrates', 'Cobler y Coed', ac yn y blaen.

Yn drydydd, daeth i sylweddoli beth yn union yr oedd canol oed a symud i gyfeiriad henaint yn ei olygu. Golygai golli cyfeillion a chyfoeswyr; golygai fod marwolaeth yn ei amddifadu yn weddol gyson ac yn weddol reolaidd o'i gyfeillion. 'Roedd symud i gyfeiriad henaint ac angau yn brofiad dirdynnol iddo, heb ddim o'r gwynfydrwydd tybiedig hwnnw y canodd amdano yn 'Cysur Henaint'. Dechreuodd baratoi ar gyfer ei farwolaeth ei hun yn ' "Dwy Galon yn Ysgaru" ' (1942), a chri o'r galon a glywir yn y llinell honno yn 'Ffeiriau' (1943), wrth gyfeirio at ei gyfaill Emrys Williams, Y Felinheli: 'Paid *ti* â marw, Emrys'. Cerddi trist a chwerw oedd cerddi olaf R. Williams Parry: 'roedd optimistiaeth ifanc awdl 'Yr Haf' wedi troi'n besimistiaeth erbyn iddo gyrraedd ei ganol oed.

[16] *Y Grefft o Greu,* 1997, tt. 281-293.
[17] *Dawn Dweud: R. Williams Parry,* t. 153.

Credaf fod angen tynnu sylw at un peth arall ynghylch Williams Parry. Ym 1931 y cyhoeddwyd 'Canol Oed' a 'Chwilota'. Mae hi'n flwyddyn drobwynt bwysig yn ei hanes. Daeth cyrraedd y canol oed â dadrith i'w ganlyn, a dechreuodd edrych o ddifri ar ei sefyllfa yn ei swydd. Dechreuodd sylweddoli, gydag amser yn prinhau, fod cyfleon wedi eu colli a bod breuddwydion heb eu gwireddu; ac aeth yn ddig ac yn chwerw. Y Brifysgol oedd ei brif gocyn hitio o'r tridegau ymlaen, ac mae'n rhaid i ni sylweddoli nad taeogrwydd y Cymry a'i poenai yn ystod helynt yr Ysgol Fomio, ond taeogrwydd y Brifysgol. Mae'n arwyddocaol mai â Saunders Lewis yr ochrodd yn bennaf yn ystod y cythrwfwl, yn hytrach nag â'r ddau arall. Pam? Oherwydd bod Prifysgol Cymru wedi cam-drin Saunders Lewis. Gallai Williams Parry, o'r herwydd, lwyr ymuniaethu â Saunders Lewis. 'Roedd y Brifysgol wedi cam-drin y ddau ohonyn nhw. Nid cefnogi Saunders Lewis fel cyfaill a wnaeth, nac fel cenedlaetholwr, ond fel gŵr yr oedd y Brifysgol wedi ymwrthod ag o. 'Roedd cefnogi Saunders Lewis yn gyfle gwych i golbio'r Brifysgol eto fyth am fod mor ddiffaith.

Dychanu clîc yr 'academig dost' a wnaethpwyd yn 'J.S.L.'. Hyd yn oed yn 'Cymru 1937', nid dychanu Cymru a wneir, ond dychanu gwŷr y Brifysgol. Ceir hyd yn oed un cyfeiriad cuddiedig at Syr Ifor Williams yn y llinell 'Rho awr o wallgofrwydd i'r llugoer tu ôl i'w fur', ac, yn sicr, at y Brifysgol y cyfeirir yn yr ymadrodd 'cadarn goncrit Philistia'. Parhaodd gwrthryfel Williams Parry yn erbyn y Brifysgol am ddeng mlynedd, o 'Chwilota', 1931, hyd at 'Y Dychweledig', 1941, o leiaf. Cerdd am y dorf yn rhoi croeso i Saunders Lewis yn Eisteddfod Genedlaethol Hen Golwyn ym 1941 yw 'Y Dychweledig', ond sylweddolodd Williams Parry fod yr achlysur yn gyfle gwych arall i roi ergyd slei i'r Brifysgol. Chwaraeodd ar y disgrifiad poblogaidd o'r Eisteddfod fel 'Prifysgol y Werin':

> O! teilwng yw tystiolaeth
> Y werin frwd i'w fri
> Pan ddychwel ei ddrychiolaeth
> I'w hen brifysgol hi.

Hyd yn oed os oedd y wir Brifysgol wedi ei wrthod, 'roedd Prifysgol y Werin wedi ei dderbyn:

Rhydd iddo serch, rhydd iddo swydd;
Rhydd iddo gadair yn ei gŵydd.

Swydd a chadair, dyna'r union ddau beth yr oedd y Brifysgol wedi amddifadu Saunders Lewis ohonyn nhw. Ac mae diweddglo'r gerdd yn ddeifiol:

A phawb â chalon dan ei fron
Sy'n 'llawenhau fod lle yn hon'.

Mae'n awgrymu nad oedd calon o gwbwl gan wŷr y Brifysgol. O gofio i Williams Parry lunio'i englyn i Saunders Lewis yn y gyfres 'Chwarae Teg Iddynt' ym 1945, yn ôl *Cerddi'r Gaeaf,* ac iddo lunio'i ddau englyn 'Cymru a'r B.B.C.' ym 1950, gellid honni fod y drwgdeimlad hwn yn erbyn Prifysgol Cymru, a'i brotest yn ei herbyn, wedi para am ugain mlynedd, ac nid am ddeng mlynedd, er mai rhwng 1931 a 1941 y lluniodd y rhan fwyaf o'i gerddi, a'i gerddi pwysicaf, ar y thema hon.

Yn sgîl y dadrith mawr cyffredinol hwn ym myd dynion, mae ei agwedd at natur yn newid hefyd. Gwêl greulondeb ym myd natur yn ogystal ag ym myd dynion. Yn y soned 'Gwenci' mae'n gweld mai trais a chreulondeb sy'n rheoli ym myd natur hefyd, ac mai 'trechaf treisied' yw'r egwyddor sylfaenol yn y byd hwnnw yn ogystal. Yn y soned honno, yn y frwydr rhwng cwningen a gwenci,

Y bychan oedd yn ben,
Y sugnwr sydyn yn y wasgod wen.

Mae'n gweld mai 'etheg blaidd' ac 'estheteg ieir' sy'n rheoli, a bod byd natur yr un mor greulon â byd dynion. Meddai yn 'Hitleriaeth':

Ar lawr y buarth nid yw'n hoff
Gan y dofednod ffowlyn cloff.
Am nad yw'r wedd sydd arno'n iawn,
Ei ymlid rhag ei siâr o'r grawn
Sy raid,
Medd adar llawn.

'Tithau hefyd Natur?' gofynna rhwng cromfachau dan deitl y gerdd 'Cobler y Coed', ac mae'r cwestiwn yn hynod o lwythog ac arwyddocaol: 'Et tu, Brute?' 'Roedd hyd yn oed natur, erbyn y diwedd, wedi ei fradychu. Y cnocell yw 'bomar hyna'r byd', y dinistriwr ym myd natur ac ym myd dynion:

> 'Gorffen dy genadwri
> Ac yna cau dy ben;
> Mae arnaf eisiau clywed
> Y pryfed sy'n y pren.'
> 'Buom ni yn Hamburg neithiwr,
> A'i phlastro fesul stryd.'
> 'Jiw, jiw, jiw, jiw, jiw, jiw, jiw!'
> Ebe bomar hyna'r byd.

Fel yr oedd ei yrfa yn dechrau dirwyn i ben, yr 'hen anachubol, annynol wrach' oedd natur iddo; a hyd yn oed os oedd y llwynog ifanc hwnnw yn y soned 'Y Cwb' yn ddiniwed, yn nwyfus ac yn chwareus. 'Hyd yn hyn/ Dibechod yw y bychan,' meddai Williams Parry, oherwydd byddai trwy reddf yn torri 'yfory dri o'r Dengair Deddf'. 'Doedd dim byd yn ddiniwed nac yn ddibechod yn natur yn y pen draw.

Lluniodd R. Williams Parry rai o gerddi mwyaf y Gymraeg yn yr ugeinfed ganrif. Mae rhai o'i gerddi telynegol yn gwbwl berffaith, cerddi fel 'Clychau'r Gog', 'Eifionydd' a 'Tylluanod'. Mae ei gerddi dychan a'i gerddi mwy ymwybodol gymdeithasol a gwleidyddol yn parhau i fod yn gerddi grymus. Mae ei gerddi gorau yn gynnyrch bardd mawr, a thra bydd diddordeb mewn barddoniaeth Gymraeg, bydd diddordeb yng ngwaith R. Williams Parry. Er iddo geisio dianc i fyd natur ar rai adegau yn ystod ei yrfa, 'roedd yn ddigon gwrol i sylweddoli fod yn rhaid iddo ddychwelyd i fyd dynion, er na hoffai yr hyn a welai. A rhaid peidio â rhuthro i gyhuddo unrhyw fardd sy'n ceisio dianc rhag cymhlethdod a hagrwch y gwareiddiad modern o fod yn rhamantydd ac yn wrth-fodernydd. Dihangodd Eliot i Burnt Norton yn *Four Quartets,* a ffodd W. B. Yeats i Coole i ymgolli yn harddwch yr hydref a'r elyrch gwylltion yno. Mae'n rhaid i ddyn gael tangnefedd meddwl a hoe i drefnu'i bac yn hyn o fyd, fel y dywedodd Gwilym R. Jones yn un o'i gerddi cryfaf. Bardd oedd R. Williams Parry a geisiodd chwilio am ystyr mewn byd dinistriol, a mympwyol, a chwilio am ryw arlliw o drefn mewn byd cythryblus a pheryglus. Methodd ddod o hyd i'r tangnefedd meddwl hwnnw y chwiliai amdano mewn mannau fel Eifionydd a'r Lôn Goed; methodd crefydd gyfundrefnol gynnig unrhyw gysur iddo; fe'i dadrithiwyd gan ei gyd-weithwyr a'i gyd-wladwyr, ac, yn y pen draw, gan ei gyd-ddyn. Yn ei waith mae delfrydiaeth yn troi'n ddadrith. Cofnod o bererindod un dyn drwy fywyd mewn canrif anwaraidd a dinistriol yw barddoniaeth R. Williams Parry, ymchwil un enaid am ryw fath o drefn, a thangnefedd a sicrwydd, mewn byd diwerthoedd a digyfeiriad. Ceisiodd osgoi'r gwirionedd fwy nag unwaith; ceisiodd ddianc rhag y 'newyddfyd blin', ond gwyddai, yn y bôn, nad oedd modd iddo ddianc. 'Llwfr ydwyf' meddai ar ddechrau un o'i sonedau perffeithiaf, ond gwnaeth fwy nag achub cam y dewr. Ceisiodd godi llais 'yn erbyn trais dilead', a cheisiodd ddinoethi'r gwir am gyflwr y ddynoliaeth. Er bod unigolion yn gysur iddo, ac er iddo ddewis o'r addfwyn yr addfwynaf yn gyfeillion iddo, dewis y goreuon o blith dynoliaeth wamal a diegwyddor, collai'r rheini fesul un fel yr heneiddiai, a dim ond cysur dros-dro oedd cyfeillgarwch eraill iddo. Wynebodd ei dynged ef, a thynged y ddynoliaeth yn gyffredinol, yn wrol; a rhoddodd fynegiant athrylithgar a chwbwl ysgubol i'r hen, hen wae.

* * *

Pan ofynnodd Mr Emlyn Evans, rheolwr gyfarwyddwr Gwasg Gee, i mi ymgymryd â'r dasg o olygu gwaith R. Williams Parry, a chynorthwyo i dywys y gyfrol drwy'r wasg, 'roedd holl gerddi *Yr Haf a Cherddi Eraill* a *Cerddi'r Gaeaf,* yn ogystal â'r atodiad a geir yn *Barddoniaeth Robert Williams Parry: Astudiaeth Feirniadol* (1973), T. Emrys Parry, o'r cerddi nas cynhwyswyd yn nwy gyfrol y bardd, eisoes wedi eu cysodi. Ychwanegais innau ddau atodiad, sef y cerddi coll a gwrthodedig a gynhwyswyd gennyf fi yn *Cyfres y Meistri 1: R. Williams Parry,* a'r cerddi y daethpwyd o hyd iddyn nhw wedi cyhoeddi'r gyfrol honno. Dymuniad Emlyn Evans oedd cynnwys popeth a luniasai R. Williams Parry yn y gyfrol hon. Tybiais i ddechrau y dylid aildrefnu'r cyfan, a chynnwys un atodiad yn unig, a chynnwys yr holl gerddi mewn trefn gronolegol gan nodi'r holl ffynonellau yn llawn; ond, erbyn meddwl, gwell oedd cynnwys yr holl gerddi coll a gwrthodedig a ailgyhoeddwyd yng nghyfrol T. Emrys Parry yn yr un adran gyda'i gilydd, gan alw'r adran honno yn Atodiad 1, a hynny fel teyrnged i T. Emrys Parry, a wnaeth gymaint o waith arloesol a phwysig yn y maes hwn. Priodol oedd cydnabod y gwaith arloesol hwnnw drwy gadw'r cerddi hyn gyda'i gilydd. Fodd bynnag, cywirais rai gwallau copïo a chysodi yn y cerddi hyn, drwy fynd yn ôl at y ffynhonnell gywir yn y papurau a'r cylchgronau bob tro. Ychwanegais hefyd ffynonellau llawnach a chywirach yma a thraw. Rhoddwyd y rheini rhwng bachau petryal. Ceisiais hefyd sicrhau cysondeb rhwng y modd y cyflwynwyd y tri atodiad hyn o gerddi ychwanegol.

Defnyddiais yr argraffiadau gwreiddiol o ddwy gyfrol R. Williams Parry wrth olygu'r cerddi hyn, gan fod rhai gwallau wedi llithro i mewn i argraffiadau eraill. Collwyd wyth llinell o awdl 'Yr Haf' ym mhob argraffiad o *Yr Haf a Cherddi Eraill* drwy amryfusedd. Diflannodd diwedd un pennill a phedair llinell agoriadol y pennill dilynol, a chollwyd peth rhediad a pheth synnwyr yn y fargen. Adferwyd y llinellau coll yn yr argraffiad newydd hwn o waith R. Williams Parry.

Cywirais yr orgraff yma a thraw, ceisiais gysoni rhai ffurfiau (ceir *'steddfod* a *steddfod,* er enghraifft, yn *Cerddi'r Gaeaf*), ond ni allwn ymyrryd â rhai ffurfiau. Er enghraifft, yn *Yr Haf a Cherddi Eraill,* ond nid yn *Cerddi'r Gaeaf,* ceir llawer o ffurfiau annerbyniol ac andwyol fel 'Gan roddi heibio'm genedigaeth fraint' (yn lle 'Gan roddi heibio fy ngenedigaeth fraint'), 'Mae'th feinlais pêr drwy holltau'm bwth' (yn lle 'Mae dy feinlais [meinllais?] pêr drwy holltau fy mwth'). Ni ellid newid llawer o'r rhain heb ddifetha'r fydryddiaeth yn llwyr, neu heb orfod aildrefnu'r mynegiant. Gellid gwella rhai llinellau yn ddiffwdan, heb ddinistrio'r fydryddiaeth nac ail-greu'r mynegiant, er enghraifft, newid 'Ond pan fo'r chwa yn lleddfu'th ofn' yn 'Ond pan fo'r chwa yn lleddfu d'ofn' yn 'Y Sguthan'; ond o newid enghraifft neu ddwy, byddai'n rhaid newid y cyfan er mwyn cysondeb, ac nid oedd hynny yn bosibl.

Mae'n rhaid cofio mai cerddi cyfnod yr ymbrentisio cynnar, *juvenilia,* ar y naill law, a cherddi gwrthodedig y cyfnod aeddfed, ar y llaw arall, yw'r holl gerddi a gynhwyswyd yn y tri atodiad. Dylid parchu dymuniad y bardd i'w cadw ar wahân i'r cerddi yr oedd iddyn nhw werth parhaol yn ei dyb ef, y cerddi dilys yn unig, yn hytrach nag ymarferiadau (er bod rhai o'r cerddi gwrthodedig, 'Deialog', er enghraifft, yn tra rhagori ar gerddi achlysurol fel 'Y 'Steddfod'). Ar y llaw arall, gall yr atodiadau hyn o gerddi gwrthodedig a gwasgaredig y bardd fod yn werthfawr o safbwynt astudio twf a datblygiad R. Williams Parry, a'i safonau a'i syniadau. Mae'r cerddi ychwanegol hyn yn bwysig o safbwynt astudio gwaith R. Williams Parry yn ei grynswth.

Ni chynhwyswyd popeth ychwaith yn yr atodiadau hyn. Nid oedd unrhyw ddiben cynnwys yr englynion cyfarch achlysurol a anfonwyd ganddo at ei gyfeillion, englynion byrfyfyr, lawer ohonynt, fe ellid tybio, na'r englyn hwnnw a luniwyd ganddo i wahodd beirdd i daro eu llofnod yn albwm geneth o'r enw Ann Gwynn Evans, Bethesda. Ni fwriadwyd i gerddi o'r fath erioed fod yn ddim byd amgenach na difyrrwch preifat.[18]

[18] Englynion fel yr englyn a anfonodd at ei gyfaill Emrys Llywelyn Williams o'r Felinheli, o Dunstable, Swydd Bedford, ar gerdyn post ac arno lun o siráff ar y naill ochr, a'r englyn ar y llall, ar ôl iddo weld siráff wrth fynd heibio i sw Whipsnade ar y ffordd i garafanio gyda'i wraig i Skegness yng Ngorffennaf 1938 (gw. *Baner ac Amserau Cymru,* Ionawr 25, 1956, t. 3):

> Dyma frawd! Ymhyfrydi – yn ei wedd;
> Hyn o'i wddf a weli.
> A chreadur – oni chredi?
> Meinach a thalach na thi!

[Parhad ar waelod y tudalen nesaf]

Gobeithiaf y bydd y nodiadau ar y cerddi yn taflu llawer o oleuni ar gerddi R. Williams Parry, ac y byddant o gymorth i genhedlaeth ac i gynulleidfa newydd ymateb yn llawnach i'w waith, a deall y cyfeiriadau, llenyddol ac at bersonau a digwyddiadau, a geir ynddynt.

Dymunaf ddiolch i Huw Ceiriog, Llyfrgell Genedlaethol Cymru, am sawl cymwynas â mi pan oeddwn yn paratoi'r casgliad cyflawn hwn o waith R. Williams Parry ar gyfer y wasg. Anfonodd sawl pwt o wybodaeth ataf ar fy nghais, a mawr oedd ei gymorth. Llawer o ddiolch hefyd i Dr R. Geraint Gruffydd, Mr T. Emyr Pritchard, Mr Dewi Jones, Benllech, Mr Gareth P. Hughes, Rhosllannerchrugog, a Mr Tal Williams, Clydach, am gymorth a gwybodaeth. Yn bennaf oll, diolch i Emlyn Evans a Gwasg Gee am ymddiried y gwaith hwn imi.

[18–Parhad]

Dyfynnir dau englyn o'r fath yn ysgrif E. Wyn James, ' 'Digymar yw fy Mro': R. Williams Parry a Gwynfor, 'Yr Hen Actor' ', yn *Ysgrifau Beirniadol XXIII*, Gol. J. E. Caerwyn Williams, 1997. Ymhlith papurau Gwynfor, T. O. Jones, yn y Llyfrgell Genedlaethol, ceir darn anghyflawn o lythyr a anfonodd Williams Parry ato, a'r englyn hwn wedi ei gadw yn ei grynswth ar yr ochr arall i'r darn papur, englyn sy'n cyfeirio at Gwynfor, Emrys Llywelyn Williams ac Edward Prosser Rhys (t. 216):

Gwynfor, odidog enfys, – fy nghyfaill,
Dwg fy nghofion melys
At Gymry a'r teg Emrys,
A'r prysur ŵr Prosser Rhys!

Ceir yr englyn canlynol hefyd ymhlith papurau Gwynfor yn y Llyfrgell Genedlaethol, englyn a anfonodd Williams Parry ato ddiwedd Mawrth 1941 ar gerdyn post (t. 218):

Daeth y claf o'i ystafell – i afael
Ym mhlufyn ei sgrifell.
Wele'r gŵr ar lawr ei gell:
Nid llwfrgi'r ceidwad llyfrgell!

Dyma'r englyn a luniwyd ganddo i wahodd beirdd i lofnodi albwm Ann Gwynn Evans (*Y Cymro*, Awst 15, 1947, t. 7):

Ann Gwynn yw unig eneth – y cyfaill
Frank Evans a Gwyneth;
Am enwau beirdd mae Ann. Beth
Am daro yma doreth?

Mae'n debyg y daw englynion eraill o'r fath i'r fei yn y dyfodol.

Cynnwys

2 – Cerddi'r Gaeaf

Atodiad 1

Atodiad 2

Atodiad 3

1

Yr Haf a Cherddi Eraill

1924

Mae Hiraeth yn y Môr

Mae hiraeth yn y môr a'r mynydd maith,
Mae hiraeth mewn distawrwydd ac mewn cân,
Mewn murmur dyfroedd ar fynyddig daith,
Yn ~~Mae~~ oriau'r machlud, ac ~~mewn~~ yn fflamau'r tân:
Ond mwynaf yn y gwynt y dwed ei gŵyn,
A thristaf yn yr hwyr y cwyna'r gwynt,
Gan ddeffro adlais adlais yn y brwyn,
Ac yn y galon atgof atgof gynt.
Fel un a wrendy yn y cyfddydd hir
Ar gân y ceiliog yn y glwyd gerllaw
Yn deffro ~~adlais~~ caniad ar ol caniad clir
O'r gerddi agos, neu o'r llechwedd draw
Llewyg un olaf ei leferydd ef,
A mwynder trist y pellter yn ei lef.

LLAWYSGRIFEN Y BARDD

Dwy Gymraes

Anwylyd, nid oes hafal
  Yr afal ar dy rudd
Ond hwnnw'n wir a dyfodd,
  Addfedodd yn ei ddydd,
Dan lawen heulwen llygad mad
Gynt yn nhangnefedd tŷ fy nhad.

Mae'r pren yn friglwyd heddiw
  A lledfyw yw ei ddail;
Didostur ydyw'r gaea'
  A'i sigla hyd ei sail;
Ond i'r awenydd ar ei hynt
Mae'i degwch fel ei degwch gynt.

Cysur Henaint

Mae mewn ieuenctid dristwch, ac mewn oed
  Ddiddanwch, fel ar haul yr haf y trig
Y bore-ddydd yn dywyll yn y coed,
  A'r nawnddydd fel y nos o dan y brig;
Nes dyfod mis o'r misoedd pan fo'r gwynt
  Yn cychwyn crinddail ar eu hediad oer,
A thrwy'r dinefoedd dywyll-leoedd gynt
  Yn chwythu llewych haul a llewych lloer.
Ninnau, pan syrth ein grawnwin, a phan dynn
  Dydd ein diddychwel haf hyd eitha'i rawd,
Ni wyddom beth a fyddwn, onid hyn:
  Mor druan nid yw Henaint nac mor dlawd
Nad erys yn ei gostrel beth o'r gwin
I hybu'r galon rhwng yr esgyrn crin.

Y Gylfinir

Dy alwad glywir hanner dydd
  Fel ffliwt hyfrydlais uwch y rhos;
Fel chwiban bugail a fo gudd
  Dy alwad glywir hanner nos;
Nes clywir, pan ddwysâ dy sŵn,
Cyfarth dy anweledig gŵn.

Dy braidd yw'r moel gymylau maith,
  A'th barod gŵn yw'r pedwar gwynt
Gorlanna'th ddiadelloedd llaith,
  I'w gwasgar eilwaith ar eu hynt
Yn yrr ddiorffwys, laes, ddi-fref,
Hyd lyfnion hafodlasau'r nef.

Y Sguthan

Dy ofn a'm dychryn, glomen wyllt,
Pan safwyf dan dy ddeiliog bren;
Arhosi'n fud o'i fewn nes hyllt
Dy daran agos uwch fy mhen:
Ganwaith yn sŵn dy ffwdan ffôl
Y trodd fy nghalon yn fy nghôl.

Nid rhaid it ddianc fel y gwynt,
Ni'th leddir ond o frad y dryll;
Ac megis Lleu Llaw Gyffes gynt
Ni fedd a'th laddo ond un dull:
Dy fwrw o'th wrthol, glomen gu,
A'th gael dan blygion dwfn dy blu.

Ni fynni lety fel dy chwaer
Sy'n hel ei thamaid ar y stryd;
I'r glasgoed nas mesurodd saer
Esgynni oddi ar ysgubau'r ŷd:
I'r anwel tawel sy ar bob tu
Ym mynwes Coed y Mynydd Du.

Mi adwaen rywun dyner-lais
A huda'r adar ar ei hôl;
Ac oen ni sugna, os hon a'i cais,
Na ad ei ddala hyd y ddôl;
Ni thycia'i thyner arfer hi,
Ei theg lais dwys ni'th oglais di.

Ond pan fo'r chwa yn lleddfu'th ofn
Heb unswn estron ar ei min,
A phan na bo'n y goedwig ddofn
Ond gosteg hyd ei phellaf ffin,
Tithau, bryd hyn, agori big
Dy ddiniweidrwydd yn y wig.

Y Llwynog

1

Ganllath o gopa'r mynydd, pan oedd clych
  Eglwysi'r llethrau'n gwahodd tua'r llan,
Ac anhreuliedig haul Gorffennaf gwych
  Yn gwahodd tua'r mynydd, – yn y fan,
Ar ddiarwybod droed a distaw duth,
  Llwybreiddiodd ei ryfeddod prin o'n blaen;
Ninnau heb ysgog a heb ynom chwyth
  Barlyswyd ennyd; megis trindod faen
Y safem, pan ar ganol diofal gam
  Syfrdan y safodd yntau, ac uwchlaw
Ei untroed oediog dwy sefydlog fflam
  Ei lygaid arnom. Yna heb frys na braw
Llithrodd ei flewyn cringoch dros y grib;
Digwyddodd, darfu, megis seren wib.

2

Pan ddringai'r ciper gyda'r cŵn
  I'th ddaear ar y Glyder Fawr,
Ni ddaeth i'w glustiau ddim o'th sŵn,
  I'w ffroenau hwythau ddim o'th sawr;
Ond nwyf dy naid dros glawdd ei ardd
Dorrodd ar freuddwyd pêr y bardd.

Pan guddiai'r ffarmwr yn y gwyll
  Chwe bore oer chwe diwrnod llaith,
Fe dynnai ergyd lawn o'r dryll
  Cyn ffrwyno'r gaseg at ei gwaith;
Ond cloch yr eglwys ganodd gnul
Dy laddedigion fore'r Sul.

Adref

Bu amser pan ddewisais rodio ar led –
  Gan roddi heibio'm genedigaeth fraint –
Trwy ddiflanedig ddydd marchogion Cred,
  A thrwy'r distawrwydd lle bu'r twrnamaint.
Cefnais yn ynfyd ar fy oes fy hun,
  Ac megis dewin hen yn bwrw ei hud
Mi atgyfodais lawer eurwallt fun
  O'i thrwmgwsg tawel ger ei marchog mud;
Ond hiraeth doeth y galon adre a'm dug
  Oddi ar ddisberod bererindod serch,
I brofi o'r gwirionedd sy'n y grug,
  Ac erwau crintach yr ychydig gerch.
Digymar yw fy mro trwy'r cread crwn,
Ac ni bu dwthwn fel y dwthwn hwn.

Y Ceiliog Ffesant

Oherwydd bod d'amryliw blu
  Fel hydref ar dy fynwes lefn,
A phob goludog liw a fu
  Yn mynd a dyfod hyd dy gefn,
Cadwed y gyfraith di rhag cam;
Ni fynnwn innau iti nam.

Oherwydd clochdar balch dy big,
  A'th drem drahaus ar dir y lord,
Mi fynnwn heno gael dy gig
  Yn rhost amheuthun ar fy mord;
A byw yn fras am hynny o dro
Ar un a besgodd braster bro.

Yr Hen Grown

Chwyrnu'r hir Sul yn sêt y Llan
  Ni ddaeth i'w ran erioed;
Ond aeth ryw Sadwrn at y llu
  Sy'n cysgu'n sŵn y coed.

Pan rodiai'r brodyr yn ddi-feth
  I wrando'r bregeth brudd,
Fel canu trwmp y torrai'i lef
  Ar dangnef bore'r Dydd.

A chyda'i ddefaid fel o'i fodd
  Ymrôdd am dymor hir,
Nes talodd llawer hesbwrn llwm
  Y degwm ar ei dir.

Arweiniai'i lydnod i'w rhodfeydd,
  Ac i'w porfeydd ei fyllt,
Heb awydd a heb og i drin
  Ei ddarn o gomin gwyllt.

Fe roddai'i gyfrif yn ei bryd,
  A chrafai'r byd heb och,
A'r llwdwn du a'i famog wen
  Yn crafu'r gefnen goch.

A phan ni chlywid mwy ei drwst
  Na'i ffrwst ar war y ffridd,
Fe ddaethai gŵr i ben ei raff,
  A phagan praff i'r pridd.

Chwyrnu'r hir hwyr yn sêt y Llan
  Ni ddaeth i'w ran erioed,
Ond aeth brynhawngwaith at y llu
  Sy'n cysgu'n sŵn y coed.

Y Cantîn Gwlyb

Trwy'r mwrllwch cynnes gweli fyrddau hir
  A phoblog feinciau'n gwegian ar bob llaw;
A chlywi orfoledd yfwyr uwch eu bir
  Fel llanw môr tymhestlog. Oddi draw,
Uwch storom pleser, trebl y biano fwyn
  Fel meinlais eos seinia'n lleddf neu lon
Alawon pob rhyw werin hen, nes dwyn
  Hyfrydwch dagrau i rywrai. Ger dy fron
Cei weled mingam wŷr y fynych winc
  Yn sobor-sisial wrth lygadrwth rai
Gyfrinach duwiau. Olaf ti glywi dinc
  Y llestri gweigion sy'n cyhoeddi'r trai
Ar ôl y llanw, lle mae'r gwerthwyr brag
Yn godro'r gwaelod o'r barilau gwag.

Pantycelyn

Bererin pererinion llwyd eu gwedd
  Sy â'th wyneb-pryd ynghrog ar fur fy nghell,
Cenaist ar ddyrys daith tu yma i'r bedd
  Ganiadau crythor clir y Jiwbil bell.
Dy drachwant sanctaidd, uwch tabyrddau'r glêr,
  Seiniodd yr Enw nad adnabu dyn;
Fel lloer ddigartref rhwng lluosowgrwydd sêr
  Clafychaist am d'Anwylyd hardd dy hun.
Rhwng muriau'r demel neithiwr gwrando wnes
  Dy nwyd yng nghryndod dwfn yr organ reiol;
Dy odidowgrwydd ar y pibau pres,
  A'th bruddglwyf ar y delyn fwyn a'r feiol,
Nes dyfod esmwyth su'r deheuwynt ir
Oddi ar ganghennau pomgranadau'r Tir.

Y Bedd

Er maint y soniant am dy hedd
  A'th felys orffwys yn dy bryd,
'Rwyt heddiw'n ddychryn imi, fedd,
  Yn ddychryn ac yn ddagrau i gyd.

Cans ni bydd ynot ganu cân,
  Na hiraeth pur, na llawen nwyf;
Na chalon serchog megis tân,
  Na dim ohonof fel yr wyf.

Ond gorfod gorwedd wrthyf f' hun
  Ymysg digwmni feirw'r plwy,
Mewn gwely o glai yn wael fy llun,
  Heb fynd na dyfod imi mwy.

'Brynsiencyn'

(neu Y Glomen a'r Gigfran)

Tyner fu'r saint ohono –
O ddistaw fedd! Est â fo.
Carent waedd ei utgorn teg –
O bridd heb fedru brawddeg!
Meddai nerth a rhyferthwy –
O ddistaw hedd! Est â hwy.
T'wysog diysgog osgedd –
O lonyddach, waelach wedd!
Llwyr y mawl lle'r ymwelai –
Mudandod yw'th glod, O glai!
A llwyr yw cŵyn llawer câr –
O fedd tragywydd fyddar!
Camai draw ac yma o'i drig –
O gysgadur gwasgedig!
O'i dirion Fôn i Fynwy –
Gerddwr mawr! Gorwedder mwy.

Tair Delw'r Bala

(Pan fu'r sôn am symud y Coleg i Aberystwyth)

Lewis Edwards

Arglwydd y neuadd angof a'i phen saer,
  Nac edrych ar ei gwrthodedig dŵr;
  Ond uwch anghyfanedd-dra'r ardd ddi-stŵr
Eistedd fel duw myfyrdod rhag dy gaer.

Thomas Charles

Geidwad y deml, sy â'th drigfan wrth ei dôr,
  Y ffyrdd a wnaethpwyd gan dy atgo'n bêr
  A farchnatasom am rodfeydd y glêr,
A chrechwen anterliwtiau glan y môr.

Thomas Edward Ellis

Tithau yr hwn ddyrchefi fythol fraich
  A llygaid cyson i fynyddau'th fro,
  Bwriasom lethrau'th dangnef hir dros go':
Gorweddodd heddwch arnom megis baich.

Gwanwyn

(Cân y Cigydd)

Ar ôl y tywydd garw,
  Yr eira llaith a'r lluwch,
'Rôl cyffro rhaffu'r tarw
  A throi rhyferthwy'r fuwch,
Daeth gwanwyn a'i ysgafnwaith,
  A'i dywydd meddal mwyn,
A cheir difyrrach llafnwaith –
  Dirwgnach ydyw'r ŵyn.

Pan welwyf dan fy nwylo
  Gnu cyrliog yn y llaid,
Paham y dylwn wylo
  Uwchben yr hyn sy raid?
'Rôl byw fel angenogion
  Am eithaf wythnos gul,
Bydd melys gan Gristnogion
  Fy seigiau ar y Sul.

Haf

(Y Glöwr)

Mae'r glân arglwyddi'n gyrru
  Mewn dwfn gerbydau hardd,
A'u harglwyddesau'n tyrru
  O'r dref i goed yr ardd;
Paham na cheni dithau'n iach,
Ar hindda fwyn, i'r Rhondda Fach?

Mae ynys yn Y Barri,
  Ac awel ym Mhorth-cawl,
A siwrnai yn y siarri
  I rai a fedd yr hawl;
Paham y treuli ddyddiau ir
A nosau haf yn Ynys-hir?

Gaeaf

(Yr Hen Weinidog)

Ti wyddost fel mae'r llanciau
  Mewn hiraeth am un iau;
Ti wyddost am ystranciau
  Hynafgwyr, un neu ddau;
A gwyddost ti mor drist, mor drist,
Yw diwedd oes dan groes dy Grist.

Rhag dirmyg amlwg llanciau
  Mewn hiraeth am un iau,
Rhag blin dristâd ystranciau
  Hynafgwyr, un neu ddau,
Rhodded ei Feistr, o'i fawr ras,
Ei dirion nodded i'r hen was.

Cantre'r Gwaelod

1

Obry blodeuai Ebrill,
Ymwelai Mai a'i lu mill;
A dawns y don sidanaidd
A'r hallt fôr, lle tyfai haidd.
Lle bu trydar a chware,
Dŵr a nawf rhwng dae'r a ne'.
Tegwch Natur, fflur a phlant,
Morynion – yma'r hunant:
Blodau haf heb olau dydd
O dan oer don y Werydd.
Pob ieuanc ar ddifancoll,
A hithau'r gân aeth ar goll.

Pau segur is pwys eigion,
Distaw dud is to y don.
Uwch ei phen mae llen y lli,
A'i ddŵr gwyrdd ar ei gerddi;
Ei hamdo mwy ydyw môr,
A'i ddylif fydd ei helor.

2

Caer sy deg goris y don
I frwyn a môr-forynion;
Yma rhwng ei muriau hi
Nofiant yn eu cynefin.

Main hudol a phob golud
Sy o fewn y ddinas fud;
Tlysau a pherlau a physg,
Gwymon a gemau'n gymysg;
Dinas dawel môr heli,
Hafan y dwfn ydyw hi.

Sain ei mynych glych a glyw
Sobreiddiol osber heddyw
O'r ddinas gain: sain y sydd
Soniarus yn y Werydd.

Araith Seithenyn

Rhued eigion aflonydd heb lesgáu,
Ac ar y dorau cured y Werydd;
  Ca' forfur a'i cyferfydd heb wyro;
Na syfl er curo: nid sofl yw'r ceyrydd.

    Y gadwyn dal gydia'n dynn
    A diarbed i'w erbyn.
    Â'i main teg yma o'n tu,
    Ba raid awr o bryderu?
    Nid ofnaf er gwaethaf gwynt,
    Er llanw a gorllewinwynt,
    Ond uwch hyrddwynt y chwarddaf,
    Uwch y llanw erch llawenhaf.

Parod y muriau, poered y moroedd
Eu trochion ofer i entrych nefoedd;
Digryn a difraw, uwch utgorn dyfroedd,
Y trawstiau disigl trwy ystod oesoedd;
  Ac er anterth corwyntoedd hwy fyddan'
Arhosol darian yr isel-diroedd.

Diddanwch

Nid oes i mi ddiddanwch yn y môr
 Fel yn y mynydd. Yn y mynydd chwaith
Fel yn y fron eithinog wrth fy nôr,
 Cans ni thramwyais foelni'r mynydd maith
Na byddai'n gil-agored ar fy ôl
 Lidiart y mynydd; na'r dibreswyl draeth
Na'm gyrrid gan ei ofid hir i gôl
 Y goetre glyd lle trig fy mrodyr maeth.
Benrhynion môr ac awyr! Nid i mi,
 A gâr gymdogol goed y mwyalch pêr,
Y rhodded nwyd gwylanod llwyd y lli,
 A'r pinwydd llonydd dan y perffaith sêr,
Ond calon wrendy beunydd, clust a glyw
Eu hen hyfrydwch yn y ddynol-ryw.

Y Mynydd

Lleddf, lleddf yr awron yw'r llyn,
Adeg ei osteg estyn
Drosto ryw hwyrol dristwch
Lle rhwyfai dau, gynnau, gwch.
Sugana hesg yn y waun
Alar hwyrol yr hirwaun,
A'i chŵyn, i gwm a cheunant,
Sieryd Nos o ryd y nant.
Mud yw'r dôn ymado'r dydd
Uwch main tawelwch mynydd;
Tannau'r nant yn hwyr y nos
A'r rhaeadr yw ei eos;
Cwynfan adar gâr y gwyll,
A su dieithr nos dywyll.

Mae Hiraeth yn y Môr

Mae hiraeth yn y môr a'r mynydd maith,
  Mae hiraeth mewn distawrwydd ac mewn cân,
Mewn murmur dyfroedd ar dragywydd daith,
  Yn oriau'r machlud, ac yn fflamau'r tân:
Ond mwynaf yn y gwynt y dwed ei gŵyn,
  A thristaf yn yr hesg y cwyna'r gwynt,
Gan ddeffro adlais adlais yn y brwyn,
  Ac yn y galon atgof atgof gynt:
Fel pan wrandawer yn y cyfddydd hir
  Ar gân y ceiliog yn y glwyd gerllaw
Yn deffro caniad ar ôl caniad clir
  O'r gerddi agos, nes o'r llechwedd draw
Y cwyd un olaf ei leferydd ef,
A mwynder trist y pellter yn ei lef.

Y Gwynt

1

Mae'th chwiban leddf drwy dwll y clo
Fel pibau pagan er cyn co';
Mae'th oernad yn y simdde fawr
Fel utgyrn yng ngorymdaith cawr.

Mae'th feinlais pêr drwy holltau'm bwth
Fel gorchest Hiraeth ar ei grwth;
Mae'th gryndod allan wrth fy nôr
Yn awr fel dirfawr derfysg môr.

Ond pan agorwyf ddrws i'r traeth
I weld y llanw'n wyn fel llaeth,
Ni welaf undim ond y waun
Yn wyneb lonydd fel o'r blaen.

A chyffro lleuad lawn a ffy
Yn ofer yn y nefoedd fry,
Fel un a red o lam i lam
Hyd feysydd cwsg heb ennill cam.

Y Gwynt

2

Tydi yw'r hynafiaethydd chwim
A ddysg hynafiaeth hiraeth im;
Mwy cynnar yw dy lafar lên
Na llyfrau coll Talhaearn hen.

Pan gasgl dy fiwglau, fel i frwydr,
Fyddinoedd fy meddyliau crwydr,
Cofiaf fy llwyd anghysbell wawr
Cyn bod rhyfeddod Arthur Fawr.

Cofiaf fy nharddle bore gynt,
A nofiaf hen ffynhonnau f'hynt,
Pan ddarganfûm dy fod yn bêr
Cyn enwi'r haul na chyfri'r sêr.

Cyn dyfod dydd y ganed ofn
Yn ogofeydd y galon ddofn,
Pan nad oedd bywyd namyn byw,
Pan ydoedd dynion cyn bod duw.

Yr Iberiad

Ha wŷr fy mrodyr! Fel 'roedd hedd
Y ddaear hawddgar ar fy ngwedd
Pan glywn y durtur gylch fy nghell
Yng nghysgod coed y Berwyn pell.

'Roedd yno lonydd, Duw a ŵyr,
A golau'r dydd fel golau'r hwyr;
A chodai'r mynydd wrth fy nôr
Ymhell o'r byd, ymhell o'r môr.

'Roedd yno gordial at bob clwy
Mewn unigeddau fwy na mwy,
Lle rhoddai'r nef i fachgen lleddf
Ddifyrru'i ddydd yn ôl ei reddf.

Ac nid oedd yno ddim rhyw boen,
Ond tristwch mwyn fel hanner hoen,
Pan wylai f'ienctid moethus, clyd,
Y dagrau difyr cyn eu pryd.

O ddyddiau fy niddanwch pur
Pan oeddwn arglwydd ar fy nghur!
Ar fron a chlogwyn, ac ar ffridd
Yn profi'r heddwch sydd o'r pridd.

Mi gefais goleg gan fy nhad,
A rhodio'r byd i wella'm stad;
Ond cefais gan yr hon a'm dug
Fy ngeni'n frawd i flodau'r grug.

Ha wŷr fy mrodyr! Fel bai hedd
Y ddaear hawddgar ar fy ngwedd
Pe clywn yng nghoed y Berwyn pell
Y durtur eto gylch fy nghell.

Glan-y-gors

(I gyfaill ar fudo o'r mynydd i'r pentref)

Dyfod mae Calan Gaeaf,
A gado'r wyt, gyda'r haf,
Ddiddanwch ffriddoedd unig
Sy'n aros dros yr hen drig.
Gado'r nant a'r gornant gu,
A dyfod i aeafu
O fynwes hedd i fân sôn
Pentrefwyr pant yr afon.

Ffarwél, ddigyffro aelwyd!
Ffarwél, fynydd llonydd llwyd,
Lle trig tragwyddol olud
Harddwch môr, a heddwch mud
Y ddistaw lethr, ddiystyr
O ganrif i ganrif gwŷr,
Heb na chae na chynhaeaf,
Heb addfwyn wanwyn na haf,
Ond mawredd didymhorau
A'i wyneb-pryd yn parhau.

Haf Gwlyb 1922

Ddiolygfeydd lawog fyd,
Diaeaf, di-haf hefyd,
Ond gwyw anwydog aeaf
Hanner yn hanner â haf.
Yr Ionawr oer yn yr ŷd,
Chwefror hyd lennyrch hyfryd,
A sturmant Mawrth ystormus
Yn lleddf hyd lechweddau'r llus.
O ddydd heb drugaredd ar
Na chnwd na chywion adar!
Ac O niwl oer ganol haf!
O gur a phoen Gorffennaf!
Nid aelwyd aelwyd heb dân
A Thachwedd hyllwedd allan,
Ac nid gaeaf hynafol
A'r dyddiau hir hyd y ddôl,
Ond gwyw anwydog aeaf
Hanner yn hanner â haf.

Dinas Noddfa

Pan yrr y Sêr eu cryndod drwy dy waed
  Gan siglo dy gredoau megis dail;
Pan brofo'r Nos y pridd o'r hwn y'th wnaed,
  A'i hofn yn chwilio'th sylwedd hyd i'th sail;
Neu pan wrandewi rigwm trist y Môr
  Sy'n dweud yn dywyll ei lesmeiriol gŵyn,
A'r Gwynt sy'n mynd a dyfod heibio'th ddôr
  Yn gryg drwy'r coedydd, ac yn floesg drwy'r brwyn;
Dilyn y doeth, a chyfod iti gaer
  Lle ceffi noddfa rhag eu gormes gref,
Yn arglwydd dy ddiddymdra, ac yn saer
  Dy nef dy hun. Neu ynteu dilyn ef
Pan adeilado deml, nid o waith llaw,
Goruwch dirgelwch Natur a thu draw.

Edward Ffoulkes

Fe garodd bob rhyw geinder is y rhod
  Mewn natur, mewn celfyddyd, ac mewn dysg;
'Roedd hefyd ar ei bryd a'i osgedd nod
  Y dynion nid adwaenir yn ein mysg;
Y rhai, mewn cnawd fel ninnau, ar wahân
  Freuddwydiant eu breuddwydion, ac fel ni,
O'n defnydd, fflachiant eu llusernau tân
  Drwy'r cysgod sydd yn fwy na'th sylwedd di.
Yntau mewn llawer myfyr wrtho'i hun,
  A'r deall sydd o'r galon yn ei wedd,
Gerddodd anghysbell ffyrdd, cans i'r fath un
  'Roedd rhodio'n orffwys, a myfyrio'n hedd;
Nes myned i'w ddieithraf, olaf daith,
Heb nerth nac ysbryd i ddychwelyd chwaith.

Gwragedd

1

Bu'n llednais hyd benllwydni, bu'n weddus,
    Bu'n addurn cwrteisi:
  Bu'n annwyl hyd benwynni,
  Bu'n dlos tra bu'i hanadl hi.

Ac eurwallt ei hawddgarwch ymrannai
    Mewn morwynol degwch;
  Henaint roes yr haenau trwch
  Dan arian ei dynerwch.

Ac o dan y cudynnau dau lygad
    Fel dilwgwr emau:
  Glas y nefoedd oedd i'r ddau,
  A hawddgar oedd ei gruddiau.

Oriau ei dyddiau diddig a dreuliodd
Hyd yr olaf orig
Yn feunyddiol fonheddig
A mwyn ei threm yn ei thrig.

Dithau'r dieithr, o deui i gyrraedd
Y garreg sydd arni,
Os wyt ŵr didosturi
Bydd fwyn wrth ei beddfaen hi.

2

Hi feddai reddf i leddfu poen a chur;
Pwy na cheid i'w charu?
I'r dall hi wnaeth ei gallu,
I'r byddar byddar ni bu.

I lwm a gwael, ymgeledd fu drwy'i hoes,
Fedrusaf o wragedd!
I'w awr ddi-hwyl rhoddai hedd
Cymwynas ac amynedd.

3

I dlawd rhoes barch dyladwy, i'r isel
Hi roes ei chynhorthwy:
Prydferth ei cham yn tramwy;
Prydferth ddiymadferth mwy.

Mewn serch pur, mewn tosturi, ac mewn cof
Cwmni cu amdani;
Mewn hiraeth nas myn oeri,
Didranc ac ieuanc yw hi.

4

I'r addfwyn rhowch orweddfa mewn oer Fawrth,
Mewn rhyferthwy gaea';
Rhowch wedd wen dan orchudd iâ;
Rhowch dynerwch dan eira.

Geneth Fach

Mae eithaf bymtheng mlynedd
  Er pan y'i rhoed mewn bedd;
Ond clir fel petai'r llynedd
  Yw'r atgof am ei gwedd
Pan ddifyr ganai fel y gog
Tan feini Tynyfawnog.

Ac erys co'r ysgariad
  Trwy'r maith flynyddau'r un;
Eu rhif ni chyfrif cariad
  Di-nam ei mam ei hun;
Ond cael ei chofio'n dair ar ddeg
Ni chwennych ddim ychwaneg.

Dramodydd a Nofelydd

Hen awdur mud dramodau
  A thirion chwedlau'th iaith;
Nid tros y rhain, dy flodau
  A dyfaist ar dy daith,
Ar hyn o gyfle, yr hen gâr,
Yr wylwn o fawr alar.

Ond am roi'th wyneb llawen
  Yn druan ac yn drist;
D'ysmaldod dan y grawen,
  Dy chwerthin yn ei chist;
Dy holl ffraethineb o dan ro –
Ffraethineb diffrwyth yno.

Nos o Haf

('A Summer Night': Cyfieithiad)

A lwyr anghofiaist, gariad gu,
Y nos, yr hafnos fwyn a fu,
Pan gyda'r lli a'r esmwyth awel
Mordwyem dan y lloer mor dawel?
Fy nghalon oedd yn drom a phrudd,
Gan ryw bêr hiraeth hanner cudd,
Pan fel mewn ateb mud i'm pryder
Dy law'n fy llaw a rodd im hyder.
O fun! Ai llwyr anghofio wnaed
Y gusan gaed?

Nos ein serch, nos Mehefin braf,
Hen nos ein llw dan leuad haf,
Nos pob rhyw nos, pan aeth dymuniad
Dwy galon mwy'n dragywydd uniad.
Bryd hyn gwybûm dy galon, fun,
Yn un â'm calon i fy hun.
Dwedais bryd hyn: 'Y dydd y trengom
Ni fentra Angau'i hun fynd rhyngom.'

Yr Haf

I – Gofid

Llannerch yr Oed

Ag oerwynt hydre'n gyrru
Y gawod ddail yn gad ddu,
A gwig o'i chwr yn gwegian
Megis dewr mewn ymgais dan
Angerdd trin yng nghyhwrdd y tarianau,
A thwrf dwygad yn y rhuthr fidogau,
Ym mhoen y bu i minnau gymryd hynt
Ym mawrdrwst y gwynt, mor drist ag yntau.

A'i gwisg ddeilios dlos hyd lawr
Mi a ganfum wig enfawr:
Mi ddeuthum iddi hithau
A'i dieithr fyd. Ei throfâu
Rhwng derw neuaddau'r ehangder nyddynt;
Drwy hud annirnad y rhodiwn arnynt;
Ger llwyn, a'r gorllewinwynt yn dal gwg,
Daeth imi olwg wrth deithio'm helynt.

Haul eisoes a giliasai,
Brysiai'r lloer heibio'r sêr llai,
A chlir, drwy'r goedwig achlân,
Hwtiai llawer tylluan.
A llyna'r olwg: llain hir a welais,
A chlywed goslef nychlyd, ac islais;
Dihunai f'ofn o dan f'ais, yna fel
Rhyw ofnus awel araf neseais.

Ac ar y llain 'roedd gŵr llwyd;
Ai marw oedd, ai ym mreuddwyd,
O'i wedd yn hawdd ni wyddwn,
Oni thorres iaith o'r sŵn.
A'i lygaid yn wylo gwae dynoliaeth,
Y dwylo anwylai'r delyn alaeth,
Nes dihuno'r beroriaeth chwerw-felys
Y sy'n soniarus yn neusain hiraeth:

'Yng ngwynfyd bywyd buom,
A dyfod rhwyg deufyd rhôm.
I'r gerddi mêl a'r grudd mau
Mae'r rhos yn marw o'i heisiau.
Pan welais gyntaf yr hoywaf riain
'Roedd goch fy neurudd, a gwych fy nwyrain;
Syllwn dros y llwyni drain parth â'r coed;
A mynd i'r oed â'm henaid ar adain.

'A llyma lun y fun fau:
Yr oedd fel rhudd afalau
Aeron pêr ei hwyneb hi;
Ba brydferth o werth wrthi?
Cerdded cwr ydfaes, cwrddyd cariadferch,
Ac is lloer ifanc syllu ar hoywferch;
Dod i gyfarfod f'eurferch, fy mun gun
A destlus ei llun hyd ystlys llannerch.

'Dymor hud a miri haf,
Tyrd eto i'r oed ataf,
A'th wyddfid, a'th hwyr gwridog,
A'th awel chwyth haul a chog.
A thyrd â'r eneth a'r adar yno,
A sawr paradwys hwyr pêr i hudo
Hyd ganllaw'r bompren heno bob mwynder;
A bwrlwm aber i lamu heibio.

'I deml yr oed mal yr hydd
Mae'n dod ym min diwedydd,
A phlyged hoff lygaid dydd
Wedi'i gweled, o g'wilydd.
Mae'n dod i'r oed mewn hud a direidi,
Y deilios, chwarddwch yn dlysach erddi;
Chwi awelon llon y lli dowch mwyach
I chwythu'n llonnach o eithin llwyni.

'Mae'n dod, a'm henaid edwyn
Yn barod ddyfod y ddyn,
Rhag mor gu ym mrigau hwyr
Yw'r seiniau feddwa'r synnwyr
A'u mawl. A chaniad y mwyalch hoenus
O goed a fytho'n rhyw gawod foethus,
A'r suon hwyr soniarus a glywer,
A'r gwin heno'n bêr gan wenyn barus.

'Ac yng nghoed dan gangau haf
Dy deced, odidocaf!
Dy lygad yn dad y dydd,
A'th lais fel cathl eosydd.
Llyma dy sut, â llam y dois atad,
'Roedd haf yng ngheirios dy rudd, fy nghariad;
Ac uwchlaw eu cochliwiad ogoniant
Tresi is gerlant o ros ysgarlad.

'Dymor hud a miri haf
Tyrd eto i'r oed ataf
Yn ddyn ieuanc ddeunawoed
A'i threm yn llewych i'w throed.'
Ciliais o brudd-der. Ymysg niferoedd
Meirwon y goedwig mor unig ydoedd!
Ac yntau'r gwynt oriog oedd yn fynych
Yn chwythu llewych i'w thywyll-leoedd.

Rhiain yr Haf

Mi neithiwyr yn hwyr y nos
Hiroedwn uwch marwydos
Fy aelwyd, a breuddwydiais,
Mewn hun, am ei llun a'i llais;
Ac eilwaith gwelwn y gwlithog aeliau,
A gwinau esmwyth y llwyth llywethau;
Ac yr oedd gwaed i'w gruddiau yn codi
Dau gwmwl gwrid gydag aml guriadau.

Rhoeswn wedd rhosyn iddi,
A chariad merch roed i mi,
Dwfn gariad y fun gerais
Yn llif yng nghryndod ei llais.
Ac yfed o riniau'r gafod rawnwin
Byddem, a llannerch heb ddim allwynin;
Myfi mewn perth yn chwerthin yn nydd serch
A chân; a'm hoywferch yn ei Mehefin.

Ac wele, drych ac ail drem:
Ar fore o haf rhwyfem,
A llawen oedd llonyddwch
O dan y coed yn y cwch.
A rhwyfo yn nwfr yr afon hyfryd,
Ac fel yr afon ein cyflwr hefyd,
Cyd y bai deced bywyd rhwng glannau
Difyr y duwiau i fro dihewyd.

Ac megis ym mis y mêl
Y tywallt pan fo tawel
Ddüwch y bedd uwch y byd,
Ambell i gawod enbyd,
Mi welais ein serch yng ngwin chwerthiniad,
Ac eilchwyl, hagen, yn golchi'i lygad.
Mwynach cur mynych cariad na phedfai
Heb lanw a thrai, a heb li na throad.

Wele wedd y drydedd drem:
Can hwyr y cyniweiriem
Parth â'n hoed. Rhwng perthi nef
Y crwydrem, ac i'r hydref.
A phan yng nghymod yr haf a'r blodau
Yr aethom i'w ffrwyth mwy hoff yr âi hithau,
Cyd nad oedd cadwyn dyddiau namyn llawn
O nef, ym mhrynhawn fy morwyn winau.

Bwy ŵyr hyd ei baradwys?
Yn llariaidd wawl y lloer ddwys
Mi a ddeuthum, ddiwethaf,
Parth â'r oed. 'Roedd perthi'r haf
Heb ddeilen ar frig. Y goedwig ydoedd,
Gefn nos Rhagfyr, yn fyr o'i niferoedd;
Ac yntau'r gwynt oriog oedd yn fynych
Yn chwythu llewych i'w thywyll-leoedd.

Yng ngwynfyd bywyd buom,
A dyfod rhwyg adfyd rhôm,
Ac o fewn y goedwig faith
Minnau wybum anobaith.
Fe'i gwelwyd yng ngwlad y pomgranadau
A pheraidd aeron anghyffwrdd erwau;
Am olud gwell y bell bau hiraethodd,
A'm bro adawodd am wybr y deau.

A phrudd fu'r deffro heddyw,
A gweld y wag aelwyd wyw
Heb farwor, ac agoryd
Dôr y bwth ar wacter byd.
A'r bore yn nhawch yr wybren ucho'n
Llwydaidd a gwelw, y lleuad ddigalon
Drengai draw yng ngodreon niwl di-hedd,
A mynd ar orwedd i'm hundy'r awron.

Macwy'r Haf

A gwyrdd fôr yn gorwedd fel
Gwridog aur hyd y gorwel
'Roedd dydd ar ei ddedwyddaf,
A blwyddyn yn nherfyn haf.
A gwrid yr hwyr ar gread yr awron
Yn rhoi gemliw grug ym mhlyg yr eigion,
Ni roddai'r pelydr rhuddion ddim o'u delw
Ar wyneb gwelw y rhiain heb galon.

Fel pan gocho'r ortho rug
Lechweddau haul a chaddug,
Ac yn Nhachwedd gwanychu'r
Gwaedliw dwfn, gyda'i law dur,
Hithau yng nghyfoeth eang ei hafau
Oedd â'i deurudd hefelydd afalau,
Hyd onid aeth gofidiau llawer blwydd
Â godidowgrwydd ei gwaed i'w dagrau.

Yr hirnos oer ar nesáu
O'i blaen oedd, a blynyddau
Hydref oes, darfuasai
Am win ieuenctid y Mai.
Gwelais yn gwgu las waneg eigion,
A thywyllach aeth ei llewych weithion;
A gwelais wyll y galon yn dwysáu
Dihalog dlysau dau lygad leision.

Cofiais fel y gwelais gynt
Ei dyddiau: deced oeddynt
Dan fedwen haf hyd y nos,
Ond fyrred fu eu haros!
A hithau'n rhiain yn nwyrain euraidd
Oedd glir ei hwybren, a'i bore'n beraidd;
Ei dydd hefyd oedd hafaidd, a chalon
Yn ei chwarddiad llon a'i cherdded lluniaidd.

A harddaf haul rhuddfelyn
Yn bwrw o'i wawl ar y bryn,
Dyrïau gludai'r awel
A sawr y maes ar ei mêl.
Ac nid oedd gerllaw un bronfraith tawel,
Na diwedd i hoen ehedydd anwel,
Ond sŵn dwys enaid isel, yna llais
Dieithr a glywais gyda threigl awel:

'Macwy'r haf a'm carai i,
Daeth rhôm beth dieithr imi;
A dwyn i fod yn fy ais
Dân bywyd na wybuais.
Ac wedi myned ein serch o'r hedyn
Bu liw ac arogl ar y blaguryn
A suai, megis ewyn môr di-hedd,
Dwrf adanedd dirifedi wenyn.

'Cred a hud cariad ydoedd
I facwy'r haf, ac yr oedd
Heulog des i'w lygad o,
A thân gobaith yn gwibio
I d'w'llwch ing gyda llewych angel,
Nes goleuo nos y galon isel;
Minnau â'm Mai yn y mêl a'i hoffais;
Yn feinwen cerais ei finion cwrel.

'I mewn i fore'm heinioes
Dôi mal duw ym mlodau'i oes:
Ei gnwd gwallt ar ei gnawd gwyn
Fel haidd melyna'r flwyddyn.
A Duw wyddai geined oedd eigionau
Llygaid fioled. Lliw gwaed afalau
Hyd ddwyfoch wridodd hafau gusenais,
A sugnai f'ais y gwin o'i wefusau.

'Rhag mor wen y nen inni
Nid oedd nos i'n dyddiau ni,
Oddieithr, un nawnddydd athrist,
I daran drom dorri'n drist
Trwy gôl y düwch, fel treiglad ewyn
Fo'n uchel ei dwrf yn chwalu'i derfyn;
Ac megis a wêl elyn, mewn anfodd
Y cymylodd gwedd y macwy melyn.

'Na chŵyn trech ei natur o,
Dôi heulwen wedi wylo;
Gwedi poen dau lygad pur
Tlysach eu tawel asur.
Hyd wyneb y wlad a hi'n y blodyn
Cenais, Duw a ŵyr, canys aderyn
A fûm yn pyncio f'emyn ac erioed
Ni chant yn y coed, na chynt nac wedyn,

' 'Run dryw bach mor iach a rhydd
A thlawd fai cathl ehedydd
Wrth ddyfnder y mwynder mau,
Ddedwydded oedd y dyddiau.
Ac fel mae'r hwyr yn cyflymu'r awron,
Mor ebrwydd hedai tymor breuddwydion;
A'r blodau hwythau weithion yn nesáu
Yn rhawd yr oriau i wrid yr aeron.

'Yng ngwynfyd bywyd buom,
A dyfod rhwyg adfyd rhôm:
Pan ddaeth blewyn gwyn i'm gwallt
Ni'm carai'r macwy eurwallt.
Ac yntau yn hardd gynt yn ei wawrddydd
Oedd hytrach yn harddach yn ei hwyrddydd,
Fel mae harddaf, decaf dydd, pan ar fron
Danllyd y don y lledo'i adenydd.

'Daethai brad yn adwyth bron,
A dur i lygaid oerion;
Ni'm carai'r macwy mwyach,
Ac yn y nos canu'n iach.
Fe'i gwelwyd yng ngwlad y pomgranadau
A pheraidd aeron anghyffwrdd erwau;
Am olud gwell y bell bau hiraethodd,
A'm bro adawodd am wybr y deau.'

A dydd o haf ydoedd hi,
Gweai hwyrddydd ei gerddi,
Cerdd adar a gâr y gwŷdd,
A bref oen a bawr fynydd.
Minnau adnabum ennyd anobaith
O weld a hoffwn yn welw a diffaith,
Heb ddisgwyl haf a'i afiaith mwy i'w chôl,
Na chael yn ei hôl ei chalon eilwaith.

II – Gorfoledd

Ar Gyniwair

Fath yw'r haf pan fytho rhin
Dwyfol yn neithdar deufin?
Pan yn swyn llwyn a llannerch
I deyrnas hud arwain serch?
Yn y tymor sanct mae rhos ieuenctyd
Yn iraidd eu twf, a rhyddid hefyd
Fel serch yn felys o hyd, yn gwawrio
Ar y sawl y bo rhosliw eu bywyd.

A chaf degwch haf digoll
Tra bo dau trwy y byd oll;
Tra bo dau haf yw'r gaeaf,
Fore a hwyr nef yw'r haf.
I minnau nefoedd yw minion hufen,
Ac o'r perthi oed egyr pyrth Eden;
Fy ngwynfyd i gyd yw gwên fy nghariad,
A'i dau fyw lygad fy heuliau, hagen.

A disiarad a siriol
Y rhodiwn hyd wndwn dôl;
Ni sieryd oes a ŵyr dau,
Rhy fawr yw ef i eiriau;
Dyfod yn hwyr hyd y fedwen arian
Welir yng nghanol y rhengau'i hunan
Yn llwyd fel ysbryd y llan. A throsti
Ei brigau gwisgi heb rwyg a gysgan'.

A daw deunod o dwyni
A chwyd cog o'i choedwig hi;
Ei haml oslef, mal islais,
Ddihuna fedd yn fy ais.
Atgyfyd i gof y nef a gefais
Ym mlwyddi maboed. Mal hydd mi wibiais
I weled yr edn llednais, hyd fraenar
Ar dwyn a thalar hyd oni'th welais,

F'anwylaf, yn awelon
Min nos haf. I'm mynwes hon
Fe ddaeth y noson honno
Gysur gwell o geisio'r gog,
Canys ni chant cog erioed o glogwyn
Mor faith, mi haeraf, â hithau'm morwyn;
Er pan glywai fy Mai mwyn gynta'th lais
Ti byth a genaist obaith y Gwanwyn.

Dring yr haf pan drengo'r ôd,
A chlychau a eilw uchod
Ddefaid fyrdd i hafod fwyn
A thrum aruthr. Â'm morwyn
Esgyn wnaf innau'n ysgawn i fynydd,
Yntau yn wridog tan yr ehedydd;
Ymwelwa grug y moelydd pan ger bron
Yr aeddfed aeron rodd haf i'w deurudd.

Ac ŵyn ieuainc o newydd
Ar feini'r haf yno rydd
O soniarus waun hwyrol
Y gerdd deg a roddai dôl;
A minnau yn gwrando bref y defaid,
A llais morwynig mewn llesmair enaid;
Ac â bun deg, bendigaid ydyw sawr
Yr eithin yn awr â thwyn yn euraid.

Ni rydd yr ha' iddo ros
O liw'r cwrel a'r ceirios;
O lyn y ddôl ni ddaw hi,
Lili annwyl, i'w lonni;
A hoff i'm morwyn yw brwyn y bronnydd
O dan ei throed, a nyth yr ehedydd;
Ac aros ar y ceyrydd pan fo'r llus
Yn rhudd a melys ar hedd y moelydd.

A hudoled ei hwyliau
Yng nghrib y llong ar bellhau;
Deri'r llwyn hyd erwau'r lli,
A'i dalgoed hyd y weilgi;
A thros yr hwyliau llathr, asur heulog
Ehangder dyli. Yng ngwydr dihalog
Ei drem mae porffor gemog yn chwarae
A gwau mal y bae dan gymyl bywiog.

Ac edrych uwch llewych lli
Rhwng haul a'r eang heli
Ar chwa'r hwyr chwery o aidd
Ym mhluf y cwmwl hafaidd.
Rhagom ail-esyd rhyw gymyl isel
Ar ansawdd caerau. Ynysoedd cwrel
Ar hyn a chwyth o'r anwel. Ac yn awr
Mal hud eurog wawr ymleda'r gorwel.

A phwyntl cyfnos yn gosod
Gemliw haul ar gymyl ôd,
Tariwn, ac edrychwn dro,
Hyd lechwedd dawel ucho;
A thra'r edrychom rhôm y mae rhwymau
Y gadwyn hud a gydia eneidiau
Trwy y byd oll tra bo dau yn nirgel
Hyd lechwedd dawel a chudd y duwiau.

Y Brawd Llwyd

'Roedd brudd y bore heddyw;
Gwelais ŵr dan y glas yw;
Ei wyneb ar wedd breuddwyd,
O bryd a lliw y Brawd Llwyd.
Meddw ni bu'r gŵr ar win gwefus gwrel;
Ac mal a garo gymylog orwel
Arhosodd y gŵr isel ar ei rawd,
Gwedyn dywawd, a'i lygad yn dawel:

'Mae llwybr i'r llan o'r llannerch;
Daw'r meini mud, er min merch;
Ac atolwg, ti weli
Hagrwydd oed i'w gruddiau hi.
Ac â brigau moel, ac wybr gymylau,
Ba liw a sawr a fydd i'th bleserau?
Megis y mâl afalau y bell fro,
Lledrith yw yr oll, a diwerth ddrylliau.

'Trwy ddeufyd bywyd y bûm,
Y mab, a dyma wybum:
Wedi'r chwarae daw'r gaeaf,
Gwynfyd yr ynfyd yw'r haf.
Wedi gwrid y rhos mae deigr a drysi;
Ac wedi'r êl haul gwyw ydyw'r lili;
Pob rhyw fwynder a geri a dderfydd,
Atgof a fydd y tecaf a feddi.

'A phennaf gwae y gaeaf
Yw cofio'r rhwysg fu, yr haf.
Tafl y cwpan odanad,
Nid yfi'n hir dy fwynhad.'
Minnau atebais: 'Er myned heibio
O fore a nawn fy rhiain honno,
Mae'r haf heb ateb eto beth a fydd.
Mae gennyf hirddydd. Mi ganaf erddo.

'Ni chydfydd llan â llannerch,
Na meini mud â min merch.
Boed brudd y bywyd, a brau,
Cwynfaner, canaf innau
Hyd waun a dôl, cans hyd onid elo
Yn dywyll fy haul nid allaf wylo.
Y Cymrawd Llwyd, breuddwyd bro ydyw'r fun,
Ti ganet dy hun petai gennyt honno.

'Beth i haf yw gaeaf gwyw?
Cyn a fydd canaf heddyw.
Ba enaid ŵyr ben y daith? –
Boed anwybod yn obaith!
Ac yn eu digwydd os dêl y blwyddi
Â rhan o ddrain yr hen ddaear inni
Gyda'i rhos, ni bydd nosi yn fuan;
Boed marw'n y llan. Boed miri'n y llwyni.

'A swyn yr oes yn yr haf,
Ai am a ddêl meddyliaf?
Myfi ym Mai fy mywyd
Ganaf y Mai, gwyn fy myd.
Ac i f'anwylyd gweaf fy nhalaith
Fioled a rhos yn fil dyryswaith.
Anwesaf hud; mae'r nos faith yn dyfod,
A digon yw gwybod – gwyn yw Gobaith.

Yn llygad merch serch a syll
Hyd nes daw y nos dywyll.
Minnau heb fraw yn dawel,
Yr haf ni ddoraf a ddêl.
A chennyf wawrddydd ni chwynaf erddi,
Ba wedd y cwynaf oni bydd cyni?
Os ffy'r haf mwyn o lwyni Hydref pell,
I mi boed gwell am wybod ei golli.'

Siaredais eiriau hyder.
Cyd y bu 'roedd cawod bêr
Yn tirion syrthio'n y sain
Ddyry 'hedydd ar adain.
Ciliasai'r gŵr megis rhith a lithiwyd;
Ac ef yn dianc, fy hun adawyd.
Sibrydai llais y Brawd Llwyd yng ngwawrddydd
Dlos y boreddydd fel adlais breuddwyd.

Y Brawd Gwyn

A mi'n gwrandaw mwyn gryndod
Hyd y dail yn mynd a dod,
A'r prennau ir, y prynhawn,
Ym min cwsg mwyn ac ysgawn,
A'r awel sorth, ar ôl suo wrthyn',
Yn mynd a'u gadael am ennyd gwedyn,
Rhyw ddieithr ŵr ddaeth ar hyn drwy'r llwybr troed
I deml yr oed, gyda'i ymyl rhedyn.

Gwelwn o'r allt ei wallt du
Arglwyddaidd, gyda'r gloywddu
Gudynnau, ac o danyn'
O bryd a gwedd y Brawd Gwyn.
Llwydliw eigion oedd i'w danllyd lygad,
Ac ar ais y gŵr 'roedd Croes ei gariad.
Dwedodd â gwên ei gennad, a phob dôl
A gant yn siriol, ac yntau'n siarad:

'Am olud gwell y bell bau
Y cyrch y doeth. Cyrch dithau
Ei nen ddihalog, ddilwybr,
Mor glir â miragl o wybr.
Cans yno bydd Haf, ac ni bydd hafau,
Ac yno bydd Dydd, ac ni bydd dyddiau.
Diwerth yw byd wrth y bau ddwyfol-dlos:
Pa les hir-aros uwch pleser oriau?

'Difarw yw hud y frodir,
Telyn a thant leinw ei thir
O buredig fiwsig fel
Pe bai eos pob awel,
A'i fflur a'i hawel a phali'r huan
Erys yn newydd, a'i rhos ni wywan';
Yn ei hedd ni heneiddia neb tra bydd
Byw a dihenydd bywyd ei hunan.

'Nid oes a ddwed hardded hon:
Ba raid iddi brydyddion?
Eto'r beirdd a gant i'r bau,
A didlawd yw eu hodlau.
Brwd yw eu sain i'r Baradwys honno,
Ac i Wlad yr Hud, ac El Dorado.
Pob rhyw delyn cyn bod co' fu'n datgan
Geined y Ganaan. Gwna duag yno.'

A minnau: 'Diau, deuwell
Rhiain fo byw na'r nef bell.
Hyfryd oedd a fu o'r daith,
Nis gwybum eisiau gobaith.
Mae'n deg yr haf, a mwyn yw digrifwch,
Ba raid a fai wrth amgen brydferthwch?
Digon i'r dydd ei degwch. Chwi'r adar
A'r gwenyn cynnar gan hynny cenwch!

'Dall yw Serch. Di elli sôn
Am ar a wêl marwolion
Yng ngwlad engyl, a dangos
Difarw hud ei haf a'i rhos.
A Serch llygatglas mewn gwin tan asur
Wybrennydd heulog, heb ran o ddolur
Byd, ac heb wybod cur, megis na bai
Derfyn i ysbaid yr haf annisbur.

'Dwg im haul digymylau:
Gad im hefyd fy myd mau,
Lle mae'r cymyl yn wylo
Ym mhelydr haul aml i dro.
Rhoddwch im heulwen hardd, a chymylau
Blyco'n ei gwawl yn bali cain, golau,
Ac yna wynt gwan, i wau aml i ddrych
Lle chwery llewych y wawr â'u lliwiau.

'Melys i mi lais y môr
Yn Natur faith, tra fytho
Rhin yr hwyr yn yr oriau,
A'r nos ei hun ar nesáu.
Rhoddi'm llaw yn neheulaw f'anwylyd,
A synio'n dawel swynion dihewyd.
Ba wae nas troai bywyd yn heddwch?
Ni bu ddigrifwch heb ddagrau hefyd.

'Diau, a'r wybr yn dywell,
Gwyn fyd a gân fywyd gwell;
Am hafan o'r storm hefyd
Caned beirdd, ac uned byd.
Dygwch i minnau degwch y munud;
O gyfoeth o werth, gwae ef a'th wrthyd!
Mae'n haul lle bo'm hanwylyd. Llawenhaf.
Beth yw fy haf os gobeithiaf hefyd?

'Heddiw mae nef. Eiddom ni
Yw llannerch rhwng y llwyni;
Ac o nefoedd gwin nwyfiant
Ni chenfydd serch nefoedd sant.'
Ar hyn diflannai'r enaid aflonydd,
Nid oedd i hoen a wnâi â diddanydd;
Minnau a awn o'r mynydd parth â'r coed;
Dawnsiwn i'r oed yn sain yr ehedydd.

III – GOBAITH

Atgof Mai

Ag oerwynt hydre'n gyrru
Y gawod ddail yn gad ddu,
Ym mhoen y bu i minnau
Ganfod mynd y gwynfyd mau.
Mi welais heulwen i'r nef wybrennog,
A gwelais niwl ar ei glesni heulog;
Y llwybrau gynt lle bu'r gog a'r forwyn
Sy'n fyr o swyn eu hafau rhosynnog.

Myfi'n drist am fynd o'r haf
A'i ddiwrnod oddi arnaf
Uwch ei fedd wybûm heddyw
Nad ofer oedd. Difarw yw.
Ac o hir ddisgwyl un gwir a ddysgais:
Ni fwriaf o gof yr haf a gefais;
Nid angof y serch dyngais a hi'n haf,
Y fun a garaf yw honno gerais.

Od aeth fy Medi eithaf
Gyda'i rug a'i adar haf,
A dyfod cri y dufedd
Am ei ysbail dail di-hedd
A meirwon, ba waeth? Mae'r hen obeithion
Yn rhedeg eilwaith drwy waed y galon.
Os collwyd hen freuddwydion, nid marw chwaith
O theimlais unwaith eu melys swynion.

Didranc, er dod o hydref
A'r haf i gyd rhof ac ef,
Wedi caead llygad llaith
Mi welaf y Mai eilwaith.
Mai y rhianedd a'i serch morwynol,
A Mai yn yr oed ym min hwyr hudol;
Mai yn dduw ym min y ddôl, a Mai'n dwyn
Y nyth ar y llwyn, a thröell y wennol.

Y Mai a'i arogl mirain
Pan fo'r deilios dros y drain
O gannaid hug ewyn ton,
Sindal cynhyrfus wendon;
A'i flodau mwynion fel ôd y mynydd,
Ac wynned ag oen ar gnwd y gweunydd;
Gyda'i dawch llygad y dydd, a'i ridens
Melyn yr orens ym mlaenau'r irwydd.

Ac adar haf o afiaith
Godant, ehedant i'w taith
O drum i drum, ddau neu dri
Yn gyforiog o firi.
O chryn y sêr yn nechreunos arian,
A'u diwyg loywed â golau huan,
Y troellwr fentry allan gyda'r hwyr
I rwygo'r awyr â gorohïan.

Ban fo'r haul uwchben y fro
Y mae'r nawn ymron huno,
A chilia ych i loches
Rhyw frigau tirf rhag y tes.
A'r awel glaear a eilw y glöyn
Ac aml ogoniant y cymyl gwenyn
I ddod i'w hoed â blodyn yr ardd fraith
A'i thlws ymylwaith o las a melyn.

Cyn y dêl ef, Fehefin,
A'i regen hwyr, a'i gain hin,
A phali'r dlos fflwr-de-lis
Mewn llyn ym min y llwyni,
Mae hwyr a morwyn yn nhymor miri,
A maes a glwysnef ym mis eu glesni;
Daw rhedyn a direidi hyd y ffyrdd,
Ac ar ôl y gwyrdd gwrel y gerddi.

Ieuanc yw Mai, ac ymwêl
Â mwyn yngan min angel;
Dyry olud yr heulwen
A'r hoen coll i'r unig hen:
Dyry hwyr-gerddi drwy yr yw gwyrddion,
A chnwd fioled uwch hen adfeilion;
Cerdd goruwch ceyrydd geirwon trumau maith,
A thramwy eilwaith eu herwau moelion.

Mynych, mynych i minnau
A swyn yr oes yn hwyrhau,
Ymrithia ienctid gwridog
Y llwybrau gynt lle bu'r gog.
A'm llygad ynghau ar foelni'r gaeaf
Dwys, ym mharadwys y Mai y rhodiaf;
A theg eilwaith y'i gwelaf, nes huno
A myned iddo o'm hun diweddaf.

Y Brawd Eto

I goed yr oed gyda'r hwyr
Minnau euthum y neithiwyr,
A synio wnes yno'n hir,
Ym mhoen o hiraeth meinir.
Minnau dan swyn y munud ni synnais
Ddyfod, fel breuddwyd, un gwynllwyd, gwanllais,
O bryd ail i'r Brawd welais, a thristed
Â'r blin ei gerdded o'r blaen a gwrddais.

Yr un oedd ei lun, a'i lais
Oedd hefelydd ei falais
I'r llais gynt fu'n arllwys gwawd
Diddiwedd. Yntau ddywawd:
'Mi'th welais gyntaf yn haf dy nwyfiant
Â bun deg wyneb. Yn dy ogoniant
Y'th welwn di, a'th lon dant ni wybu
Seinio dim melys onid i'w moliant.

'Dau welais ar y dolydd
A hithau'n haf, a than wŷdd;
Aeth un i'r llan o'r llannerch,
Ac erys un dan gur serch.
Ag wybr gymylog, a brigau moelion
Ar brennau, rhy hwyr y berni'r awron
Mai'r afal yw dy galon farw ac oer,
A'i drylliau, dioer, yw y lludw aeron.

'Marw yw byw. Na siomer byd.
Pand gaeaf yw haf hefyd?
Nid â'r un gaeaf i dranc
Na fu yn haf yn ifanc.'
Minnau atebais: 'Ym mhoen y tybiwn
Fyned yr olaf fwynder a welwn;
Ac ofer haf gyfrifwn innau'n ail
I goedwig farwddail gwywedig fyrddiwn.

'Ond ni dderfydd ffydd os ffoes
Grawnwin a gorau einioes;
Cronnodd yr ieuanc rawnwin,
A'u swyn a ges yn y gwin.
A thlysni digoll yr haf a gollwyd
Yn gyfoeth mawreddog fyth ym mreuddwyd,
Mi gofiaf am a gafwyd, cans erys
Ei swyn yn felys yn nhân fy aelwyd.

'Ac i gof y dwg y gwin
Fy haf ar ei Fehefin;
Dwg i gof y deg ei gwedd,
Fireiniaf o rianedd,
Ban fyddai wyneb y nef ddianaf,
Hithau'm rhiain yn ei thymor hoywaf;
Pan oedd dedwydd hirddydd haf rhof a bedd,
A'm horiau yn hedd, a marw anhawddaf.

'A mi'n hen, mae hoen o hyd
Yn sanctaidd deyrnas Ienctyd.
Pau'r llwyni a'r perllanwydd,
Goror gain y gwair a'r gwŷdd.
Yma, fro dirion, mae hyfryd erwau
O lawnder melyn hyd yr ymylau.
Duwiau'r tes a'u duwiesau ynddi drig,
A'u geiriau'n fiwsig ar win wefusau.

'O oes i oes hoyw yw hi,
A'r nawnddydd arian ynddi,
Heb hwyr, ond dyddliw puraf,
Lle mae'r gwyll ym mrigau haf.
Ieuainc a nwyfus yn eu cynefin,
Gwridog rianedd, gwair, ŷd, a grawnwin,
A thwym afiaith Mehefin leinw y fro;
Dlysed haul uchod o'i las dilychwin!

'Mae bywiog hoen ym mhob cerdd
Yngo, a'r blodyn angerdd
Trwy gaeau lle trig eos
Ym mis gwrid y damasg ros.
Lotus dihafal y tes i dyfiad
Ymegyr yno, a'r pren pomgranad:
Ym mro digymar wead cerdd a fflur,
Nid arhoa cur ond a ŵyr cariad.

'A châr serch aros o hyd
Yn sanctaidd deyrnas Ienctyd.
Dyry drem, o dro i dro,
I'r man na welir mono.'
Dringai y lloer hyd yr eang lliw arian
A bro dan ei hedd, a'r brawd anniddan
Ddiflannodd fel ei hunan dros y trum;
A minnau ddeuthum i annedd weithian.

Y Llatai

A thonnau Mawrth yn y môr,
A'r eira'n gwynnu'r oror,
Mi neithiwyr yn hwyr y nos
Hiroedwn uwch marwydos
Yr aelwyd olau, ac ar ôl dilyn
Ei swyn, breuddwydiais yn ebrwydd wedyn
Am haul Gorffennaf melyn, yng nghanol
Ei flodau dethol. Fel hud y daethyn'.

A mi'n oedi munudyn
Ucho ar fraich o ryw fryn,
Yn sŵn llif suon llafar
Gallt a gwig i wyllt a gwâr,
Clywn fedelwyr, gwŷr o gyhyrau,
Ar waith y gweunydd â nerth gewynnau,
A chwerthinus wefusau rhai llawen
Yn cywain hufen y cynaeafau.

Rhyngof a'r eang fröydd
Chwaraeai tawch euraid dydd,
A throsof aethai'r asur
Yn lledrith pell o darth pur.
Mal gwawn y gwelwn, ym mhlygion golau
Y tarth, ogoniant y toreth gwinau;
'Roedd cwrel hardd ac erwau blodau'r grug
O tan y caddug, a'r tonnog heiddiau.

O'r bryn, rhwng rhedyn yr haf
Deuwn isod yn nesaf,
A bwrw cyrch rhwng ambr y coed,
A gwylltineb gallt henoed:
Ac nid mwy ei hud cân dwym ehedydd
Na'i haml chwibanogl, a'i harogl irwydd;
Ac wedyn gado'r coedydd, gyda'u clog
O gymyl deiliog, am haul y dolydd.

Rhwng muriau anghymarol,
A gorchudd haf gwrych y ddôl
Yn geinros gwyllt ac anhrefn,
Y chwythai'r chwa, a thrachefn,
Rhyw loywder hir a welid yr awran
Trwy hufen y wlad; rhyw afon lydan
Rhwng gerddi gorohïan adar bro;
Ac wele, gwthio i'w golwg weithian

'Roedd haf oddeutu'r afon,
A chywoeth haul uwch ei thon
A rôi belydr ei bali
Euraid, llathr, ar hyd ei lli;
A phersawr awel, a phrysur hwian,
A gwybod ollwng y gwybed allan.
Gwŷdd deiliog oedd i'w dwylan. Dan eu clyd
Ymylon hefyd mi welwn hafan.

A gweled fyned i'r fan
Ddau a rwyfodd i'r hafan;
A gwrando'r prydferth chwerthin
A chwarddo merch rudd ei min
Yn beraidd. A bu, a'r ddau heb ohir
Yn rhwyfo'n frwd, a'r haf yn y frodir,
Im dybied im glywed yn glir, o'r lan,
Fy enw fy hunan ar fin y feinir.

A phrudd fu'r deffro heddyw,
A gweld y wag aelwyd wyw
Heb farwor, ac agoryd
Dôr y bwth ar wacter byd:
Eithr haul oedd yno yn deffro dyffryn
A thwyn, heb ledrith yn ei belydryn.
Nid oedd chwa nac eira gwyn yn aros;
Y ddau, fel y nos, a ddiflanesyn'.

Ac ar y llawnt ger y llwyn
Darogenais dw'r Gwanwyn;
Ac wele, canfod blodyn
O bryd a gwedd y Brawd Gwyn.
Ac o'r prynhawn ger y prennau yno
Deuai mewn siffrwd i'm mynwes effro:
'Pob rhyw delyn cyn bod co' fu'n datgan
Geined y Ganaan. Gwna duag yno.'

Marw i fyw mae'r haf o hyd;
Gwell wyf o'i golli hefyd:
Dysgaf, a'm haul yn disgyn,
Odid y daw wedi hyn.
Mwy ni adnabum ennyd anobaith
Y daw'm hanwylyd i minnau eilwaith;
Ba enaid ŵyr ben y daith sy'n dyfod?
Boed ei anwybod i'r byd yn obaith!

Yr Hwyaden

(Digrifawdl ar ddull ac yn arddull awdlau diweddar, yr awdl flaenorol yn eu mysg)

CYNNWYS:

I.–Rhiain yr Hesg

A mi'n rhusio mewn rhoswellt
Fel un ym mhoen o flaen mellt,
A tharan ar daran, dioer,
Yn rhoi hunllef ar wenlloer,
Nachaf, ar lan llyn uchod
(Ni wyddwn beth oedd yn bod),
Yn torri'n oer trwy y nen
Glwyfedig lef hwyaden.
Ei hirgwyn ddrylliai argae
Anghyffwrdd ing ei phrudd wae.
Is hud y nos dynesu
I ofyn gair – 'Y fun gu,
Wylofus yw dy lefau,
Dwed y trallod hynod tau.'

'Erglyw,' ebr hi, 'fy hirglwy:
Macwy'r Mawn ni'm câr i mwy.
Dyweddi ei fryd oeddwn,
Heb dwymyn byd imi'n bwn.
Harddaf yng nghôr oedd fy ngwedd,
Fireiniaf o rianedd.
Fy llais a yfai llysoedd
Megis gwin neu drwmgwsg oedd
Yn swyno pob rhyw synnwyr
Mewn llyffethair llesmair llwyr.
Ond Ow! Ryw hwyrddydd, dewin,
Oedd ar grwydr hyd ddaear grin,

A drawodd f'oes yn druan,
A dwyn i fod yn y fan
O lwch fy harddwch a'i fedd –
Fel y dawel Flodeuwedd –
Aderyn crwydr, unig gri,
A disolas, disylwi.
Arglwydd, pand dwfn fy hirglwy?
Macwy'r Mawn ni'm câr i mwy.'

II.–Macwy'r Mawn

A mi'n rhodio mewn rhedyn,
Yn greadur llwyd ger dŵr llyn,
A'i ddwfr yn hardd a hyfryd
A heddwch bedd uwch y byd;
Llyma ryw enaid â llam o'r anwel,
Yna mae'n nesu gan hymio'n isel;
Fy mod dan gysgod yn gêl ni wyddiad:
A chodais besychiad hysbys, uchel.

Neidiodd, llygadrythodd dro –
'Roedd gwedd fawreddog iddo,
Y deca'n fyw, ond canfûm
Ryw ddwyster prudd i'w ystum.
Ac yn y fan minnau cyn ei fyned:
'Y cymrawd ieuanc, ai marw, dywed,
Yw hi a geri? O gwed a ddaroedd
O ddrycin ingoedd i ŵr cyn ie'nged.'

A dywawd yntau: 'Dewin
Oedd ar grwydr hyd ddaear grin;
Ac ef o'n plith a lithiodd
Riain yr Hesg. Arni rhodd
Ei hudlath oer hyd lywethau euraid,
Nes curiodd einioes caruaidd enaid
Rhiain yr Hesg. Llesg yw'm llaid heb harddwch
Y fun o degwch y Fair Fendigaid.

'Hyd ddaear faith y teithiais,
Hyd fôr cur, ond ofer cais.
Ni welaf mwy ael fy mun,
Na thâl fy mhrydferth eilun.
Ond er hyn oll, dewr iawn wyf,
A thad consuriaeth ydwyf,
Yn rhodio'r bau ar dro byr,
Weithiau'n arth, weithiau'n eryr,
Weithiau yn gawr o fawr faint,
Yna milgi ym mhylgaint;
Weithiau yn llaith yn y llyn,
A than ddŵr; weithiau'n dderyn;
Amlaf mewn llwyn yn llwynog
Yn dwyn ei gledd dan ei glog.
I'w cheisio'n ôl chwysu wnaf
Oni ddêl fy nydd olaf.'

III.–Yr Ymchwil

A'r haul yn troi i'w wely,
A'i dresi teg dros y tŷ,
A llewych lloer uwch llwch llan,
I'w thwym wyll euthum allan.
Dylifai'r lleuad o leufer llawen
Ei chyfoeth tegwch i fythod, hagen.
Suon y nos yn y nen, ac ar li
E roed o bali yr euraid belen.

A mi'n oedi munudyn
Yn gwmwn llesg ym min llyn,
Fel yng nghanol marwolaeth
Yn ddistaw, ddistaw ydd aeth
Pob glyn a cheunant a chwm rhamantus
Is eirian fawredd y sêr niferus;
Yr awel oer alarus ar ei thaith
Gwynfanai'n hirfaith gan ofnau nerfus.

Ond dolef lesg a esgyn
O gwr y llaid ger y llyn,
Fel uchenaid enaid oer,
Gwanllais dan dywyn gwenlloer.
A thybiais glywed wedyn
Hirgur oer y geiriau hyn:
'Di-oed ac irad ydwy',
Macwy'r Mawn ni'm câr i mwy.'

Fel o bur dostur distaw
Ysgwyd yr oedd yr hesg draw;
Ac yn y fan mi ganfûm
Ddistaw, lechwraidd ystum
Llusgwr y nos. Llosgwrn hir
Feddai, fel pan ganfyddir
Seren wib yn asur nos.
Llwynogaidd i'r llyn agos
Nesâi, a thrwy'r nos-awel
Ei eiriau mwys ar ei mêl:
'A welaf mwy ael fy mun,
A thâl fy mhrydferth eilun?'

IV–Yr Oed

A llyn oer yn lliniaru
Dan oer sêr ei dyner su,
Y macwy prudd, meudwyaidd,
Hyd ei ro yn araf draidd,
A'i losgwrn hael a ysgwyd
O'i wrthol, yn ôl ei nwyd.
Ei sang ofalus yngo
O gam i gam a'i dug o
Nes cyrraedd ymysg corresg
I'r oed â Rhiain yr Hesg.

Minnau'n ddiystum yno
Wrandewais, edrychais dro,
A chlywed ysgrech lawen
Aderyn hwyr drwy y nen.

Sgrech lawen hwyaden oedd
Yn nofio gwynt y nefoedd,
A'u gweled gyda'i gilydd
Yn dyfod dan gysgod gwŷdd;
Is tresi nos tros y nant
Y ddau fel un ddiflannant.

Llewelyn Williams

O'i godiad siriol hyd ei anterth hardd
  Llosgodd ar danbaid hynt, a than ei wên
Tarddai o sobrwydd asbri, fel y tardd
  Gorfoledd dyfroedd ar fynyddoedd hen.
Yn arglwydd pob rhadlonrwydd treuliodd glir
  Brynhawn brenhinol, hyd nes dyfod awr
Anniddig osteg adar drwy y tir,
  A'i roddi yntau i'r cymylau mawr.
Felly, a'i wedd heb lesgedd fel o'r blaen,
  Ciliodd heb gilio, a heb ffoi fe ffodd;
Nes bwrw o'i fachlud, ym mhob tanllyd haen,
  Huodledd rhyfedd tros y tarth a'i todd:
Cymylog gyntedd ei ddiflaniad llwyr
Ddatganodd ei ogoniant yn yr hwyr.

Plygain

Duon yw brigau'r pren sydd ger fy mron
  Ar lwydni'r awyr, llonydd fel mewn llun;
  A phell a distaw fel y nef ei hun
Yw'r anweledig agos. Yr awr hon
Gosteg ar osteg orwedd, haen ar haen,
  Pan gyffry'r hedydd cynnar yn y brwyn
  Fel un wrth geisio canu'n canu ei gŵyn
Yn llesg, ddigalon. Yna fel o'r blaen
Gosteg dros amser, nes o glwyd gerllaw
  Y cyfyd ceiliog ei betrusgar lais;
  Seithwaith y cân heb ateb, ac ni chais
Ychwaneg. Ennyd, ac o'r dwyrain draw,
Fel trwst dodrefnwyr drwy gaeëdig ddôr,
Taranau cyntaf Fflandrys tros y môr.

Gwyliadwriaeth y Nos

Distawodd lleisiau'r gwersyll. Drwy'r nos oer
  Y biwglwr olaf ar y bryn gerllaw
Chwythodd bob golau i maes ond golau'r lloer
  A thrydan tanbaid cwrt y carchar draw
(Lle cwsg rhai estron yn eu celloedd clyd
  Ar ôl anhunedd hir nosweithiau'r ffos).
Ac o'r disgleirdeb, yn eu hunion bryd,
  Lleisiau y gwyliedyddion ar y nos
Alwant adegau'r oriau, un ac un,
  O chwarter blin i chwarter. Yr awr hon
Mae'r lluoedd llonydd fel y meirw eu hun,
  Oddieithr lle clywir, fel diorffwys don,
Anesmwyth drwst cadwyni, lle mae'r meirch
Yn disgwyl am y dydd a'r bore geirch.

Gadael Tir

1

Fel un a wrendy dristwch yn yr hesg
  Rhwng chwerthin ei gariadferch dan y lloer,
Myfyriaf fyfyrdodau henaint llesg
  Cyn dyfod dyddiau blin ei hydref oer.
Heb bylni llygad, a heb gryndod llaw
  Na diffrwyth barlys, na chaethiwed gwynt,
Ni welaf mwyach yn y pellter draw
  Fynyddoedd fy mlynyddoedd megis gynt
Y'u gwelais yn eu harddwch ar yr wybr.
  Clafychu mae fy nydd am ddydd a fu,
Cans lle bu llais y durtur uwch fy llwybr
  Cyffrous yw llef y cigfrain ar bob tu.
Ai terfysg hafddydd yw, ai storm yr hwyr,
Tragywydd ai tros amser, Duw a ŵyr.

2

Pan ddelo'r dydd im roddi cyfrif fry
  O'm goruchwyliaeth ar y ddaear lawr,
A dyfod hyd y fan lle clywir rhu
  Y môr ar benrhyn tragwyddoldeb mawr;
A llwyr gyffesu llawer llwybyr cam
  Mewn mynych grwydro ffôl a wybu'm traed,
A phledio'r dydd y'm gwnaed o lwch a fflam,
  O gnawd a natur, ac o gig a gwaed;
Odid na ddyry'r Gŵr a garai'r ffridd
  Ac erwau'r unigeddau wedi nos,
I un na wybu gariad ond at bridd,
  Ryw uffern lonydd, leddf, ar ryw bell ros,
Lle chwyth atgofus dangnefeddus wynt
Hen gerddi gwesty'r ddaear garodd gynt.

Yr Aflonyddwr

Wrth rodio neithiwr clywais lef
Yn mynd a dod hyd wifrau'r dref,
A wnaeth fy nghalon estron bron
Mor drwm â'r plwm o dan fy mron.

Mi es o'r neilltu tua'r ddôl
I ddianc rhag fy hiraeth ffôl,
Ond clywais lais rhyw druan llesg
Yn mynd a dod ymysg yr hesg.

Mi drois yn ôl i'm llety gwael,
Ond nid oedd gysur im i'w gael,
Cans yno'n wylo wrth fy nôr
'Roedd sŵn mwy trist na sŵn y môr.

Bydd lonydd, wynt, a phaid â gwneud
Fy nghyni'n fwy nas gallaf ddweud:
Neu dyro'n ôl y dyddiau pell
Pan genit imi ganiad gwell.

Y Ddrafft

Clywi dabyrddau'n dadwrdd, a thrwy'r rhain
  Y drwm, sy'n agor drysau, seinia'n nes:
Cei wrando'r adar yn y ffliwtiau main
  A'r gwenyn yn y fagbib. Utgyrn pres
Utganant, tincia'r symbal, yna'r lleng,
  Colofn saethyddion mewn diwyro drefn
Yn camu wrth fesur heibio o reng i reng,
  Pob serchog bwn yn clymu am bob cefn,
A thros bob ysgwydd galed y gwn mud
  Yn ffroeni'r helfa o bell. O gam i gam,
Y gwych a'r gwachul o bob lliw a phryd,
  Rhagddynt y cerddant. Heb na phle na pham
I'w hapwyntiedig hynt y try pob gwedd:
I Ffrainc, i'r Aifft, i Ganaan, i hir hedd.

Mater Mea

Pe'm rhoddid innau i orwedd dan y lloer
  Yn ddwfn, ddienw, mewn anhysbys ro,
Cofiai fy nghyfaill am ei gyfaill oer
  Ar lawer hwyr myfyriol. Yn eu tro
Y telynorion am delynor mud
  Diwnient yn dyner ar alarus dant
Wrth gofio'i nwyd ddiffoddwyd cyn ei phryd,
  A'i alaw a ddistawodd ar ei fant.
Ond un yn llewygfeydd gwylfeydd y nos
  Ni chaffai ddim hyfrydwch yn ei fri,
Wrth wylo am ddwylo llonydd yn y ffos,
  Ar ddwyfron lonydd dros dymhestlog li,
Gan alw drwy'r nos arw ar ei Christ,
Ac ar ei bachgen drwy'r dywarchen drist.

Gorffwys

(O Saesneg J. S. Arkwright)

Arglwydd, O gwêl ein meirw drud,
  A derbyn hwy i gôl dy dadol hedd;
I orffwys aethant ennyd fer o'r byd
    I'r bedd.

Lanciau ein serch! Tros lyw a gwlad,
  Hyd wastadeddau'r dwfn, yn ffeuau'r ffos,
Syrthiasant i ddisymwth gwsg y gad
    Fin nos.

Ychydig orffwys cyn y wawr,
  Ychydig lwydwyll dros y llygaid cudd,
Ac yna geilw'r utgorn, mingorn mawr:
    'Mae'n ddydd!'

In Memoriam

Meddyg

Gwendid mewn gofid gafodd ei ofal
A'i lafur tra gallodd:
Yntau ei hun a hunodd
Yn yr un man a'r un modd.

Milwr

Rhoes ei nerth a'i brydferthwch tros ei wlad,
Tros aelwydydd heddwch:
Gyfoedion oll, gofidiwch!
Lluniaidd lanc sy'n llonydd lwch.

Morwr

Y Tom gwylaidd, twymgalon, sy'n aros
Yn hir yn yr eigion:
Mor oer yw'r marw yr awron
Dan li'r dŵr, dan heli'r don.

O ryfedd dorf ddiderfysg y meirwon
Â gwymon yn gymysg!
Parlyrau'r perl, erwau'r pysg
Yw bedd disgleirdeb addysg.

Hedd Wyn

1

Y bardd trwm dan bridd tramor, y dwylaw
    Na ddidolir rhagor:
  Y llygaid dwys dan ddwys ddôr,
  Y llygaid na all agor!

Wedi ei fyw y mae dy fywyd, dy rawd
    Wedi ei rhedeg hefyd:
  Daeth awr i fynd i'th weryd,
  A daeth i ben deithio byd.

Tyner yw'r lleuad heno tros fawnog
    Trawsfynydd yn dringo:
  Tithau'n drist a than dy ro
  Ger y Ffos ddu'n gorffwyso.

Trawsfynydd! Tros ei feini trafaeliaist
    Ar foelydd Eryri:
  Troedio wnest ei rhedyn hi,
  Hunaist ymhell ohoni.

2

Ha frodyr! Dan hyfrydwch llawer lloer
    Y llanc nac anghofiwch;
  Canys mwy trist na thristwch
  Fu rhoddi'r llesg fardd i'r llwch.

Garw a gwael fu gyrru o'i gell un addfwyn,
    Ac o noddfa'i lyfrgell:
  Garw fu rhoi'i bridd i'r briddell,
  Mwyaf garw oedd marw ymhell.

Gadael gwaith a gadael gwŷdd, gadael ffridd,
   Gadael ffrwd y mynydd:
 Gadael dôl a gadael dydd,
 A gadael gwyrddion goedydd.

Gadair unig ei drig draw! Ei dwyfraich,
   Fel pe'n difrif wrandaw,
 Heddiw estyn yn ddistaw
 Mewn hedd hir am un ni ddaw.

John Alfred

Mae'r llong yn hwylio i adael tir,
  Mae'r rhaffau hir i ffwrdd;
Mae'r capten prydlon ar y tŵr,
  A'r biwglwr ar y bwrdd.

Mordwya'r cwch o don i don
  I dir Iwerddon draw,
Gan gyrraedd harbwr mewn tro byr
  Heb frwydyr a heb fraw.

A churo drwm a chario dryll
  Mewn gwersyll yno geir;
A chyda'r gwersi bob yn fis
  O ris i ris yr eir.

Pan ddaeth ei dymor byr i ben
  Y bachgen wyneb iach
A gaed i gerdded ger eu bron
  Yn burion filwr bach.

Mordwya'r cwch o don i don
  Hyd lannau ffrwythlon Ffrainc,
A chlywir nodau lleisiau cryg
  Yn cynnig llawer cainc.

Mae'r maes yn awr yn fawr ei ffrwst
  Gan drwst y gynnau draw:
Mae'r bachgen pur na wybu gur
  Mewn brwydyr ac mewn braw.

Ond wele'r llong yn ôl cyn hir,
  A'r rhaffau hir i ffwrdd;
'Roedd capten llawen ar y tŵr,
  A biwglwr ar y bwrdd:

Pa le mae'r bachgen ysgafn droed,
  Heb och erioed na chraith
Fu'n mynd a dyfod fel yr hydd
  Hyd ochrau'r mynydd maith?

Mae'r bachgen heini, serchog wedd,
  Yn gorwedd o dan gŵys,
A'i ddwy droed lonydd a'i ddwy law
  Yn ddistaw ac yn ddwys.

Robert Einion

Wrth glwyfus ddinerth gleifion, wrth y dewr
    Aeth i daith y dewrion,
  Wrth ysig, friwiedig fron,
  Tyner fu Robert Einion.

Ei ddwylo leddfai ddolur y gŵr llesg
    Ar y llawr didostur:
  Llariaidd y'i ceid lle'r oedd cur,
  Agosaf gyda'i gysur.

Yntau'r blin, 'rôl tair blynedd o roddi
    I'r eiddil ymgeledd,
  O'r rhuthr hir aeth ar orwedd
  Yn Ffrainc mewn digyffro hedd.

Ar bwys mur eglwys y'i rhoed i orwedd
    Yn arwr ieuengoed;
  Yn fab o fro ei faboed,
  Ac yn rhwym mewn cynnar oed.

Boed ei hwyrol baderau yn felys
    O foliant i'w angau;
  Uwch ei lwch boed ei chlychau
  Yn llafar oll i'w fawrhau.

Ysgolhaig

Llednais oedd fel llwydnos haf, llariaidd iawn
    Fel lloer ddwys Gorffennaf:
  O'r addfwyn yr addfwynaf,
  Ac o'r gwŷr y gorau gaf.

Ei wlad ni chadd ei ludw, ond yn Ffrainc,
    Dan ei phridd, mae 'nghadw:
  Ei gerddi teg roddo'u tw
  Ar fyfyriwr fu farw.

Eifionydd a fu inni'n baradwys
    O barwydydd trefi;
  O na bai modd im roddi
  Dy lwch yn ei heddwch hi!

Fe ddaw'r claf o'i ystafell hyd y maes,
    Ond mae un diddichell
  Na ry gam, er ei gymell,
  Dros y môr o dir sy 'mhell.

Ef a'i Frawd

Nid fan hon y dwfn hunant, dros y môr
    Dyrys maith gorffwysant:
  Ond eu cofio'n gyson gânt
  Ar y mynor ym Mhennant.

Dysgedigion

1

O'u meddiant ac o'u moddion, ac o'u dysg
Y'u diosgwyd weithion:
Y ddaear brudd ar eu bron
Gloes eiriau'r hen Glasuron.

O'u diallu dywyllwch, ni welant
Na haul na hawddgarwch;
Na'r sêr yn eu tynerwch,
Na llewyrch lloer uwch eu llwch.

Na rhywle y môr helaeth, na'i glywed
Ar greigleoedd diffaeth,
Na rhodio tro hyd y traeth,
Na'u llanw o hedd llenyddiaeth.

2

I Borth-y-gest a'i brith gôr o wylain
Ni ddychwela'i brodor;
Ond aros mae dros y môr
Tragywydd-lonydd lenor.

Obry o ganol bro gynnes Y Barri
Fe'i bwriwyd i fynwes
Graean y pridd. Utgyrn pres
Ni thyr hun athro Hanes.

Druaned ei rieni ar y Garn
Oer ei gwedd o'i golli!
Cydymaith mewn coed imi,
Mwyn ei lais ger Menai li.

3

Chwithau, nac wylwch weithion eu rhoddi
I golli mewn gwyllon:
Eu gorchest trwy wlad estron
Rwygodd Ddraig y ddaear hon.

Yn oriau'r hwyr a'u hir hedd, Hiraeth dwys
Wrth ei dân a eistedd;
Oddi fewn i'w leddf annedd
Byddant fyw heb iddynt fedd.

Mab ei Dad

Y llynedd gyda'r llanw y tynnodd
Dros y tonnau garw;
Dros ei wlad y rhoes ei lw,
Dros fôr fe droes i farw.

'Leni haedda lonyddwch ei fwyn hun;
Fan honno mewn heddwch
Ar wely'r llawr treulia'r llwch
Nadolig ei dawelwch.

Dydd Nadolig 1917

Milwr o Feirion

Ger ei fron yr afon red, dan siarad
  Yn siriol wrth fyned;
 Ni wrendy ddim, ddim a ddwed:
 Dan y clai nid yw'n clywed.

Ond pridd Cefnddwysarn arno a daenwyd
  Yn dyner iawn drosto;
 A daw'r adar i droedio
 Oddeutu'i fedd ato fo.

Ar Gofadail

O Gofadail gofidiau tad a mam!
  Tydi mwy drwy'r oesau
 Ddysgi ffordd i ddwys goffáu
 Y rhwyg o golli'r hogiau.

Sylwadau

Y Sguthan:
Yng Nghefnddwysarn y mae Coed y Mynydd Du. Ni welais fro lle mae'r gylfinir a'r glomen wyllt mor aml.

Y Llwynog 1 a 2:
(1) Gwelwyd yn ymyl copa Mynydd Cwm Dulyn uwch Dyffryn Nantlle. (2) Pan ofynnais i gyfaill a gerddodd bob twll a chongl yn Eryri pa sawl llwynog a welsai ar ei bererindodau, atebodd, er fy syndod, mai'r unig un a gyfarfu ef oedd un a welodd yn neidio dros glawdd gardd gefn ym mhentref poblog Rachub, ger Bethesda!

Y Ceiliog Ffesant:
'tir y lord': tir Arglwydd Penrhyn.

Yr Hen Grown:
Gelwid 'Yr Hen Grown' am mai tir y goron a fuasai'r cwbl o'i dir ar y cyntaf.

Gwanwyn (Cân y Cigydd):
'Bydd melys gan Gristnogion': Gan yr awdur hefyd, pan ganiatâ'i foddion. Ond erys y syndod a'r gresyndod.

Haf (Y Glöwr):
Cyflwynedig i David Thomas, awdur *Y Werin a'i Theyrnas*. Druan o feibion Llafur!

Gaeaf (Yr Hen Weinidog):
Druan o'r hen weithwyr hyn eto – Rhyddfrydwyr bob un!

Glan-y-gors:
R. Alun Roberts, Ph.D., gynt o Lan-y-gors, wedyn o Lanllyfni. Maddeued pobl radlon pentref hynafol imi am 'y mân sôn'. 'Roedd yn rhaid ateb cytseiniaid 'mynwes hedd', a phrin y gwnaethai 'monsoon' y tro!

Edward Ffoulkes:
Gŵyr pob Cymro llengar am gyfraniadau diweddar dad Miss Annie Ffoulkes i lenyddiaeth Cymru.

Gwragedd:
(1) Mrs Dr Roberts, Gwyddfor, Pen-y-groes. (2) Mrs John Evan Thomas (Mary Ivey), Pen-y-groes. Nid cyffyrddiad ystrydebol mo'r cyfeiriad a geir yn yr englyn cyntaf. Ym marwolaeth Mrs Thomas collodd y diweddar fyddar fardd dall Tryfanwy un o'i gyfeillion cywiraf. (3) Mrs Dr Owen, Pen-y-groes. (4) Fy modryb, Mrs D. J. Evans, Newtown. Rhoed hi i orffwys mewn ystorm o eira.

Geneth Fach:
Kate Ellen Rowlands, Tynyfawnog, Tal-y-sarn.

Dramodydd a Nofelydd:
Frederick Davies, Tal-y-sarn.

Nos o Haf:
Cyfieithwyd i Madame Annie Davies Wynne.

Llewelyn Williams:
Cyflwynedig i'w gyfaill, W. Garmon Jones. Cyn ei farw, adenillodd Llewelyn Williams y poblogrwydd a gollasai yn ystod y Rhyfel. Ond nid ef a newidiodd.

Plygain:
Y mae'r soned hon yn gronicl manwl a chywir o blygain neilltuol yn Essex, ac eithrio 'seithwaith' y ceiliog. Wythwaith y canodd, heb wybod fod y rhif saith yn fwy ysgrythurol a barddonol. Fel llawer telynegwr arall, canodd bennill yn ormod.

Gwyliadwriaeth y Nos:
Amgylchynid carchar yr Ellmyn â mur anhydraidd o drydan, a rhaid oedd i'r gwyliedyddion alw bob hyn a hyn i ddangos eu bod yn effro.

Gorffwys:
Cyfieithwyd erbyn diwrnod agor Neuadd Goffa Gwŷr y Gogledd.

In Memoriam:
'Meddyg': Dr Raymond Jones, Llanrhaeadr-ym-mochnant. 'Milwr': Richard Jones, Blaenau Ffestiniog. 'Morwr': Tom Elwyn, mab y diweddar Barch. S. T. Jones, Y Rhyl.

Hedd Wyn:
Y tro olaf i mi weld Hedd Wyn oedd pan aeth John Morris a minnau o Flaenau Ffestiniog i edrych amdano yn Yr Ysgwrn ddydd olaf 1913.

John Alfred:
John Alfred Griffith, Belle Villa, Tal-y-sarn. Cwympodd yn 19 oed.

Robert Einion:
Robert Einion Williams, Warehouse, Pen-y-groes.

Ysgolhaig:
Robert Pritchard Evans, M.A., Melin Llecheiddior, Eifionydd, a'i frawd. Mae beddfaen er cof amdanynt ym mynwent Llanfihangel-y-Pennant.

Dysgedigion:
Thomas Roberts, M.A., Borth-y-gest, Arfon; Timothy Davies Williams, B.A., Y Barri; Joseph Richard Joseph, B.A., Garn Dolbenmaen, Arfon.

Mab ei Dad:
Llywelyn ap Thomas Shankland.

Milwr o Feirion:
Thomas Jones, Cefnddwysarn.

Ar Gofadail:
Ym Mhen-y-groes a Bethesda. Cyflwynedig i'r Uwch-gapten Hamlet Roberts, D.S.O., Ceidwadwr a gwladgarwr, o barch i'r ddynoliaeth a ddangosodd tuag at 'yr hogiau'.

2

Cerddi'r Gaeaf

1952

Y Ddôl a Aeth o'r Golwg

(Dôl Pebin y Mabinogion)

Yn Nhal-y-sarn ystalwm
  Fe welem Lyfni lân,
A'r ddôl hynafol honno
  A gymell hyn o gân;
Ac megis gwyrth y gwelem
  Ar lan hen afon hud
Y ddôl a ddaliai Pebin
  Yn sblander bore'r byd.

Yn Nhal-y-sarn ysywaeth
  Ni welwn Lyfni mwy,
Na gwartheg gwyrthiol Pebin
  Yn eu cynefin hwy.
Buan y'n dysgodd bywyd
  Athrawiaeth llanw a thrai:
Rhyngom a'r ddôl ddihalog
  Daeth chwydfa'r Gloddfa Glai.

1945

Eifionydd

O olwg hagrwch Cynnydd
  Ar wyneb trist y Gwaith
Mae bro rhwng môr a mynydd
  Heb arni staen na chraith,
Ond lle bu'r arad ar y ffridd
Yn rhwygo'r gwanwyn pêr o'r pridd.

Draw o ymryson ynfyd
  Chwerw'r newyddfyd blin,
Mae yno flas y cynfyd
  Yn aros fel hen win:
Hen, hen yw murmur llawer man
Sydd rhwng dwy afon yn Rhos Lan.

A llonydd gorffenedig
  Yw llonydd y Lôn Goed,
O fwa'i tho plethedig
  I'w glaslawr dan fy nhroed.
I lan na thref nid arwain ddim,
Ond hynny nid yw ofid im.

O! mwyn yw cyrraedd canol
  Y tawel gwmwd hwn,
O'm dyffryn diwydiannol
  A dull y byd a wn;
A rhodio'i heddwch wrthyf f'hun,
Neu gydag enaid hoff, cytûn.

Blwyddyn

Cefnddwysarn (1912-13)

Pan ddwedwyf wrth fy nghyfaill,
  'Gwyn fyd a wêl o'i gell
Mewn bwth ar fraich o fynydd
  Ddaear a'i myrdd ymhell,'
Â gwên garedig etyb
  Heb yngan gair o'i fin:
'Nid oes baradwys dan y sêr
  Ry bleser i ŵr blin.'

Mi fûm yn bwrw blwyddyn,
  A'i bwrw'n ôl fy ngreddf,
Trwy ddyddiau dyn a nosau
  Y tylluanod lleddf,
Lle'r oedd pob gweld yn gysur
  Pob gwrando'n hedd di-drai,
Heb hiraeth am a fyddai, dro,
  Nac wylo am na bai.

Canys fy sêr roes imi,
  Os oes ar sêr roi coel,
Hendrefu ar y mynydd,
  Hafota ar y foel.
Och! fy hen gyfaill marw,
  Ac och! fy nhirion dad,
Roes im ddilaswellt lawr y dref
  Am uchel nef y wlad.

1931

Clychau'r Gog

Dyfod pan ddêl y gwcw,
  Myned pan êl y maent,
Y gwyllt atgofus bersawr,
  Yr hen lesmeiriol baent;
Cyrraedd, ac yna ffarwelio,
  Ffarwelio – Och! na pharhaent.

Dan goed y goriwaered
  Yn nwfn ystlysau'r glog,
Ar ddôl a chlawdd a llechwedd
  Ond llechwedd lom yr og
Y tyf y blodau gleision
  A dyf yn sŵn y gog.

Mwynach na hwyrol garol
  O glochdy Llandygái
Yn rhwyfo yn yr awel
  Yw mudion glychau Mai
Yn llenwi'r cof â'u canu;
  Och na bai'n ddi-drai!

Cans pan ddêl rhin y gwyddfid
  I'r hafnos ar ei hynt
A mynych glych yr eos
  I'r glaswellt megis cynt,
Ni bydd y gog na'i chlychau
  Yn gyffro yn y gwynt.

Yr Haf

Deilio fu raid i'r ynn
  Na ddeilient, meddent, mwy.
Mae'r sguthan erbyn hyn
  Yn esmwyth ynddynt hwy.
Y mae pob dydd yn hirddydd braf –
'Ni ddaeth yr haf, ni ddaeth yr haf.'

Weithion fe aeth yn fud
  Y gog a leisiai gynt;
Mae'r rhegen yn yr ŷd
  (Fe'i gwêl a wêl y gwynt);
Mae'n awr yn galw yn y gwair –
'Ni roed y gair, ni roed y gair.'

Fel sydyn hwrdd o fwg
  O gynnar gyrn y fro
Ei gôr i'r ddôl a ddwg
  Y drudwy yn ei dro;
Ugeiniau brwd o gywion braf –
'Fe roed y gair, fe ddaeth yr haf.'

1929

Tylluanod

Pan fyddai'r nos yn olau,
  A llwch y ffordd yn wyn,
A'r bont yn wag sy'n croesi'r dŵr
  Difwstwr ym Mhen Llyn,
Y tylluanod yn eu tro
Glywid o Lwyncoed Cwm-y-glo.

Pan siglai'r hwyaid gwylltion
  Wrth angor dan y lloer,
A Llyn y Ffridd ar Ffridd y Llyn
  Trostynt yn chwipio'n oer,
Lleisio'n ddidostur wnaent i ru
Y gwynt o Goed y Mynydd Du.

Pan lithrai gloywddwr Glaslyn
  I'r gwyll, fel cledd i'r wain,
Pan gochai pell ffenestri'r plas
  Rhwng briglas lwyni'r brain,
Pan gaeai syrthni safnau'r cŵn,
Nosâi Ynysfor yn eu sŵn.

A phan dywylla'r cread
  Wedi'i wallgofddydd maith,
A dyfod gosteg ddiystŵr
  Pob gweithiwr a phob gwaith,
Ni bydd eu Lladin, ar fy llw,
Na llon na lleddf – 'Tw-whit, tw-hw'!

1928

Sgyfarnog trwy Sbienddrych

Pori y mae ar ael y bryn:
Y ddiniweitiaf dan y nef
Yn pori'n dawel a di-fraw
Ei thamaid melys yn ei bryd.
Ac O! anhygoel ydyw hyn,
Fe saif y bryn ar sgwâr y dref
Ymhlith segurwyr conglau'r stryd,
Ac y mae cŵn y lle gerllaw.

Pa fodd y dianc hi rhag rhaib
Eu rhwydi ffals, eu dannedd chwyrn?
Noeth a digysgod ydyw'r ael,
A phell yw'r talgoed ar y brig.
Segur yw'n awr, gan gymryd saib
I godi a gostwng dwyglust hael.
A eill na chlyw ddolefus gyrn
A thost bangfeydd moduron dig?

Y bryn, y pîn a hedd y pîn,
Nid ŷnt o'r ddaear nac o'r nef;
Fel petai Amser, sydd ar ffo,
Wedi eu gollwng ar y gwynt,
Nes digwydd, drwy ryw ryfedd rin,
Uwchlaw terfysglyd ferw'r dref
I'w hanfarwoldeb aros dro
A bwrw angor ar ei hynt.

1928

Anghytgord

Mi glywais geiliog bronfraith
  Yn canu yng ngolau'r lloer,
A'r lloer yn gron a chringoch
  Ar fore o Ionawr oer.
Ni fynnwn glywed bronfraith
  Eilwaith wrth olau lloer.

Pob mwynder yn ei dymor
  Sydd dda gan farwol ddyn;
Fe roed y dydd i'r fronfraith,
  I'r eos nos ddi-hun
I gynnau yn ei gwenfflam
  Ei phurach fflam ei hun.

1929

Gofuned

Rhyfedd yw gweled tonnau'r aig
  Fel ysgyrnygus gŵn
Ddannedd yn nannedd gyda'r graig
  Heb glywed dim o'u sŵn;
Eu gweld â llygad llym
Y byddar yn ei rym.

Rhyfedd yw gwrando'r nos ar lef
  Rhyw anweledig lu,
Pan fo soniarus yn y nef
  Y gwyddau gwylltion fry;
A'u gwrando fel y bydd
Y dall yn gwrando'r dydd.

Pe cawn gan fywyd ddewis dawn
  I'w 'marfer hyd fy medd,
Dewiswn allu medi'n llawn
  Ddau hyfryd faes a fedd;
A'u lloffa fel y gall
Y byddar doeth a'r dall.

1925

Y Gwyddau

Rhagfyr drwy frigau'r coed
Wnâi'r trwst truana' erioed,
Fel tonnau'n torri.

Isod 'roedd cornel cae,
Ac yno, heb dybio gwae,
Y gwyddau'n pori.

Amlhâi y dail fel plu
Gwaedliw, cymysgliw, du,
Hyd las y ddôl.

Ac yn sŵn a golwg angau
Dehonglais chwedl y cangau
I'r adar ffôl.

'Gan hynny nac arhowch,
Ond ar esgyll llydain ffowch
Cyn dyfod awr
Pan êl y wreigdda â'i nwyddau,
Ymenyn, caws, a gwyddau
I'r Farchnad Fawr!'

Eithr ffei o'r fath gelwyddau!
Gwawdlyd orymdaith gwyddau
Ffurfiwyd mewn trefn.

Ac yna hyrddiau amal
Eu hunfryd grechwen gwamal
Drachefn a thrachefn.

1924

Yr Ieir

Liw dydd, liw dydd drwy barthau
Treuliedig hen fuarthau,
Ni waeth ple'r eir –

Beudái, sguboriau, stablau, –
Clywir soniarus nablau
Moliant yr ieir.

Liw nos, pan ddêl cri druan
O geubren y dylluan,
Liw nos lwyd,

Bydd pawb yn anwahanol,
A'r ceiliog yn y canol
Tu mewn i'r glwyd.

Tair cynnes gyfres dirion,
Ynghwsg drwy'r oriau hirion
Heb ofni cam;

Duon, brithion, gwynion,
Gwragedd a morynion
Yng ngolau'r fflam.

Ryfedd ddigyffro dyrfa!
'Does undim a'i cynhyrfa
O'i syrthni hir,

Na thân, na chledd na tharian,
Ond hyfryd utgorn arian
Sianticlîr.

1924

Y Band Un Dyn

Byddai ei gorff yn mynd i gyd
Fel petai arno hwrdd o'r cryd,
A byddai ganddo fwy o faich
Nag a gofleidiai ei ddwy fraich;
Cans ar ei gefn fe gariai ddrwm,
A chan fod morthwyl hon ynghlwm
Wrth ei benelin hi rôi fwm
Pan roddai hwn i hwnnw broc
Yn ôl, ymlaen, fel pendil cloc.
Fry ar ei war – os dyna'r drefn,
Fodd bynnag, ar ryw gwr o'i gefn
Lle'r oedd ei ddwylo'n llwyr ddi-les –
Perfformiai pâr o blatiau pres;
A dotiai'r dyrfa at ei fedr
I weithio'r rhain â'r llinyn lledr
A fachwyd rywfodd wrth ei droed
Yn fwyaf cyfrwys fu erioed.
'Roedd hyn o'i seindorf o'i du ôl,
Ond dan ei lygad yn ei gôl
Y nyrsiai'i fagbib, fel un fach
Yn magu'i doli, ac o hon
Fe wasgai fiwsig lleddf a llon;
Ac fel y chwyddai'i ddwyfoch iach
I gadw'r cacwn yn y cwd
Yn brysur gyda'u murmur brwd!
Ynghylch ei helm 'roedd clychau'n llawn
O beraidd barabl fore a nawn.
Pob rhan o'i berson barai sŵn
A phawb a'i carai ond y cŵn.
O! gwych gan fechgyn ar y stryd
Oedd gweld y gŵr yn mynd i gyd.
Ond i b'le'r aeth? Pa dynged oer
A'i dug o olau haul a lloer?
Hen fand un dyn! Wrth fynd a dod
Fe'i 'sgydwodd ef ei hun o fod,
A rhyfedd fel y rhydd im frath
Na welaf eto fand o'i fath.

1939

Bardd yr Oed a'r Rhedyn

('Fy mab, gwrandaw addysg dy dad.')

Y macwy, clyw y gwcw lon
Yn canu cywydd newydd sbon
O rwbel yr hen chwarel hon!

Mae'n rhaid i ti gael daear las
O dan dy droed, a mynd i ma's
O'r byd sy'n llawn o bethau bas

Ym mraich dy feinwen, a chyd-fyw
Â phethau prydferth o bob rhyw
Cyn gwatwar fy hen gwafar gwyw.

Ond gwyn ei byd y gwcw bêr
A dania feddwl dyn a'i fêr
O lwch hen gloddfa lechi flêr.

A gwyn eu byd y beirdd rydd bill
Sy'n wenfflam ysol ym mhob sill
Heb gymorth serch, na merch, na mill.

Hen Lyfr Darllen

'Roedd ynddo luniau: llun hwyaden dew
Yn nofio'n braf i rywle, a llun llew;
Llun arth a theigar ffyrnig ac eliffant,
A llun rhyw glocsen fawr a'i llond o blant.

A chyda gwialen fedw o flaen y rhain
Safai hen wraig annifyr fel fy nain.
'Roedd hon yn amlwg newydd ddweud y drefn,
A phawb o'r plant yn chwerthin yn ei chefn.

Llun nyth, llun oen. Ond gwell na'r cwbl i gyd
Oedd llun rhyw wraig yn nôr rhyw fwthyn clyd.
'Roedd honno, fel fy mam, yn ddynes glws,
A bwydo'r ieir yr oedd ar ben y drws.

Ac mi ddymunais ddianc lawer gwaith
Yno lle nad oedd gwers na chosb ychwaith.
Wrth ddysgu cyfrif ac wrth aros cweir
Hiraethwn fyth am fod lle'r oedd yr ieir.

A thyngu wnes yr awn, pan fyddwn ddyn,
I chwilio am y lle oedd yn y llun.
Yn rhywle braf yr oedd; ar ael y bryn
Neu wrth ei droed, efallai ar fin llyn.

O hynny hyd yn awr mi dreuliais derm
Mewn llawer tyddyn mwyn a llawer fferm,
Ym Mhenllyn Meirion, ac ym Maldwyn, do,
Ym Mhen-y-Llyn yn Arfon ar fy nhro.

Ni welais byth mo'r bwth, 'rwy'n eithaf siŵr,
Ar fin y mynydd nac ar lan y dŵr.
Rhyw adfail rhaid ei fod, y bwthyn cu,
Heb fawr ohono bellach ond lle bu.

Ond ambell dro pan gân y gwynt ei grwth,
Ei fiwsig ef ailgyfyd furiau'r bwth;
Fe gasgl yr ieir o'r cae a'r ieir o'r côr,
Ac eilwaith saif y ddynes yn y ddôr. *1932*

Canol Oed

Pan oeddwn yn llanc yn fy ngwely gynt,
A'r hafnos ddi-hedd heb un awel o wynt,
Tri braw oedd i'm blino yno ar fy hyd:
Mellt, Daeargryn, a Diwedd y Byd.

Am y mellt, gwn bellach mai tostaf eu pang
Pan ddilyn eu miwsig yn syth ar eu sang.
Pa delyn a dyr yn nhrybestod y ddawns?
Ar ddeddf tebygolrwydd y seiliaf fy siawns.

Mwy nid yw daeargryn ond chwedl a chwyth,
Rhyw ddychryn a ddigwydd, beunydd a byth,
I ran rhywrai eraill ohonom yw hi
(Ni ddigwydd y cancr nac un adwyth i *ni*!)

A diwedd y byd, nid disyfyd y daw,
Namyn gan bwyll, heb frys na braw,
Cans araf yw'r bysedd gynt a fu'n gweu
Miraglau'r synhwyrau, i lwyr ddileu.

O! pan na bo'r galon na chynnes nac oer
Y claeara'r haul, y clafycha'r lloer;
A phan rydd yr hydref ei ias i'r mêr
Y disgyn y dail yng nghoedwigoedd y sêr.

Cans diwedd mabolaeth yw diwedd y byd,
Dechrau'r farwolaeth a bery gyhyd;
Diwedd diddanwch, a rydd i'r hwyr
Ei ysbeidiau o haul cyn y paid yn llwyr.

Cyn dyfod diddymdra'r ddaear a'i stôr –
Fy synnwyr a'm meddwl, ei sychdir a'i môr;
Pan chwâl fel uchenaid dros ludw'r dydd
'Bydded tywyllwch.' A nos a fydd.

1931

Cyffes y Bardd

('Another year nearer my pension, boys' – Cyfarchiad blynyddol hen gyd-athro ysgol i'w ddisgyblion.)

'Rwyf innau'n rhyw hiraethu
Am weld yr hyfryd ddydd
Y derfydd imi draethu
Mor lledfyw a di-fudd.
Mi ddeuthum gynt i'r coleg
Yn wladwr fel fy nhad;
Nid bywyd yw Bioleg:
Mi af yn ôl i'r wlad.

Caf siawns i wrando wedyn
Hen fiwsig hyn o fyd;
Y ceiliog sy'n y rhedyn,
Y rhegen sy'n yr ŷd,
Yr afr sydd yn yr awyr
Yn brefu am ei myn:
Caf fyw ymhlith gwrandawyr
Y bythol bethau hyn.

Rhowch imi henglawdd dreiniog
A su'r wylofus wynt,
A medraf fyw ar geiniog
'Rôl hanner byw ar bunt.
Da chwi, na chodwch ddwylo
A'm galw'n bagan bas;
Mae sŵn ei lais yn wylo
I mi yn foddion gras.

Y ferch o fro Eglwyseg
A'm dilyn drwy bob dim;
Hoffusach ei Phowyseg
Na chân y mwyalch im;
Fy nghymar hawddgar, beniog,
Fy angel ar fy hynt,
Gall hithau fyw ar geniog
Na bu'n ei gwario gynt.

1942

Y Mynydd a'r Allor

(Llydaw 1911)

1

Ni ddygymydd ochrau'r mynydd
Ar foreddydd o'r haf rhuddem
Â myfyrio chwith a chofio
Y croeshoelio uwch Caersalem.

Pan ar hafddydd tua rhosydd
Noeth y mynydd euthum innau,
Pob dewislais daear glywais
A gwrandewais gyrn ei duwiau,

A dywedyd: Yn sancteiddfyd
Plygain Ynyd plygwn innau,
A thrwy'r Grawys yn nifrifddwys
Leisiau'r eglwys a'i haroglau.

Pob rhyw grwydrol nwyd ddaearol
Ddofai swynol ddefosiynau
Lle bai cerddor a Christ mynor
A chain allor a chanhwyllau.

II

Nos Gatholig y Nadolig
Treuliais orig trwy laswyrau
Lle'r oedd cerddor a Christ mynor
A chain allor a chanhwyllau

Yr offeren; ond cyn gorffen
O sagrafen y fras grefydd
'Roedd fy nghalon falch ac estron
Hyd ymylon tlawd y moelydd,

Hyd fron Cymffyrch yn yr entyrch,
Bron anhygyrch bryn unigedd,
Dim ond cymyl ar fy nghyfyl
A rhu megnyl ar y Mignedd.

Ac yn oriel San' Mihangel,
Yn lle uchel freuddwyd llachar,
Gyda'r cudyll a'r cornicyll
Hoffais dywyll affwys daear.

'Gorchestion Beirdd Cymru' 1773

Pob gorchest gain ac anodd
Ddarllenais, popeth ganodd
Y beirdd bob un;
Heibio i awen galed
Reolaidd Tudur Aled
Hyd Wiliam Llŷn.

Dan ambell awdl a chywydd,
Fel achlysurol drywydd
Yma a thraw,
Ymhlith yr anfarwolion
Gwelwn hynafol olion
Rhyw farwol law.

Ac enw a chyfeiriad
Mewn anllythrennog eiriad
Gennyf fi
Oedd fiwsig cerdd fwy iasol
Na champau'r gwŷr urddasol
Mawr eu bri.

Fel pan ar hwyr o Fedi
Y gwelir dan rifedi
Disglair sêr,
Trwy ryw bell ffenestr wledig
Oleuni diflanedig
Cannwyll wêr.

1925

'Trem yn Ôl'

(1904-44)

Mae'n debyg y dywed pob athro drwy'r byd
Mai'r Gwener yw'r gorau o'r dyddiau i gyd.
Pan oeddwn ym Mhenllyn ym mil naw un tri
Dydd Gwener oedd pob dydd o'r flwyddyn i mi.

Cans yno'r oedd niwloedd a chymoedd a choed
I awen na charodd yr heulwen erioed;
A dyna, ond odid, y rheswm paham
Ym mwg Sir Forgannwg na chafodd fawr gam.

Ni châr hi fân drefi ychwaith ond o raid,
Lle ni ellir dianc rhag crafanc yr haid:
Rhowch iddi hen gorlan criw diddan Caerdydd,
Neu gornel o ryw Lanfihangel-y-gwŷdd.

1945

Pagan

Darfydded pob rhyw sôn
Am anwadalwch dyn!
Hyd byth fe ddewis dduwiau
O'i waith a'i wedd ei hun,
Ei ddinod wedd ei hun.

Nid duwiau o faen a phren
Na duwiau metel mwy:
Daeth Duw, a daeth y diwedd
Ar eu haddoliad hwy,
Ar eu teyrnasiad hwy.

Ond duwiau cig a gwaed:
Ni dderbyn hyn o ddydd
Dduwiau sydd ansylweddol
Ond i ddau lygad ffydd,
Ac i gyffyrddiad ffydd.

Tragywydd ydyw dyn,
Sefydlog yn ei fryd.
Mae heddiw a doe i'r duwiau
Ond erys dyn o hyd;
A dyn sy'r un o hyd.

1938

Angau

Y mwyalch pêr â'i osgo
  Mor brydferth ar y brig,
Mae pwt o bridd y berllan
  Yn baeddu aur dy big.

Y mwyalch pêr â'i alaw
  Yn gweithio'i fynwes gu,
Mae nos dywyllaf pechod
  Yn blygain wrth dy blu.

Y mwyalch pêr â'r llygaid
  Dihalog fel dwy em,
Tu mewn i'w haur fodrwyau
  Mae trwbwl yn eu trem.

Y mwyalch, pam yr ofni?
  Taeog yw'r bywyd hwn;
Ac aros dyn a 'deryn
  Mae garddwr ac mae gwn.

1929

Y 'Steddfod

Pob sect ac enwad, dowch i Dre'
  'Bertawe – teg bo'r tywydd! –
Cewch yn y 'Steddfod oriau mad
  A chariad yn ei cheyrydd;
Eich enwad balch nid yw o bwys,
  Hon yw paradwys prydydd.

Nis myn y Sais i'w mynwes hi
  Na Thori dan ei tharian,
Na Chwig ychwaith tu mewn i'w mur,
  Na Llafur ar ei llwyfan;
Neb ond hen Gymry pur i'w pau
  I dreulio dyddiau diddan.

Gwyn fyd na byddai'r byd di-hwyl
  Yn llon fel Gŵyl y llenor;
Ac O! na ddringai'r gwael ei ddrych
  O nych hen Ddyffryn Achor!
Ac na châi'r truan at ei raid
  Ei damaid yn ei dymor.

1926

Drudwy Branwen

I

O haul, bydd iddo'n nawdd,
  Bydd dithau deg, O wynt;
A phâr, O fôr, na fawdd
  Ar ei ddiorffwys hynt.

Digrifwas adar byd,
  Annuwiol yn ei hoen,
A than ei asgell glyd
  Sanctaidd epistol poen.

Wrth dân y gegin ddoe
  Parablu'r olaf waith
Yn dlws ar dâl y noe
  Ei wers mewn estron iaith.

Ac wele fysedd bun
  Ag amal gywrain bwyth
Yn rhoddi ei gorff ynglŷn
  Wrth ei alarus lwyth.

Gwae'r dwylo gynt fu gain!
  Gan loes eu trymwaith trist
Dolurus ydyw'r rhain,
  Creithiog fel dwylo Crist.

A gwae'r frenhines hon
  O'i chystudd yn ei chaer
A enfyn dros y don
  Isel ochenaid chwaer.

II

Heddiw ar drothwy'r ddôr
  I'r wybr y rhoddir ef;
I siawns amheus y môr,
  A'r ddi-ail-gynnig nef.

Pa fore o farrug oer?
  Pa dyner hwyr yw hi?
Neu nos pan luchia'r lloer
  Wreichion y sêr di-ri?

Ni rydd na haul na sêr
  Oleuni ar ei lwybr,
Cans yn y plygain pêr
  Y rhoddir ef i'r wybr.

Cyn dyfod colofn fwg
  Y llys i'r awel sorth,
I ddwyn yr awr a ddwg
  Y cigydd tua'r porth.

Ac eisoes, fel ystaen
  Ar y ffurfafen faith,
Fe wêl y ffordd o'i flaen
  A'i dwg i ben ei daith.

Ac megis môr o wydr
  Y bydd y weilgi werdd
Cyn tyfu o'i gwta fydr
  Yn faith, anfarwol gerdd.

Pan ddengys haul o'i gell
  Binaclau'r ynys hon
Fel pyramidiau pell
  Anghyfanedd-dra'r don.

Pan gyfyd, megis llef
  Wedi distawrwydd hir,
Mynyddoedd yn y nef,
  A thros y tonnau, tir.

III

A pha hyd bynnag bu
  Ei annaearol daith,
Yn y diddymdra fry
  A thros y morlas maith,

Dyfod i'r tir a wnaeth,
  A chylchu uwch y fan
Lle llifa'r môr di-draeth
  Yn afon rhwng dwy lan.

Yno o'r lliaws mân
  Chwilio y mae am un –
Yr enaid ar wahân,
  Y duw ar ddelw dyn –

Nes canfod yng Nghaer Saint,
  Yng nghanol gwyrda'i fro,
Ŵr o ddifesur faint
  Yn dadlau iddo dro.

Ac ar ei ysgwydd ef
  Y disgyn oddi fry
Fel anfonedig nef,
  A garwhau ei blu.

O'i flin adenydd daw
  Yn dristaf fu erioed
Y llythyr dan ei llaw:
  A'i ddarllen yn ddi-oed;

Y drudwy dewr ei hun
  Atega ddagrau taer
Ac ocheneidiau'r fun
  O gegin y bell gaer.

A chlod ei gamp a gerdd
  Hyd gyrrau'r ddaear faith:
Ei siwrnai o'r Ynys Werdd,
  A'r modd y dysgodd iaith.

IV

Y chwedl nid edrydd ddim
  Dynged y deryn pur;
Ai dychwel eto'n chwim,
  Ai gostwng dan ei gur

Fu iddo'n wael ei wedd;
  Ai Brân ei hun a ddaeth
Ac a wnaeth iddo fedd
  Petryal ar y traeth;

Ai byrddio llong o'r llu,
  A chyrchu'n iach ei nwyf
Yr Ynys Werdd i su
  Rhyfelwyr wrth y rhwyf?

Yntau i gadw gŵyl
  Yn gwatwar cerddi'r tir;
Dynwared yn yr hwyl
  Ac ar yr hwylbren hir

Yr adar oll ar hwrdd
  Â llawer pill o'i stôr:
Y bronfraith ar y bwrdd,
  Y mwyalch yn y môr.

A chrechwen yna y mae
  Y llongwyr ar y lli,
Fel petai'r byd heb wae
  Na dwyfol drasiedi.

1929

Yr Hen Ddoctor

(Dr Edward Rees, Caersŵs)

Mi fûm yn curo neithiwr
  Wrth hen gynefin ddrws
Groesawodd lawer teithiwr
  O Gymro drwy Gaersŵs,
Ond curo hir ac ofer fu,
Nid oedd y doctor yn ei dŷ.

Bernais mai gweini cysur
  Yr oedd i'r claf a'r hen,
Neu'n frwd ar lwyfan prysur
  Yng nghwmni'r brodyr llên;
Ond rhywun ddwedodd fel y bu
I'r doctor tirion newid tŷ.

A thua'i newydd drigfan
  Prysurais drwy Gaersŵs,
Nes cyrraedd gwerdd unigfan
  A churo wrth y drws;
Ac er mai curo ofer fu,
Yr oedd y doctor yn ei dŷ.

1925

Yr Hen Actor

Mewn dwy olygfa

1.–DWYLAN, CAERNARFON

Mae'n byw yn ei barlwr, o ddwndwr y byd,
Ond myn ein croesawu i'r seiat o hyd;
Mae'n gwaelu i'n golwg, a drwg ydyw'r goel,
Mae'i ddillad yn hongian, ond nid ar yr hoel.

Mae lliw haul Pwllheli yn darfod o'i wedd,
Mae'n disgyn yn sypyn i glustog ei sedd.
Mae'n siarad yn siriol er hynny – ond clywch:
Mae llais yr hen actor gryn octif yn uwch.

O! siriol y sieryd ein brawd, sy mor brudd,
Am 'droad y rhod' ac am 'doriad y dydd';
Mae Gwynfor yn actor digymar, mi wn,
Ond prin y mae'n llwyddo i'n twyllo'r pryd hwn.

2.–COETMOR, BETHESDA

A! gyfaill anwylaf, ti ddaethost i'm tŷ
Heb imi dy glywed, sut bynnag y bu.
Rhyw hepian yr oeddwn, mae cric yn fy ngwar,
Ond syn ydyw gennyf na chlywswn dy gar.

O ble yn y Deau y deui mor hwyr,
Mor fore yn hytrach? Mae'n rhaid mai o Ŵyr.
A pham 'rwyt ti'n teithio fel hyn wrthyt d'hun?
Pa le mae dy gariad, hen lenor o Lŷn?

Hen lenor yn wir, 'rwyt yn 'sgafnach dy droed
Ac yn loywach dy lygad nag odid erioed.
Mi'th welaf yn suddo i glustog y sedd,
Yn llenwi dy ddillad, yn llawen dy wedd.

Mae hi'n braf bod ynghyd i roi'r byd yn ei le
A chlywed dy deyrnged i actwyr y De;
Ac mor nodweddiadol oedd codi dy ddwrn
Yn wyneb y werin am chwerthin o'i thwrn!

Ond di-dderbyn-wyneb a fyddi di fyth,
Teimladwy a hwyliog, serchog a syth,
A gwylaidd, mae'n amlwg; na hidia'r hen gloc –
Ni syfl yr hen Dre', cei fynd adre toc.

Rhaid iti gael tamaid o rywbeth cyn mynd;
Mae'r tân wedi marw – o newyn, fy ffrynd.
Hei, hei, i ble'r ei-di ar gymaint o frys
Fel dyn yn diflannu pan wrendy wŷs?

Ple'r wyt, Wynfor annwyl ! Bron iawn nad yw'n ddydd,
Ac wedi iti fwyta rhyw gymaint, hi fydd.
Mae dyn ac aderyn yn galw am fwyd –
Clyw geiliog y plygain yn galw o'r glwyd!

1941

Yr Hen Gantor

(Ffyddlondeb i'w gyfeillion, a hunan-dyb diniwed, oedd ei nodweddion amlycaf.)

'Hogia', os byth yr af o'ch blaen
I lawr chi wyddoch ble,
A'm rhoddi ar fy hyd dan haen
O gwyddoch yn burion be',

'A ddowch chi i'm danfon ar y daith
Tuag adra bod ag un?
Er nad yw'r ffordd i'w rhodio'n faith
Ni fedraf fynd fy hun.

'Oddi yma i'r Hendra, lle mae'r oed,
Rhyw gwta filltir sydd:
Heb allu symud llaw na throed
Gormod, o filltir, fydd.'

Mae'r hogia' yma i gyd, 'rhen lanc,
Maent yma o lawer sir,
Cans pan adroddwyd am dy dranc
Ar frynia' tala'r tir

Daethant yn gryno gwmni syn,
Yn gryno fel i'r Farn:
Yma mae'r Llwyd, y Llwyd o'r Bryn,
Ac yma mae'r hen Garn.

Dy gyd-gantorion ddaeth ar frys,
Ac yn eu mysg y mae
Y gwŷr o'r llwyfan ac o'r llys,
O'r coleg ac o'r cae.

'Mae'n wir na bûm ddirwestwr glew,
Chwaethach grefyddwr glwys,
Ond carwn rywfodd gael y Llew
A Chynan uwch fy nghŵys.'

Mae'r naill yn arwain gyda'r gân,
Y llall ddarllena'r llith,
Gan gofio'n unig galon lân
Y brau aderyn brith.

'Dymunwn f'arwain tua'r lle
Ar ysgwydd gadarn John.'
Mae'n un o bedair ysgwydd gre'
Tanat y funud hon.

Â phob tynerwch llaw a llais
Y'th roddwn i'th hir hedd,
Cans wele Guto'n ôl dy gais
Â'i bennill uwch y bedd.

'Peidiwch ag wylo uwch y gro
A gollwng dagrau dwl.'
Wrth ddwyn y dyddiau gynt i go'
Chwarddwn, ac wylwn bwl,

Wrth gofio'r hynod siwrnai hir
I Abertawe bell,
A bod y 'Steddfod yn y tir
A Gwallter yn ei gell.

'Mi gefais innau f'oriau gwyn,
Welsoch chi fi un tro
Ym mraich Syr Richard Terry'n dynn?'
Do, ni a'th welsom, do.

'Glywsoch chi wedyn f'unawd bas
Fel taran drwy'r hotel?'
Clywsom, a rhyfeddasom, was,
A synnu a wnaeth Brazell.

'Goleuo'r 'Llenor' *fel rhyw sêr*
Mae'r dynion mawr eu dysg,
Ac unwaith fel rhyw gannwyll wêr
Bûm innau yn eu mysg.

'Oes rywbeth erys yn ei swyn
Adawaf wedi mynd?'
Gadewaist amal atgo' mwyn,
Gadewaist lawer ffrynd.

'Rhag ofn nad erys odid sill
O'r gwaith a wnes ar go',
Gyr ditha' i rywla, Bob, ryw bill.'
'Rhen gyfaill, dyma fo.

1932

Yr Hen Delynor

Cymraeg oedd ar ei wefus
  Yn ffrwd lifeiriol, gref;
A serch at wlad ei fam a'i dad
  A lanwai'i galon ef.
'Doedd unlle arall ar ei fap –
Cymro o'r Cymry oedd yr Ap.

'Rôl blino'n cerdded cyrddau,
  A swyno'r dorf â'i dant,
Ei aelwyd glyd a lonnai'i fryd,
  A'i bleser oedd ei blant;
'Rôl cefnu ar y clod a'r clap,
Penteulu teilwng oedd yr Ap.

Tyner y gwthiai gadair
  Ei gymar glaf i'w hynt:
'Chwi ddowch yn iach, fy ngeneth fach,
  Ar ôl yr haul a'r gwynt.'
O! priod pur ym mhob rhyw hap,
A gŵr bonheddig oedd yr Ap.

Yr Hen Sosialydd

Pe rhodiwn rywbryd at ei fedd
I dorri'n ynfyd ar ei hedd
A bloeddio trwy'r distawrwydd cau:
'Silyn, mae'r Sasiwn yn nesáu,

'Cedyrn yr enwad yno fydd
Cans croga'i dynged ar y dydd,'
Nis barnai'r marw o nemor bwys,
A byddai gosteg dan y gŵys.

A phe dyrchafwn eilwaith lais
I'w gymell fry â thaerach cais:
'Cyfod, cans dyfod mae'r gwŷr llên,
A'r 'Steddfod tua'r ddinas hen;

'Dy hen gymheiriaid ar eu hynt
A ddaw â golau'r dyddiau gynt.'
Odid y trosai hanner tro,
Ond parai gryndod yn y gro.

Gan dorri ar ei hedd drachefn,
Dywedyd wnawn â goslef lefn:
'Y mae cynhadledd yn ein mysg
Yn eistedd ar ryw bwnc o ddysg;

'Deugeinwr dyfal gylch y bwrdd
Sydd er mwyn Cymru wedi cwrdd.'
Crynai'r dywarchen drom yn awr,
Ond llonydd eilwaith fyddai'r llawr.

Yna anadlwn drwy y glyn
Neges gyffrous y geiriau hyn:
'Yn Llanymynydd y mae gwanc
Addysg ar ddeunaw disglair lanc:

'Eu doniau'r awron sy' dan rwd
O ddiffyg cymorth athro brwd.'
Ni lwyddai bolltau'r dorau dwys
I gadw Silyn dan y gŵys. *1930*

Yn Angladd Silyn

Mor ddedwydd ydyw'r 'deryn gwyllt
  Heddiw a hyllt yr awel;
Yfory, pan fo'i dranc gerllaw,
  Fe gilia draw i'w argel;
A neb ni wêl na lle na dull
  Ei farw tywyll, tawel.

Tithau, a garai grwydro'r rhos
  Pan losgai'r nos ei lleuad –
Yr awr o'r dydd pan gasgl y byw
  I roddi'r gwyw dan gaead,
Daethost lle gwêl y neb a fyn
  Ddyffryn dy ddarostyngiad.

O na bai marw'n ddechrau taith
  Trosodd i'r paith diwethaf,
Lle ciliai'r teithiwr tua'r ffin
  Fel pererin araf,
Cyn codi ar y gorwel draw
  Ei law mewn ffarwel olaf.

1930

Dechrau'r Diwedd

1.–Mehefin

Ers tro ni ŵyr eu tadau
   Na'u mamau ddim o hynt
Y llanciau oedd yn hogiau
   Yn iard yr ysgol gynt.
Dihoeni a wna rhieni'n awr
Mewn rhyfel mwy na'r Rhyfel Mawr.

2.–Gorffennaf

Ple maent? Mae rhai'n y ddaear
   Dan ro rhyw dramor draeth;
A rhai yn iard y carchar
   Yn diolch nad yw waeth.
Mae gobaith mab o garchar, oes,
Ond nid o'r graean sydd dan groes.

3.–Awst

Mae rhywun yn y papur
   Yn gweld y wawr o draw;
A rhywbeth yn yr awyr
   Yn dweud ei bod gerllaw.
Sirioli a wna rhieni'n awr:
Rhieni na bu'u llenni i lawr.

1944

A. E. Housman

Nid ofna'r doeth y byd a ddaw
  Ar ochor draw marwolaeth.
Ei ddychryn ef yw bod yn fyw:
  Angheuol yw bodolaeth.

Heb honni amgyffred – ow! mor rhwydd –
  Gwallgofrwydd creadigaeth,
Myfyria ar ei farwol stad,
  A brad ei enedigaeth.

Y doeth yn ei gadernid syrth
  Yn wyneb gwyrth ei gread,
Ond yn ei wendid cyfyd lais
  Yn erbyn trais dilead.

Ei fywyd mewn di-ddyddliw wig
  A fydd gaeadfrig yrfa:
Ni rydd ei hyder yn yr wybr,
  Ni rodia lwybr y dyrfa.

Bendith ni dderbyn yn y llan,
  Nac yn y cwpan wynfyd;
Nid eistedd gyda'r union-gred,
  Na chyda'r anghred ynfyd.

Nid ardd, nid erddir iddo chwaith,
  Ond ar y daith ni phara,
Ei synfyfyrdod fe dry'n fwyd,
  Crea o'i freuddwyd fara.

A'r hwn ni ddaeth i'r byd o'i fodd
  A dry o'i anfodd ymaith;
Oherwydd cyn ei ddifa a'i ladd
  Ceisiodd, a chadd, gydymaith.

Hwnnw yw'r ansylweddol wynt
  Sy oddeutu'r hynt yn mydru;
Ac ar y rhith y mae'n ei weu
  Ni bydd dileu na phydru.

1936

Cobler y Coed

(Tithau hefyd Natur?)

Mi wyddwn er yn blentyn
  Fod cobler yn y coed
Na wisgodd yr un esgid
  Am 'run o'i draed erioed;
Ond wrth ei waith ryw fore
  Mi'i gwelais ef yn deg;
Do, agorais lygaid syn:
  Agorodd yntau'i geg.

'Beth yw'r newyddion heddiw?'
  Dolefai'r 'deryn gwyrdd
Sy'n treulio'i oes i hela
  A difa gwybed fyrdd.
'Buont yn Lerpwl echnos
  A lladdwyd llu, mi wn.'
'Jiw, jiw, jiw, jiw, jiw, jiw, jiw!'
  Ebe'r cobler euog hwn.

'Gorffen dy genadwri
  Ac yna cau dy ben;
Mae arnaf eisiau clywed
  Y pryfed sy'n y pren.'
'Buom ni yn Hamburg neithiwr,
  A'i phlastro fesul stryd.'
'Jiw, jiw, jiw, jiw, jiw, jiw, jiw!'
  Ebe bomar hyna'r byd.

Hyd. 1943

Y Ffliwtydd

Yn ôl un awdur milain,
O ddeugain miliwn Prydain
Mae pedwar ugain ymhob cant
Mor dwp â'u plant eu hunain. –
  Llefara, Broffwyd.

I'r gad yr aeth yr hogiau
Er mwyn mynd o'u cadwynau.
Na ddoed y dynion a ddaw'n ôl
Yn ôl i'r un hualau. –
  Bydd huawdl, Wleidydd.

Mae'n adeg wan ar grefydd,
Annuwiol yw'r oes newydd;
Byddar fel oes Elizabeth
I'r Bregeth ar y Mynydd. –
  Gwaedda, Ddiwygiwr.

Mae'n bryd i rywun ruo,
Mae'r byd i gyd yn duo.
Eto ni wna'r prydydd gwael
'Ond canu a gadael iddo.' –
  Na'th feier, Fardd.

'Rwyt frawd i'r eos druan,
Dy fodryb yw'r dylluan:
Hoffi leisio ar dy ffliwt
Ac ar dy liwt dy hunan
  Ryw hen, hen wae.

Gwae'r ddinas a roes glasur
A Cheidwad i bechadur.
Gwae y maes lle'r oedd y meirch
Yn llawn o geirch, a'r milwyr
  Yn feddw fawr.

1943

Y Prydydd Mud

(Pace Mr Saunders Lewis)

'Pe byddai'r syniadau ganddynt, fe'u rhoddent mewn geiriau.'
– PANTYCELYN

Ar filmyrdd telynau'r cenhedloedd
  Di-gân a diddagrau yw ef.
Pa ddagrau all ddiffodd ei uffern?
  Pa fiwsig all fesur ei nef?
Pan gasglo i'w ddwylo falurion
  Y nyth ar y llwybr troed,
A gân ef y rhywbeth a welodd
  Yn llygad aderyn y coed?

Y lledrith a welir dan hwyliau
  Led moroedd o benrhyn a bae,
Na chyrraedd byth bythoedd i harbwr –
  Ei lwyth yn ei mynwes y mae.
Yntau yn nannedd y croeswynt
  Fordwya o hyd ar wahân,
Mewn nos nas traetha ymadrodd,
  Ar fôr rhy ddifesur i gân.

1928

Y 'Steddfod Ddoe a Heddiw

'Does neb yn nhref Caernarfon –
  Os oes, Anthropos yw –
A gofia Owain Gwyrfai
  Yn y 'Queen Bach' yn byw;
A gofia Geiriog ifanc
  Yn dilyn yr hen Dal
Trwy borth 'Tywysog Cymru'
  Heb ofn i neb ei ddal.

Aeth heibio'r hen amseroedd
  Pan yfai'r beirdd fel pysg.
Daeth crefydd i'r Eisteddfod
  A chyda chrefydd, ddysg.
Ar ôl yr hen genhedlaeth
  A wnâi ohoni ŵyl,
Daeth oes y Cymdeithasau
  I dorri ar yr hwyl.

Y 'Steddfod aeth yn Seiat
  Siaradwyr gwyllt a gwâr;
Ond mwyn yw myned iddi
  O deyrnged i D.R.
Y 'Steddfod aeth yn Ysgol
  Sabothol fwy na heb;
A da yw myned iddi
  O barch i Ambrose Bebb.

Ac eto drwg yw gennyf
  Na welais Edith Wynne
Yn wylo'r dagrau hynny
  A greodd ddaear-gryn;
Y Llew oedd ar y llwyfan
  Ni fedrai ruo'n awr
Mewn storom o ddistawrwydd
  A ddaeth â'r tŷ i lawr.

1943

Miss Jane a Froken Iohanne

Cyn cyrraedd un ar hugain oed
Fe flinodd Jane ar Dyn-y-coed,
A daeth i'w phen i chwilio am le
Mewn siop neu swyddfa yn y dre'!
Mae'r wlad yn eithaf yn yr haf
Ar ddyddiau hir Mehefin braf;
Ond wedi'r haf daw'r gaeaf oer;
Ac er mor glws yw gwên y lloer –
Yr un yw'n awr ag oedd hi gynt –
Yr un yw'r gog a'r un yw'r gwynt –
Ac nid oedd ganddi unlle i fynd,
Na neb i wneud ohoni ffrynd,
Ond tynnu a rhoi ffedogau breision,
A chlirio'r bwrdd ar ôl y gweision.
Nid âi i'r boen i odro buwch,
Hi roddai'i bryd ar rywbeth uwch
Na phorfa fras, a pha ryw frid
O fuwch i'w chael, neu foch, neu chwid.
Ac felly ffeiriodd droed yr Wyddfa
Am droed y bwrdd a stôl y swyddfa,
A'r llo a frefai gynt mewn beudy
Am gefnder iddo mewn chwaraedy.

Mewn gwastad dir dros Fôr y Gogledd
Mae gardd o ros a pherarogledd,
Ac yno yn bugeilio'u gwedd
Yn llonydd llwyr yr hwyr a'i hedd
Mae un a gâr eu cwmni gwiw,
Eu sawr a'u swyn, eu llun a'u lliw,
Cans treulia'r oriau gyda'r gwenyn
A roes ei nain i drin ymenyn;
Bob bore gyrrir hwnnw'n awr
I'w gorddi a'i drin i'r ffatri fawr.
Nid rhaid dweud wrthi pan fo pris
Yr oen neu'r fuwch yn uwch neu is,
Na'r adeg orau i yrru'r myllt

I bori ar y comin gwyllt;
A gŵyr yn dda am gwr neu ddau
A dalai am ei deilo a'i hau.
Fel hyn yn fodlon ar ei stad
Bywioga a chyfoethoga'i thad,
Gan farnu gardd ei thŷ yn well
Na dawns y byd mewn dinas bell,
A bod yn nhlysni ei drysni nag yn
Labrinth heolydd Kopenhagen.

1919

Ffeiriau

Pan awn i ffair y Betws
  Am seiat efo Siôn,
Mi wyddwn ei fod yntau
  Yn rhywle ar y lôn.
Ni ddaw i'r Betws eto,
  Nac i Benmachno chwaith.
Rhyngddo a hwy mae'r Wyddfa,
  A thragwyddoldeb maith.

Pan awn i ffair Pwllheli
  Cawn gwmni cwpwl call.
'Roedd un o'r ddau yn bensaer,
  Ond pencerdd oedd y llall.
Mae Bob yn awr cyn ddyfned
  Â Wren o'r awyr iach;
A W.J. 'n yr unfan
  Â J. Sebastian Bach.

Pan awn i ffair Caernarfon
  Cawn yno dri i'm cwrdd;
A boddus iawn y byddem
  Yn bedwar wrth y bwrdd.
Dynion oedd dau ohonynt
  Â gwydnwch yn eu gwedd.
Mae Bernard wedi braenu
  A Gwynfor gu'n ei fedd.

Mae'r byd yn dal i heidio
  Yn selog i'r Hen Sioe;
Ond nid y rhain sydd yma
  Yw'r rhai oedd yma ddoe.
Paid *ti* â marw, Emrys:
  Ni fynnwn gael y gair
O fod yn gennad angau
  I'm ffrindiau ym mhob Ffair.

1943

Gwrthodedigion

Y CYN-DDARLITHYDD

Y cyntaf oedd y mwyaf yn ein mysg
Heb gyfle i dorri gair o gadair dysg
Oherwydd bod ei gariad at ei wlad
Yn fwy nag at ei safle a'i lesâd!

Y CYN-FANCER

Yr ail oedd seraff yr efengyl seml
A fu'n ymgynnal heb na thâl na theml
Oherwydd bod ei gariad at ei Dduw
Yn fwy nag at ei fara ac at ei fyw!

Y CYN-WEINIDOG

Yr olaf ydyw'r diwyd fugail hwn
Na fedd un ddafad yn y cread crwn
Oherwydd bod ei gariad at ryw blant
Yn fwy nag at y seiat ac at sant!

1940

Y Gwrthodedig

(J. Saunders Lewis)

Hoff wlad, os gelli hepgor dysg
Y dysgedicaf yn ein mysg,
Mae'n rhaid dy fod o bob rhyw wlad
Y fwyaf dedwydd ei hystâd.

Os gelli fforddio diffodd fflam
A phylu ffydd dy fab di-nam,
Rhaid fod it lawer awdur gwell
Na'r awdur segur sy'n ei gell.

Os mynni ei wadu a'i wrthod ef
Y diniweitiaf dan dy nef,
Rhaid fod it lawer calon lân
A waedai trosot ar wahân.

Os mynni lethu â newydd bwn
Y llwythog a'r blinderog hwn,
Achub yn awr dy gyfle trist,
Ac na fydd feddal fel dy Grist.

1937

Y Dychweledig

(S.L. yn Eisteddfod Hen Golwyn, 1941)

Trugarog yw y werin,
  Ystyriol iawn o'i fri,
Pan ddychwel fel Pererin
  I'w hannwyl Brifwyl hi.
Rhydd iddo serch, rhydd iddo swydd:
Rhydd iddo gadair yn ei gŵydd.

Wrth weld ei wyneb gwelw
  Yn lleddfu llwyfan hon,
Rhoem bopeth ar ein helw
  Am weled hwnnw'n llon:
Popeth yn gyfan, ond ein gwaed,
I roi athrylith ar ei thraed.

Wrth wrando'r curo dwylo
  I'n hen gydymaith dwys,
Melys y gallem wylo,
  Pe bai ein hwylo o bwys,
Oherwydd bedd a rodd y byd
Weithion i'w fab a aeth yn fud.

O! teilwng yw tystiolaeth
  Y werin frwd i'w fri
Pan ddychwel ei ddrychiolaeth
  I'w hen brifysgol hi:
A phawb â chalon dan ei fron
Sy'n 'llawenhau fod lle yn hon'.

1941

Gorthrymderau

Pregethwr mewn het person – pam,
Ac yntau wedi gwadu'r Fam?
A'r person ar ei fynwes lefn
Yn cario'r groes fu gynt ar gefn.
Gwladgarwr huawdl pan fo'i lond
O sêl a swper nos Gŵyl Ddewi.
Mae'n gystal Cymro ag undyn, *ond* –
Yma mae'r awen braidd am rewi.
Rhyw her-adroddwr ar ei draed,
A chipio'r wobor yn ei waed;
Mae wrthi'n corddi cwrdd yr hwyr
Gyda Rhianod Penrhyn Gŵyr.
Ni sioma'r hanes am y rec,
A'r dyn sy'n canu ar ei dec.
Rhyw gantwr gwyntog ar ryw hwrdd
Yn bloeddio – ond nid yw'n bloeddio'r gwir –
Bod ysbryd rhyw dywysog gwrdd
'Yn tanio, tanio yn y tir.'
'Melys yw marw dros ein gwlad'
Os awn ni'n wir o sŵn ei nâd.
Rhyw borthmon gwirion yn ei gwrw
Yn lluchio'i gylchau a chadw twrw,
A chyn y medrwch symud ber
Yn eich diddori â'i stori fer,
Sef bod ei dad yn sant o ddyn,
Ond 'hogyn drwg' yw ef ei hun.
Ymhen rhyw awr bydd yn y trên
Yn cyfarth rhyw weinidog hen.
Rhai fel efô sy'n creu rhagfarnau
Digon teg tuag at dafarnau.
Yna rhyw ddefosiynol frawd
Yn eich cysuro ar eich rhawd,
Pan ewch tua thref o'r cyfryw lefydd,
Nad mynd i'r capel ydyw crefydd;
Mai byw'n gymdogol ydyw'r peth,
A bod i bawb ei fai a'i feth.

Dyl! Fe'u hedliwiai ichwi'n chwyrn
Petaech yn troedio ar un o'i gyrn.
Cael egwyl yn y machlud maith,
Heb wên, heb awen, a heb iaith,
A rhyw gymydog mwyn o'i ardd
Yn brefu'n braf: 'On'd ydi-o'n hardd?'
Ei sylw nesaf, sill am sill,
A fydd, fe wyddoch: 'Beth am bill?'
Cael rhywun yn eich cadair fawr –
Gwyddoch na chyfyd am chwe awr –
Yn rhoi'n eu lle y nef a'r llawr:
Creadur dicra, cwta, cŵl,
Heb hiraeth yn ei wyneb pŵl,
Na chlawstroffobia ar y ffŵl.

'Beth sydd imi yn y byd?
Gorthrymderau mawr o hyd'
Medd yr emynydd o Shir Gâr,
A chefais innau, och, fy siâr.

1939

Y Wers Sbelio

Llywelyn bach, tyrd yma,
  Rho i lawr lenorion Gwalia;
A rho'n uchaf ar y rhôl
  Rai wrthyd ffôl ffugenwa'.

Am enw'r Athro Gruffydd,
  Sbelia-fo'n ôl y sain:
Nid yw ei *-ffydd* ef, cofia,
  Y *-ffith* oedd *-ffith* ei nain.

Mae un sy'n Parry-Williams,
  Ond Williams-Parry'r llall.
Eu taid ni hoffai heiffen,
  Ond gwylia rhag y gwall.

Mae enwau, Llew – a phobol –
  Wrth fynd yn ganol oed
Yn tyfu tua'r canol
  Yn rhwydda' fu erioed.

Mae C. yn rhoi Cyfeiliog,
  D.J., D. Gwenallt rydd;
A sylwa – J. S. Lewis
  Oedd Saunders 'slawer dydd.

Cymer di bwyll, Llywelyn,
  A gwylia ar dy fys
Rhag gwneud dim cam â'r Cymry
  Sy'n dringo o Rees i Rys.

A chymer ofal hefyd,
  Fy machgen, rhag gwneud *mess*
Drwy alw dyn yn Rowlands
  Ac yntau heb yr *s*.

Mae ambell enw llwythog
  Yn gollwng *Jones* o'r pwn,
A dilys fod Cadwaladr
  Yn air mwy pêr heb hwn.

Stydia ramadeg *Morus,*
  Ei raddau uwch ac is;
Morrice yw'r radd gymharol,
  A'r uchaf radd, *Maurice.*

Am y ffugenwa' ganno'dd –
  Beth sydd? Oes gen' ti ddanno'dd?
Gad-hi tan fory, Llew, fe eill
  Na bydd y lleill mor anodd.

Chwilota

Cân Newŷdd yn Rhoddi Allan y môdd y gall Prydyddion cymmru fod o Wasaneth yw Gwlâd yn y dyddiau Cyfing hyn trwy droi at waith Difrif yw chanŷ ar swît Research neu Ddifyrwch y bardd.

Pwysicach yw'r chwilotwr
  Nag awdwr llyfr o gân;
Cans onid yw'r pysgotwr
  Yn fwy na'r pysgod mân?
Rhof heibio i siarad drwy fy het
I stydio'r hen *North Wales Gazette.*

Pa beth yw hyn fel diod
  Gadarn a gwyd i'm pen?
'Roedd Jac Glan Gors yn briod!
  Mae-o yma i lawr ar len.
Rhyw Saesnes oer o Cumberland
Oedd gwraig John Jones; rhyw ddynes grand.

Ai syn bod dyn yn ffrom os
  Dygir oddi arno'r palm?
Cans dyma David Thomas
  Yn gwybod hyn ers talm!
Ond erys llawer seler win,
Megis y *Gentleman's Magazine.*

Wel *dyma* ddarganfyddiad:
  Bu farw'r Prydydd Hir
Flwyddyn o flaen y dyddiad
  A rydd holl lyfrau'r tir.
Bu farw'n fethiant 'rôl byw'n fain,
Ond nid yn 1789.

Pa les yw i feidroldeb
Geisio goleuo'i lamp
Ar heuldir anfarwoldeb
A hynny â matsen damp? –
Nid oes dim newydd dan y ne',
Nid oes, o leiaf, i G.J.

Darllenais lu o weithiau
Lythyrau Dafydd Ddu.
Mae o'n o siŵr o'i ffeithiau
Am fywyd Cymru Fu.
Fe sonia'n rhywle am oerni'r hynt
I 'Steddfod Fach Llangollen gynt.

O feddwol ddarganfyddiad –
'Roedd honno, ar fy ngwir,
Flwyddyn *ar ôl* y dyddiad
A rydd holl lyfrau'r tir:
Ionawr y 6ed oedd y dêt,
Ond nid yn 1788.

A fu gan rywun nodiad
I'r perwyl hwn o'r blaen?
Rhyw droednod neu atodiad
A rydd i'm calon ddraen?
Os bu, hysbysed hynny'n syth;
Llefared, neu distawed byth . . .

O'r gorau! Pan fwy'n croesi
Hen ddyfroedd oer y glyn
Bydd rhywbeth i'm goroesi
Tu mewn i'r *Bulletin.*
Rhydd Cymru f'enw mwy yn rhes
Ei chymwynaswyr am a wnes.

1931

Cymry Gŵyl Ddewi

Ni laddasech chwi'r proffwydi gwirion?
O ragrithwyr, twyllwyr, ffyliaid, deillion,
Dywedaf, chwai'r haeraf, mai chwi'r awron
Ydyw cywir hil eu lleiddiaid creulon.

–Syr John Morris-Jones

I

Gronwy ddiafael, Gronwy Ddu,
Tragywydd giwrat Cymru Fu!
Cest yn dy glustiau fwy o glod
Nag o geiniogau yn dy god.

Ni chefaist ganddynt dŷ na gardd,
Ni buost berson, dim ond bardd:
Rhyw hanner dyn a hanner duw,
Creadur Pope, creawdwr Puw.

Arglwydd rhyw anghyfarwydd iaith
Oeddit, ac ni chyhoeddit chwaith;
I Arglwydd heb na thir na thŵr
Nid oedd, yn wir, ond croesi'r dŵr.

II

Yr Ianci Bach, pe troet yn ôl
I'th bau o'th bell ddisberod ffôl,
Pa fyd fai arnat? Dyna fri
Sydd iti yng Nghymru heddiw! *Gee.*

Ffoes y Philistiaid roes it glwy,
Ac nid yw Lewys Morys mwy:
A gaet ryw fraint o fewn dy fro
A gwaith yn ôl dy gynneddf, *bo?*

Aros lle'r wyt, yr Ianci Bach,
Cyflwr dy henwlad nid yw iach.
Os caet y ciwdos a gadd Pope
A gaet y cysur hefyd? *Nope.*

Fel pan adewaist Walton gynt,
A welit eilwaith ar dy hynt
Rai'n cau y drws o'th flaen yn glep
'Rôl cloi y llall o'th wrthol? *Yep.*

Ond pe gogleisit glust y Sais
Nes cael dy ganmol am dy gais,
A 'mgrymai Cymro wrth bob dôr
O'th ffordd i hedd a ffafar? *Shore.*

1938

Ple Mae Garth y Glo?

(Canig Unodl)

Soniai fy nhad o dro i dro
Am ryw hen Fodryb Garth y Glo;
Ac y mae gennyf gynnar go'
Im fynd i'w gweled gydag o.
Bro Dewi Arfon oedd y fro.
Cawsai'r hen wreigan le dan do
Tyddynnwr gweddw i gludo'r glo
A'r llefrith; hi rôi lith i'w lo
A bwyd i'w fab. Ond bid a fo,
Fe fyn trigolion Cwm y Glo,
A gwŷr y Clegyr uwch na fo,
Na bu'r fath le â Garth y Glo.
Eto buom yno'n dau, O do.
'Fy hen gydymaith diddan, rho
Wybod ym mhle mae Garth y Glo
Cyn 'relo Ffydd ei hun ar ffo' –
Ni chofia ac ni falia efô.

1940

Hitleriaeth

Ar lawr y buarth nid yw'n hoff
Gan y dofednod ffowlyn cloff.
Am nad yw'r wedd sydd arno'n iawn,
Ei ymlid rhag ei siâr o'r grawn
Sy raid,
Medd adar llawn.
Wrth groesi'r twndra gyda'r haid
Gwae yr anffyddiog utgi os paid,
Â llamu'r hafn, neu fethu'r naid.
Ond dwyfol Ddyn, a'r plant a fag,
Sy'n maddau diffyg a chaff gwag.

Beth ddwedai'r Addfwyn am rai'n ein mysg
Sy'n beiddio hitlereiddio dysg?

Beth ddwedai'r Athro am wŷr rôi hwrdd
O'u swyddi i rai na ddônt i'r cwrdd?

Beth ddwedai Iesu am beth a wneir
Gan etheg blaidd, estheteg ieir?

1941

Dyffryn Clwyd

(O ben Moel Fama, Gorff. 1925)

Nid dyffryn, ond gogoniant clyd ar daen,
  Fel ystum foethus rhyw arglwyddes gain
  A suddodd rhwng esmwythblu'i lliain main,
Ac ymchwydd ei chlustogau heb ystaen
Oddeutu'i harddwch. Hithau'r frodir fras
  Mewn ymollyngdod llwyr, mynych y teifl
  Ag osgo serchus ryw fraich deg a ymeifl
Am yddfau'r moelydd trwy eu bylchau bas.
Hyfryd a pharadwysaidd yw ei phryd,
  A'i milfyrdd glesni yn yr hafddydd brwd
  Heb fefl nac anaf arno, namyn rhwd
Y crin borfeydd. Yn hedd ei mynwes ddrud
  Gan ymfrasáu ar foeth ei melys fêr
  Dwy dreflan sugnant faeth ei dwyfron bêr.

Rhyfeddodau'r Wawr

Rhyfedd fu camu'n ddirybudd i'r wawrddydd hardd
  A chyrraedd sydyn baradwys heb groesi Iorddonen;
Clywed mynyddlais y gwcw yng nghoed yr ardd,
  A gweld yr ysguthan yn llithro i'r gwlydd o'r onnen;
Rhyfedd fu gweled y draenog ar lawnt y paun
  A chael y cwningod yn deintio led cae o'u twnelau,
Y lefran ddilety'n ddibryder ar ganol y waun,
  Y garan anhygoel yn amlwg yn nŵr y sianelau.
Rhyfeddach fyth, O haul sy'r tu arall i'r garn,
  Fai it aros lle'r wyt a chadw Dyn yn ei deiau,
Nes dyfod trosolion y glaswellt a'u chwalu'n sarn
  Rhag dyfod drachefn amserddoeth fwg ei simneiau;
Ei wared o'i wae, a'r ddaear o'i wedd a'i sawyr,
Cyn ail-harneisio dy feirch i siwrneiau'r awyr.

1937

Cymru 1937

Cymer i fyny dy wely a rhodia, O Wynt,
  Neu'n hytrach eheda drwy'r nef yn wylofus waglaw;
Crea anniddigrwydd drwy gyrrau'r byd ar dy hynt –
  Ni'th eteil gwarchodlu teyrn na gosgorddlu rhaglaw.
Dyneiddia drachefn y cnawd a wnaethpwyd yn ddur,
  Bedyddia'r dihiraeth â'th ddagrau, a'r doeth ail-gristia;
Rho awr o wallgofrwydd i'r llugoer tu ôl i'w fur,
  Gwna ddaeargrynfeydd dan gadarn goncrit Philistia:
Neu ag erddiganau dy annhangnefeddus grwth
  Dysg i'r di-fai edifeirwch, a dysg iddo obaith;
Cyrraedd yr hunan-ddigonol drwy glustog ei lwth,
  A dyro i'r difater materol ias o anobaith:
O'r Llanfair sydd ar y Bryn neu Lanfair Mathafarn
Chwyth ef i'r synagog neu chwyth ef i'r dafarn.

1937

Ymson ynghylch Amser

(Ar y gaer uwch Ffynnon Gegin Arthur)

Hon ydyw'r afon, ond nid hwn yw'r dŵr
  A foddodd Ddafydd Ddu. Mae pont yn awr
Lle'r oedd y rhyd a daflodd yr hen ŵr
  I'r ffrydlif fach a thragwyddoldeb mawr.
Yma bu Arthur, yma bu Arthur dro,
  Yn torri syched hafddydd ar ryw rawd;
Ac odid na ddaeth Gwydion heibio ar ffo:
  Ni ddaw ddim eto, na Gilfaethwy'i frawd.
Rhyfedd yw ffyrdd y Rhod sy'n pennu tymp
  I'r ffrwyth a ddisgyn ac i ddyn sydd wêr –
Y chwrligwgan hon a bair na chwymp
  Oraens y lleuad a grawnsypiau'r sêr.
Ow! Fory-a-ddilyn-Heddiw-a-ddilyn-Ddoe:
Pa hyd y pery echelydd chwil y sioe?

1938

Marwoldeb

'Whatever the year brings, he brings nothing new.'
– Rose Macaulay

Na chais, y prydydd ifanc, gan yr hen
  Roi taw ar ei dorcalon dirwymedi;
Mygu hen bruddglwy'r pridd, a thraethu ei lên
  Ar fri'r newyddoes ddur ac anfri'i ch'ledi.
A chwyth y ddwyfol awel er mwyn troi
  Melinau'r awr a hwylio llongau Iwerydd?
Neu chwalu hir waeau'r werin, sy'n crynhoi
  Fel dail y llynedd yn y trist gwterydd?
Dduw mawr! Fe droes y bardd yn bamffletîr.
  A fu, ai ynteu na fu, farw Branwen?
A dry'r ffigysbren diffrwyth eto'n ir
  Pan eilw y seffyr ac ni syfl Arianwen?
Megis y bu o'r dechrau, felly y mae:
Marwolaeth nid yw'n marw. *Hyn* sydd wae.

Gwae Awdur Dyddiaduron

(Ar ôl astudiaeth Marjorie Bowen o fywyd John Wesley)

Pwy fydd y nesaf tybed? Tyred, Harris,
  Gwna'n hysbys mor synhwyrus ydoedd sant.
Gwell fydd nag wythnos dros y môr ym Mharis
  Ac eithrio gan ryw gyplau'n magu plant.
O! llawer gwell na rhythu ar wedd ysgymun
  Modrwyau hamadryad sorth y Sŵ
Fydd gweld y stomp a wnest o'r Deg Gorchymyn
  'Rôl deffro sarff enbydus hen dabŵ.
Ba fendigedig ddogfen! Bydd dy natur
  Yn llyfr agored, Hywel, i'r holl fyd.
Beth waeth gan Hanes am na sant na satyr?
  Hi draetha'r gwir, a'r gwir i gyd. I gyd?
Nes na'r hanesydd at y gwir di-goll
Ydyw'r dramodydd, sydd yn gelwydd oll.

1939

Ein Didduw Brydyddion

Mi glywais ddirwestwr ddoe yn maentumio'n drist
  Nad yw ein prydyddion diweddar 'o ddwyfol ordeiniad';
Nad ŷnt na dilynwyr na charedigion Crist,
  Ac na rônt i'r genedl Gymreig 'ysbrydol arweiniad'.
Ba gelwydd golau! Oni chlywodd ochneidiau Gwynn
  Am nef lle mae dysg ni phaid a rhinwedd ni ddiffydd?
A hanes hen ddynion a yrrodd i ben y bryn
  Ei Arglwydd ifanc yn cymell rhegfeydd ar Gruffydd?
Naddo, mae'n ddiau: ond siawns na chlywodd am sêl
  Dau brydydd crefydd Crist yn croesi rhiniog
Y gwesty drud na wrthyd neb a ymwêl
  Â'r Iddew Prudd; ac am Gomiwnydd miniog
Yn taflu i lwyd y to, fel addfwyn fenyw,
Ryw damaid o bob dim oedd ar y menyw.

1947

Propaganda'r Prydydd

Ni pherthyn y bardd i'r byd fel i Natur werdd,
  Ac ni wna gyfaddawd ag ef fel y bydol-ddoethyn.
Ni ddring i bulpudau'r oes, ac ni chân ei cherdd,
  Ni saif ar ei focs yng nglaswellt Parc y Penboethyn.
Onis ganed o'r hen anachubol, annynol wrach
  A'n synna â'i sioe o sêr ac â'i sblôut o fachlud,
Nes toddi'n llymaid y lleddf, nes sobreiddio'r iach,
  Heb ymddiddori ddim yn ein byw crebachlyd?
Oddieithr pan ollyngo'i bollt, a llefaru'r gair
  A ddychryn ein materoldeb o'n marwol wead;
A ddwg y ddrychiolaeth i'r wledd a'r ffantom i'r ffair,
  A ddengys y pryf yn y pren, y crac yn y cread;
Y daran a glosia'r glew at y mosc a'r mascot,
Y dylif a ddiffydd yr haul ar heolydd Ascot.

1938

Breuddwyd y Bardd

(Ar ôl darllen am haelioni miliwnydd)

Pe bawn yn filiwnâer mi awn am dro,
  Fel yr âi Dic o Aberdaron gynt,
A llwythwn fy llogellau fel efô –
  Na, nid â llyfrau, ond papurau punt.
A chyda'r rhain mi awn i Lundain bell;
  A chan fod drws trugaredd wedi ei gau,
Rhown ginio i ryw Oronwy yn ei gell,
  A cheisiwn oeri'i syched ar nos Iau.
Ond cyn dychwelyd mi rown wib i Went,
  A siawns na helpwn ryw Siluriad tlawd –
Hen warior wedi ei ddofi i dalu rhent
  A chynnal ei berchennog – fel y brawd
A geisiodd gan y person yn y llan
Gofio am deigar dof y garifán.

1939

W.J.G.

Y mae tri math o feirdd i'm meddwl i:
  Mae beirdd-deilwriaid. Eu prif orchest hwy
Yw torri'r deunydd, ac nid hawdd yw hi,
  Fel y bo'r rhan yn rhan o gyfan mwy.
Mae beirdd-wehyddion hefyd, sydd yn haws
  Ganddynt gywreinio'r graen na llunio'r siwt;
Mae beirdd sydd am ddarostwng tyrau'r traws
  A thyfu'n filwyr yn lle'n grefftwyr ciwt.
Hen arglwydd ansoddeiriau a thwysog iaith,
  Pa fath wyt ti, neu o ba gymysg dras
Pan yw pob dychan a phob cân o'th waith
  Yn llawn o ryfel ac yn llyn o ras,
O saint a phariseaid, moelni a moeth,
Llesmeiriol ymchwydd ac uniondra noeth?

1938

Gair o Brofiad

(Ar ddechrau blwyddyn)

Llwfr ydwyf, ond achubaf gam y dewr;
  Lleddf ydwyf, ond darllenaf awdur llon.
Yn anghredadun, troaf at fy Nghrewr
  Pan dybiwyf ryw farwolaeth dan y fron.
Di-dderbyn-wyneb ydwyf wrth y bwrdd,
  Beirniadus ac esgeulus iawn o'm gwlad;
Anhyglyw ac anamlwg yn y cwrdd,
  Diasgwrn-cefn ac ofnus ymhob cad.
'Rwy'n wych, 'rwy'n wael, 'rwy'n gymysg oll i gyd;
  Mewn nych, mewn nerth, mewn helbul ac mewn hedd
'Rwy'n fydol ac ysbrydol yr un pryd.
  Deg canmil yw fy meiau, ond cyn fy medd
Mi garwn wneuthur rhywbeth gwiw dros Grist
Fel nad edrycho arnaf mor rhyw drist.

1939

Gwenci

Gadawsom ffordd y sir am ryw hen lôn
  Rhyngom a'r mynydd, gan fod iddi giât
(Giât mochyn ydyw'r enw arni ym Môn)
  A roddai'r hawl i groesi tir y stât.
Wrth rodio gwelem ffridd, ac ar y ffridd
  Gwningen farwaidd fawr. Mor llonydd oedd!
Cans ni chychwynnai mwy na'r pren o'r pridd
  Er inni guro dwylo a rhoddi bloedd.
'Rôl cerdded plwc dychwelsom. '*Mae* hi'n fyw,'
  Meddai fy nghymar, 'ac mae'n rhedeg ras!
Edrychwch fel mae'n chware efo'i chyw
  A chymryd arni fynd ei gore glas.
Pwy gura os gwn-i?' Y bychan oedd yn ben,
Y sugnwr sydyn yn y wasgod wen.

1938

Heffrod

Och! heffrod y poeth-offrwm, sydd mor llon
  Yn cadw reiat, ac mor hyfryd hurt
Yn edrych, pan fygythir hwynt â'r ffon
  Am bwnio'r babell a disodli'r cyrt.
Mae yma bump ohonynt ar y maes
  Yn brefu'r bore ac yn brefu'r hwyr.
Pranciant a stranciant, ond yn lleddf a llaes
  Y brefant – nid o arswyd, Duw a ŵyr,
Ond am mai heffrod ŷnt. A daw i'm co'
  Yr heffer honno a frefa o'r hen fyd,
A ddeil i frefu hefyd pan ddêl tro
  Y rhain i rostio yn eu braster clyd –
Oni wna rhywun, ar eu ffordd i'r ffwrn,
Eu troi i gae tragywydd ar ryw wrn.

1938

Hen Gychwr Afon Angau

Yn ôl y papur newydd yr oedd saith
  A phedwar ugain o foduron dwys
Wedi ymgynnull echdoe at y gwaith
  O redeg rhywun marw tua'i gŵys.
Fwythdew fytheiaid! Fflachiog yw eu paent
  Yng nghynebryngau'r bröydd, ond mor sobr
Eu moes a'u hymarweddiad â phetaent
  Mewn duwiol gystadleuaeth am ryw wobr.
A phan fo'r ffordd i'r fferi'n flin i'r cnawd,
  Ac yn hen bryd i'r ysbryd gadw'r oed,
Onid ebrwyddach yr hebryngir brawd
  Yn y symudwyr moethus nag ar droed?
Ond ar y dwfr sydd am y llen â'r llwch
Ni frysia'r Cychwr, canys hen yw'r cwch.

1938

Eifionydd

(Golygydd cyntaf Y Geninen)

Ni charai merched mono. 'Roedd ei fow
  A'i foesgyfarchiad iddynt yn y drws
Yn llai deniadol na dull Ned a Now,
  Na fedrent lunio cynganeddion tlws.
Ba raid i brydydd ydoedd ambarél
  Ar ddiwrnod braf, a pham nad yfai'i de
Fel rhywun arall? Nid y fel a'r fel,
  Gan dynnu'i henaid o gwpanaid gre'.
Ond dwedai Gwyddon gynt amdano fo
  Na welodd neb mor annwyl gan blant bach;
Dwedodd Alafon hefyd lawer tro
  Na cheid yr un gyfrinach fyth o'i sach.
Pwy oedd 'Y Thesbiad' gloyw iawn ei gledd?
A phwy'r 'Siluriad'? Gofyn i'w garreg fedd.

1950

J.S.L.

Disgynnaist i'r grawn ar y buarth clyd o'th nen
  Gan ddallu â'th liw y cywion oll a'r cywennod;
A chreaist yn nrysau'r clomendy uwch dy ben
  Yr hen, hen gyffro a ddigwydd ymhlith colomennod.
Buost ffôl, O wrthodedig, ffôl; canys gwae
  Aderyn heb gâr ac enaid digymar heb gefnydd;
Heb hanfod o'r un cynefin yng nghwr yr un cae –
  Heb gorff o gyffelyb glai na Duw o'r un defnydd.
Ninnau barhawn i yfed yn ddoeth, weithiau de
  Ac weithiau ddysg ym mhrynhawnol hedd ein stafelloedd;
Ac ar ein clyw clasurol ac ysbryd y lle
  Ni thrystia na phwmp y llan na haearnbyrth celloedd.
Gan bwyll y bwytawn, o dafell i dafell betryal,
Yr academig dost. Mwynha dithau'r grual.

1937

Taw, Socrates

(Yn amser rhyfel o leiaf)

Mae gennyf hen gydnabod sydd yn fwrn
  A'r f'ysbryd pan ddechreuo holi pam,
Cans etyb ei gwestiynau yn eu twrn
  Fel y gwna'r Holwyddoreg a'r Rhodd Mam.
Pam y mae'r môr yn las a glo yn ddu,
  Pam y mae dŵr yn wlyb a thân yn boeth,
Pa fodd na syrth y sêr o'r wybren fry,
  Pa faint o'r rhain a wêl y llygad noeth?
Megis pe na bai gennyf ar y gweill
  Ddigon o ddefnydd gofyniadau fyrdd
Heb fynd yn ôl i'r ysgol at y lleill
  A sefyll arholiadau hogiau'r Urdd.
O! Armagedon, sydd yn gwneud y byd
A'r bywyd hwn yn gwestiwn oll i gyd.

1940

Y Cyrn Hyrddod

Pa lawen lanc dibryder nad yw brudd
  Hyd ddagrau weithiau, ie dagrau, dioer,
Wrth weld rhyw fagad fach o deulu'r ffydd
  Yn chwysu i achub hen Gristnogion oer?
Wrth gofio gwyw a chystuddiedig wedd
  Y tenau ffyliaid hynny a roes mor hael
O'u rhyddid ac o'u hienctid ac o'u hedd
  I dderbyn dirmyg hen gyd-Gymry gwael;
Wrth weled ôl rhyw ymarferol frawd
  Yn goffadwriaeth i'w hwsmonaeth seml
Ar ddu domennydd Mynwy; wrth weld rhawd
  Blygeiniol bugail unig tua'r deml
I ymbil dros y gweithiwr yn y graig
Gan gariad sydd yn fwy na chariad gwraig.

Yr Utgorn Arian

'Mwyn y chwenychwch, a mi'n hen a chul,
  F'anrhegu ag arian ac ag aur o'r god;
Achubais chwi rhag Satan ar y Sul,
  A rhois i'm Harglwydd bob rhesymol glod.'
Do, do, 'rhen seraff prysur, teflaist raff
  Yr iachawdwriaeth i bentrefwyr trist.
Ar faes y Sasiwn, lle'r oedd hynny'n saff,
  Heriaist y diafol a chlodforaist Grist.
A fuost ti'n tagu gan fwg y fagddu ryw dro?
  A droist ti drwyn, a 'sgydwaist ti farf y fall?
Ai sefyll o'r neilltu a wnaethost, neu rodio'r fro
  Gan annog pwyll ymhob peth ac actio'n gall?
Derbyn dy dysteb, ond maddau os medri i'r bardd
A wena'n dy wyneb, a maddau i'r llanc a chwardd.

Y Barchus, Arswydus Swydd

Mae Canwy'n ymneilltuo meddant hwy;
  Os ymneilltuo yw bod fel o'r blaen
At alwad pob penteulu yn y plwy'
  I wneuthur pethau sydd yn groes i'r graen –
I lenwi'r ffurflen ac i'w gyfri'n ffafr,
  I lunio'r llythyr ac i dalu'r doll;
I siarad yn y llys dros ambell afr
  A dweud mai dafad yw a aeth ar goll.
Gwared y gwirion! Dylai Band y Llan
  Ei gwrdd a'i ganu at y tŷ lle trig;
Ond gan nad yw gadfridog, Duw fo rhan
  Yr hen heddychwr hwn na fwyty gig:
Cans os dibynna o hyn i ben y daith
Ar ei flwydd-dâl ni fwyty afal chwaith.

1944

Y Peilon

Tybiais pan welais giang o hogiau iach
  Yn plannu'r peilon ar y drum ddi-drwst
Na welwn mwy mo'r ysgyfarnog fach,
  Y brid sydd rhwng Llanllechid a Llanrwst.
Pa fodd y gallai blwyfo fel o'r blaen
  Yn yr un cwmwd â'r ysgerbwd gwyn?
A rhoi ei chorff i orffwys ar y waun
  Dan yr un wybren â'i asennau syn?
Ba sentimentaleiddiwch! Heddiw'r pnawn,
  O'r eithin wrth ei fôn fe wibiodd pry'
Ar garlam igam-ogam hyd y mawn,
  Ac wele, nid oedd undim ond lle bu;
Fel petai'r llymbar llonydd yn y gwellt
Wedi rhyddhau o'i afael un o'i fellt.

1940

Y Cwb

Y dydd o'r blaen arbedodd ffarmwr ffeind
  Fywyd rhyw bwt o lwynog dela' erioed;
Nid am ei fod o'i ddefaid yn ddi-feind,
  Ond am fod Dafydd drannoeth yn dair oed.
A heddiw pe gollyngid hwn yn rhydd
  I'w larpio gan ddaeargwn ar y ddôl,
Nadu y byddai Dafydd nos a dydd,
  A thorrai Ann ei chalon ar ei ôl.
Nwyfus yw cadno ifanc, a chwareus:
  A pham y'i saethir mwy na'r oen neu'r myn?
Os medd ei dad gymeriad go amheus
  Mae ef yn dra diniwed. Hyd yn hyn
Dibechod yw y bychan, a thrwy reddf
Y tyr yfory dri o'r Dengair Deddf.

1944

Dyffryn Nantlle Ddoe a Heddiw

YMWELYDD

'Does ond un llyn ym Maladeulyn mwy;
A beth a ddaeth o'r ddâr oedd ar y ddôl?

BRODOR

Daeth dau wareiddiad newydd i'n dau blwy':
Ac ni ddaw Lleu i Ddyffryn Nantlleu'n ôl.

YMWELYDD

Pwy'r rhain sy'n disgyn hyd ysgolion cul
Dros erchyll drothwy chwarel Dorothea?

BRODOR

Y maent yr un mor selog ar y Sul
Yn Saron, Nasareth a Cesarea.

YMWELYDD

A glywsant hanes Math yn diwyd weu
Deunydd breuddwydion yn y bröydd hyn?
A glywsant hanes Gwydion yntau'n creu
Dyn o aderyn yma rhwng dau lyn?

BRODOR

Clywsant am ferch a wnaeth o flodau'r banadl
Heb fawr gydwybod ganddi, dim ond anadl.

1940

Y Gêm Robin Goch

Rhwng John a'i dad bu'n gystadleuaeth lem
  Ar hyd mis Chwefror, ac fel hyn y bu:
Dechreuodd Robin Goch oedd ar ei glem
  Ddod at y drws a mentro i mewn i'r tŷ.
Mae'r Robin Goch mor ddewr ag yw o gall,
  A thoc fe ddaeth i fwyta ar eu llaw
Gan ffafrio weithiau'r naill ac weithiau'r llall.
  Wyth gwaith y sgoriodd John, a'r hen ŵr naw.
Ond beth am pan ddaeth Robin ar ryw hwrdd
  A sefyll ar bob un o fysedd John
Y dydd yr oedd ei dad a'i fam i ffwrdd?
  'P'le mae dy dyst?' gofynnai'r tad yn llon.
Atebodd yntau'r plentyn, 'Naw bob un
'Di'r sgôr gin Iesu Grist.' – Ildiodd y dyn.

1947

'Dwy Galon yn Ysgaru'

Gwrando, f'anwylyd, pan fo hyn o gnawd
  Wedi ei gynaeafu a'i yrru drwy
Ffwrneisiau'r felin honno, rho fy mlawd
  I wynt y nefoedd, nid i gladdfa'r plwy'.
Ond pan ddêl d'amser dithau, dos tua thre'
  I orwedd gyda'th geraint yn y llan,
A rhoed y llannerch rugog sy'n y lle
  Aroglau grug y mynydd uwch y fan.
Cyn hynny bydd hiraethus iawn dy serch
  Am un a'i cafodd ac a'i cadwodd oll,
Ac er na feddi gofnod mwy, fy merch,
  P'run ai ar gael y byddwyf ai ar goll,
Fy nghadwedigaeth fydd dy hiraeth di,
A'th angof llwyr fy llwyr ddifancoll i.

1942

Morys T. Williams

Y Cynghorydd Gwlatgar

Ni chlywid onid uniaith ei fynwes
Ar ei fin ddilediaith:
Na, ni wnâi gam â'i famiaith
Mewn pwyllgor na chyngor chwaith.

Y Meistr Caredig

Anwesai hwn ei weision, o'r prentis
Hyd i'r printiwr bodlon;
A gwnaeth ei wasg, henwasg hon,
Yn nyth esmwyth i'w hwsmon.

Y Cadlywydd Distaw

Cadarn mewn cyfranc ydoedd, hyderus
Darian lleiafrifoedd,
Ac â thrydan gweithredoedd
Yr hudai'i blaid. Rhad yw bloedd.

Y Cyfaill Coll

Mae gwaeth afon na Chonwy i'w chroesi,
Echrysach nag Elwy
Ac Aled, cyn y'i gwelwy';
Nid ymddengys Morys mwy.

1946

Neuadd Goffa Mynytho

Adeiladwyd gan Dlodi; nid cerrig
Ond cariad yw'r meini;
Cydernes yw'r coed arni,
Cyd-ddyheu a'i cododd hi.

Dau Ysbrydegydd

(Er cof am Osborne Roberts)

Dau danbaid enaid unol ddoe nofiodd
Hen afon angheuol.
Och, un a aeth i'w chanol
O gyrraedd y waedd o'r ddôl.

A ydyw'n wir y daw'n ôl i ryw gwr
O'r gorwel ysbrydol?
Ti, hawddgar gymar ei gôl,
Agor ryw ddôr ddaearol.

1948

Beddargraffiadau'r Byw

(Caerdydd a'r Cylch)

1–W.J.G.

I'w oes fyddar amharod fe roddes
Ei freuddwyd heb ddannod;
Heb lais na pharabl isod
Gorwedd clust o gyrraedd clod.

2–Edgar Jones

Holl neuaddau llenyddiaeth a grwydrodd,
A'i gwrhydri helaeth
Oedd ei nwyd, ei fwyd a'i faeth;
Ysbryd hynaws brwdaniaeth.

3–J. R. Roberts

Un oedd â'i farn yn ddi-feth i gynnal
Gwahaniaeth ym mhopeth:
Difodwr, cosbwr casbeth,
Noddwr mwyn pob addfwyn beth.

4–R.T.J.

Dysg yn gymysg â hiwmor feddai ef,
Y ddau yn eu tymor;
Llyfrgell fu'i gangell a'i gôr,
A diwylliant ei allor.

'Major Hamlet'

(Pen-y-groes, Caerdydd, Llundain – a Llanllyfni)

Y milwr, nid milwriaeth, a noddai;
    Heddwch, nid heddychaeth;
  Y werin, nid gweriniaeth;
  Y werin gyffredin, ffraeth.

1945

Llongyfarch Athro

(Yr Athro Idris Foster ar ei benodi i Gadair Celteg yng Ngholeg Iesu, Rhydychen)

Iaith Manaw, Llydaw, a'i llu, iaith Eire
    A thirion iaith Cymru,
  Pob iaith o'r Hen Geltiaith gu –
  Mae Idris yn eu medru.

Cadair wag fu cadair Rhys ers amser
    A simsan iawn megis;
  Dyma wyrth! bydd wedi mis
  Hydref yn Gadair Idris!

1947

Dau Enaid Rhamantus

1–Garmon Jones

O! gain oslef gynhesliw; O! dyner
  Syfrdanol fachludliw,
 A wnaeth fodolaeth yn wiw,
 Marwolaeth yn amryliw.

2–Tom Hooson

Mynnodd hedd mwyn i'w ddyddiau, a throediodd
  Ansathredig lwybrau.
 Er meddu dysg fel dysg dau
 Ni ddôi sŵn o'i ddwys enau.

1937

David Hughes, Llanarmon-yn-Iâl

David Hughes, dy fywyd di a gofiwn,
  Buost gyfaill inni:
 Cymorth gyda'n hymborth ni,
 Cymydog gwiw ym Medi.

Ba dynged enbyd ingol a'th gipiodd
  O'th gapel a'th ysgol!
 Doe'n ddiddan yn ein canol;
 Heno rhaid wylo ar d'ôl.

1947

Richard Gwillim – Bonheddwr ac Eisteddfodwr

Tyred! Mae'r wawr yn torri! Tro o'r Glais
Trwy'r gwlith i Dreorci:
Di-hwyl hynod eleni
Fyddai'r 'Steddfod hebot ti.

'Ni wlych y gwlith lwch y glyn lle tariaf
Ym mhellterau'r dyffryn,
Dan dawel, dawel dywyn
Marwaidd y sêr, y sêr syn.'

Pa fro ymysg y bröydd â thawel
Gaethiwed ei hwyrddydd
A'th luddias o'th oleuddydd,
A llon gymdeithion y dydd?

'Fy mro alwaf Marwolaeth; mae'r angau
Mwy rhyngof a'm hiraeth;
Mwynhau yr hen gwmnïaeth
Ni ddichon y galon gaeth.'

O wedd lednais, ddilwydni, a harddai
Â'i hurddas ein cwmni!
Di-ailuniad eleni
Fydd y 'Steddfod hebot ti.

1928

Hen Gyfaill

(Bu ymadawiad y diweddar John Evan Thomas am Benmachno yn golled fawr i dlodion Pen-y-groes.)

Ar ei faen na sgrifennwch un llinell
O weniaith, ond cerfiwch:
'I'r neb a gâr ddyngarwch
Annwyl iawn yw hyn o lwch.'

1941

Hen Gymydog

(Morris John Hughes, Pen-y-groes. Rai blynyddoedd yn ôl bu farw ei unig fab, un o'r bechgyn addfwynaf a fu.)

Gresyn na chawsit groesi yr afon
Ryfedd cyn dihoeni:
Aeth enaid dy enaid di
Flynyddoedd o'th flaen iddi.

1941

Ymson Awen Mona

Aeth Gwyddon dirion a da, aeth Iolo,
Aeth eilun fy ngyrfa;
A thrwm gan hiraeth yr â
Yn y man Awen Mona.

Y Capt. Richard Williams

Yn dy galon diogeli nwyd gynnes
Dy genedl a'i theithi;
Y rhan oedd oer ohoni
Roet i Sais a'r O.T.C.

1932

T. Rowland Hughes

Pwy y gŵr piau goron ei henwlad
Wedi anlwc greulon?
A phwy o Fynwy i Fôn
Yw'r dewra' o'i hawduron?

Chwarae Teg Iddynt

1–David Lloyd George (Rh.)

Banllefau Meibion llafur ni cheisiodd,
Na chusan penadur;
Hen ddemocrat wrth natur,
Ddoe fe'u cadd am leddfu cur.

2–Syr William Davies (C.)

I ryw Fyrsil neu'i gilydd – rhyw Horas –
Gyrrai arian beunydd.
Ariannwr yr awenydd,
Maecenas dinas Caerdydd.

3–Aneurin Bevan (Ll.)

Ymosod uwchlaw mesur wna Dafydd
Diedifar Llafur;
Â ffon dafl ac â phin dur
Poenydia grib henadur.

4–John Saunders Lewis (Cen.)

Rhowch iddo swydd, arglwyddi. Ein gwerin
Nis gwared o'i gyni;
Yntau ar herw heb chwerwi
Chwysa waed o'i hachos hi.

1945

Tri Physgotwr o Roshirwaun

Y tri llanc ieuanc eon sydd isod,
Soddasant i'r eigion.
Aethant ddifater weithion
O bysg a therfysg a thon.

1933

Ar Garreg Goffa

(Yn yr Ysgol Ramadeg, Pen-y-groes)

Eu dysg yn gymysg â'r gwynt ddiflannodd
Fel unnos oddi arnynt:
Hen ffyddlon ddisgyblion gynt,
Dymunwch heddwch iddynt.

1924

Cymru a'r B.B.C.

(Wrth wrando S.L. yn darlledu)

Wedi'i wrthod a'i dlodi, mae'i genedl
Am gynnig ei besgi.
Pa beth arall a all hi?
Fe rodd ei fara iddi.

Drwy awyr wedi rhewi ei hadar
Ehedant i'w borthi:
Diolch i Dduw a Dewi
Am gigfrain i'w harwain hi!

Sylwadau

Blwyddyn:
Silyn yw'r *hen gyfaill marw* y sonnir amdano yn y gerdd. Nid oedd yn fodlon o gwbl ar fy safle fel prifathro ysgol wledig Cefnddwysarn; gan hynny fe'm perswadiodd i gynnig am le fel is-athro yn Ysgol Sir Y Barri.

Sgwarnog trwy Sbienddrych:
Am rai blynyddoedd ar ôl i'm gwraig a minnau ymgartrefu ym Methesda, rhoes yr ysgyfarnog hon a'r ysbienddrych hwn lawer o bleser inni. Gyferbyn â ni ar yr ochr arall i Ddyffryn Ogwen y gwelsom yr ysgyfarnog *yn pori'n dawel a di-fraw,* gan gymryd saib yn awr ac eilwaith *i godi a gostwng dwyglust hael.* O fewn llai na thafliad carreg inni yr oedd Ysgol Elfennol Pen-y-bryn, a phan fyddai'r plant wedi eu gollwng allan i chwarae, wel, dyna sŵn oedd ganddynt! Ond ni chymerai hi ddim sylw ohonynt, dim ond dal i bori'n braf. Hyd yn oed yn yr oes honno yr oedd sŵn moduron yn dringo allt serth Pen-y-bryn yn ddigon i godi'r marw yn fyw, ond dal i bori'n ddigyffro a wnâi'r ysgyfarnog – drwy'r ysbienddrych. Ac yr oedd yr ysbienddrych hwnnw'n un cryf iawn; ond yr hyn a welai'r llygad ni chlywai'r glust!

Drudwy Branwen:
Gweler yr ail gainc o'r Mabinogion.

Yr Hen Ddoctor:
Y diweddar Dr Edward Rees, Caersŵs, a oedd yn adnabyddus iawn yng nghylchoedd eisteddfodol canolbarth Cymru rai blynyddoedd yn ôl.

Yr Hen Actor:
Yr oedd Gwynfor yn adnabyddus drwy Gymru gyfan fel awdur ac fel actor dramâu. Bu am rai blynyddoedd yn Llyfrgellydd y Sir yng Nghaernarfon. Dyn cwbl ddi-dderbyn-wyneb ydoedd ef, ac eto nid oedd neb mwy cymeradwy gan ei gydnabod.

Yr Hen Gantor:
Brodor o Lanllyfni, Arfon, oedd Walter S. Jones, er mai fel Gwallter Llyfnwy yr adwaenid ef gan ei gyd-eisteddfodwyr. Pan euthum â J. O. Williams heibio ei dŷ tua chwech yr hwyr ar fy ffordd i un o'm dosbarthiadau allanol, newydd godi yr oedd Gwallter, a daeth i mewn i'r parlwr gyda phâr o esgidiau gloywddu yn ei law. Ynghrog ar un o'r muriau yr oedd darlun cynnar o Wallter. Gofynnais iddo pa bryd yr oedd wedi tynnu'r darlun hwnnw, am y gwyddwn y ceid rhywbeth ffraeth ganddo'n ateb. 'Pan oedd Bess yn teyrnasu, fachgen,' ebe ef yn gwbl ddigyffro.

Yn y gerdd cyfeirir at amryw o hen gyfeillion Gwallter. Yr hen Garn: y diweddar Garneddog. Llew: Llew Owain, Caernarfon. John: y diweddar John Evan Thomas, a fu'n ysgolfeistr ym Mhen-y-groes a Phenmachno. Guto: y diweddar Griffith Francis, yr hynaf o'r Brodyr Francis.

Yr Hen Delynor:
Mab Eos y Berth, a thad y Parchedig R. Maurice Williams, B.A., Lerpwl. Yr Ap y'i gelwid ef gan gyfeillion lleol. Byddai gweld yr Ap yn gwthio cadair ei briod glaf yn olygfa feunyddiol bron ym Methesda yn ystod misoedd yr haf flynyddoedd yn ôl.

Yr Hen Sosialydd:
Nid rhaid dweud wrth Fethodistiaid canol oed Cymru pwy oedd yr Hen Sosialydd Silyn, y pregethwr na flinai neb ar ei wrando, nac wrth Ddosbarthiadau Cymdeithas Addysg y Gweithwyr yng Nghymru pwy a wnaeth fwyaf o neb trostynt. Nid wyf yn cofio ar y funud pwy a ddywedodd am Silyn ei fod fel 'fflam yn cerdded', ond pwy bynnag ydoedd yr oedd wedi ei gweld-hi, ac wedi ei wrando yntau.

Y 'Steddfod Ddoe a Heddiw:
D.R.: D. R. Hughes, M.A., Hen Golwyn, cyn-ysgrifennydd Cyngor yr Eisteddfod.
Y Llew: Llew Llwyfo.

Miss Jane a Froken Iohanne:
Nyddais y gerdd hon ar gais Mrs Silyn Roberts.

Ffeiriau:
Siôn: y diweddar John Evan Thomas, Penmachno, ond brodor o Ben-y-groes, Arfon; ac yno, ar ochr orllewinol yr Wyddfa, y claddwyd ef.
Bob a *W.J.:* y diweddar Robert a William John Williams, y naill yn bensaer cerddgar a'r llall yn gerddor coeth.
Bernard: y diweddar Bernard Davies, bancer ifanc, ac un o ddarlledwyr mwyaf llwyddiannus Sam Jones ym Mangor.
Gwynfor yw Gwynfor, wrth gwrs; ac *Emrys* yw Emrys Williams, B.A., Y Felinheli. Efô yw'r unig un sy'n fyw o'r chwech.

Gwrthodedigion:
Y Cyn-ddarlithydd: Mr Saunders Lewis.
Y Cyn-fancer: y diweddar George M. Ll. Davies.
Y Cyn-weinidog: Mr T. Arthur Jones, Amlwch.

Propaganda'r Prydydd:
Parc y Penboethyn: Hyde Park, Llundain.

Gwenci:
Bu fy ngwraig a minnau yn llygaid-dystion o'r mwrdrad hwn.

Heffrod:
Gwêl y cyfarwydd mai cyfeiriad sydd yma at bedwerydd pennill John Keats yn ei 'Ode on a Grecian Urn'.

Eifionydd:
Gwyddon: y Dr Rees, Caersŵs.
Y Thesbiad a'r *Siluriad:* dau ohebydd anhysbys ac ymosodol yn yr hen *Geninen.*

Y Cyrn Hyrddod:
Cyfeirir yma at y diweddar George M. Ll. Davies yn y Deau, a'r Parchedig Tom Nefyn Williams yn y Gogledd.

Y Barchus, Arswydus Swydd:
Canwy: y Parchedig J. H. Williams, cyn-weinidog Y Graig, ger Bangor – yr heddychwr a'r bwydlysiwr. Ymneilltuodd i Lan Ffestiniog.

Y Cwb:

Dafydd ac Ann: plant bach Mr a Mrs D. W. Evans, cymdogion inni – tair a chwech oed pan nyddwyd y soned.
Dengair Deddf: y Deg Gorchymyn.

Y Gêm Robin Goch:

Chwaraewyd y gêm hon ym Meifod, Bethesda, rhwng John a'i dad, J. O. Williams, heb anghofio, wrth gwrs, y Robin Goch, a oedd ar ei gythlwng yn yr oerni a'r eira.

'Dwy Galon yn Ysgaru':

Am deitl y gân hon, gweler: *Caniadau* John Morris-Jones, t. 121, pennill 1.

Morys T. Williams:

Diweddar briod Kate Roberts. Y Cymro pybyr, a Phennaeth Gwasg Gee.

Beddargraffiadau'r Byw:

W.J.G.: yr Athro W. J. Gruffydd.
Edgar Jones: cyn-bennaeth Ysgol Ramadeg Y Barri.
J. R. Roberts: cyn-bennaeth Ysgol Uwchraddol y Bechgyn, Caerdydd.
R.T.J.: y Dr R. T. Jenkins.

'Major Hamlet':

Mab y diweddar Dr Evan Roberts, Pen-y-groes, Arfon, ac un o gymeriadau hoffusaf Dyffryn Nantlle.

Dau Enaid Rhamantus:

Garmon Jones: cyn-Lyfrgellydd Prifysgol Lerpwl.
Tom Hooson: brawd y diweddar I. D. Hooson.

David Hughes, Llanarmon-yn-Iâl:

Blaenor yng nghapel Rhiw Iâl. Cyfarfu â damwain angheuol wrth helpu cymydog adeg dyrnu.

Richard Gwillim – Bonheddwr ac Eisteddfodwr:

Eisteddfodwr selog o'r Glais.

Y Capt. Richard Williams:

Y mae'r Capten yn haeddu englyn ers blynyddoedd lawer. Bu am ddeugain mlynedd yn gwarchod pwrs anhapus Coleg Bangor. Y mae'n Gymro twymgalon, ac yn aelod o Eglwys Loegr. Yn aelod o Eglwys Loegr ac o'r Urdd. Yn aelod o'r Urdd ac yn Swyddog yn y Fyddin. Yn swyddog yn y Fyddin ac yn Gymro brwd. Rhyfedd ac ofnadwy y'i gwnaed. Y tebycaf iddo cyn belled ag y cofiaf fi oedd y Major Hamlet Roberts, Ceidwadwr a Chymreigiwr arall.

Tri Physgotwr o Roshirwaun:

Tri o feibion Tir Dyrys, Rhoshirwaun, Llŷn. Collodd y tri eu bywydau wrth bysgota yn y môr un noswaith ym Mehefin 1933.

Cerddi na chyhoeddwyd mohonynt yn

Yr Haf a Cherddi Eraill

a

Cerddi'r Gaeaf

ATODIAD I

Barddoniaeth Robert Williams Parry:

Astudiaeth Feirniadol

T. Emrys Parry

(1973)

1

Casgliad Bedwyr Lewis Jones o englynion coffa a gyhoeddwyd yn *Yr Haul a'r Gangell*, Rhif L, Haf 1971, tt. 33-4.
Ar fedd David Williams, Telephone Exchange, Tal-y-sarn, ym mynwent Macpelah; bu farw ym 1905 yn 19 mlwydd oed. 'Syrthio wrth groesi pont ar ei ffordd i'w waith yn chwarel Cloddfa'r Coed a wnaeth . . . a marw o ganlyniad i'r ddamwain'.

Dafydd annwyl, dy fedd unig – ennyn
Aml fynwes ddrylliedig;
Ond y rhos o'i briddawl drig
A gwyd yn ddiwygiedig.

2

Y Geninen, Cyf. XXIV, Rhif 1, Ionawr 1906, t. 66.

Efo'r Sant ar Fore Sul

Bore Sul! Mor bêr ei swyn
I ireiddiaf ŵr addwyn!
Hedd o wir fudd, orau fath,
I'r sant yw seibiant Sabath;
Heddiw, byw o ddadwrdd byd,
A Duw iddo'n ddedwyddyd.

Anniwall nawdd, yng ngwyll nos,
I'w noethni fu'r hen wythnos:
Rhoi ei fryd ar ofer hau
Yn niffeithwch ei phethau,
A chario saeth chwerw siom –
Hanes Sadwrn yn Sodom.

Ar y dydd yn fore daw
[I] gudd estyn gwaedd ddistaw:
Â mwyn osgo mae'n esgyn;
Êl heb rwysg i ael y bryn:
Hen wastadedd cyfeddach
A'i garw dreth, gyr o'i drach;

A mwynha emynau hedd
Yn egwyl ei unigedd.
Aflêr yw i gyfleu'i raid,
Di-raen i ddyfnder enaid;
Ond diau nef nid yw yn ôl
I'r duaf ŵr edifeiriol;
A grasusol groes Iesu,
A'i orsedd dêr, sydd o'i du.
Mwyn yw ei swydd – ymnesâ,
A'i annigon fynega:

'Dyro, O! Dad, drwy y dydd,
Ddibynnol rwydd obennydd –
Dangnef clau, gorau gweryd
I orffwys o bwys y byd.
Gad imi gael godi'm golwg
Atat, fy Naf: dy haf di-wg
Yn dywydd hyfryd i ddwyfron
Un oer ei fryd, anwir ei fron.'

Heddiw, êl i'w addoliad
Dan ofal Duw, nefol Dad;
I wynfyd bywyd, heb aeth,
Hyfryd ŵyl y frawdoliaeth.
Parchus, trwsiadus ei wedd;
Yn ei rodiad anrhydedd,
Ar ei ffordd i fangre'r ffydd
A'i bêr, hudol barwydydd:
Yn wiwlwys iawn êl i'w sedd,
Tra astud try i eistedd,
I leisio mawl Iesu myg
Gadd ormes yn goedd ddirmyg.

Yn asur nef-gysuron,
Daw i'r sant, wedi'r oes hon,
Fore Sul o ddifyr sain,
Heb ail egwyl i'w blygain:
Bore di-nos, heb brydnawn,
Wawr wen, ar fedd yr uniawn.

3

Y Geninen, Cyf. XXV, Rhif 2, Ebrill 1907, tt. 133-4.

Awdl 'Dechrau Haf'

O fendith fwyn! Daeth haf iach – a'i fyw dant;
A fu dim hyfrytach?
Canu o berth, ac oen bach,
A llon bill o'r llwyn bellach.

Difyr ryddid wefreiddia – bob rhyw fron
Bybyr, frwd; teyrnasa
Llariaidd hin man lle'r oedd iâ,
A byw dwf lle bu difa.

Siriol des yr haul a dynn
Gawod aur o big 'deryn;
Adeg hynod y canu
Ar bibau têr o bob tu:
Canu mewn heulog hinon
Is awyr las, araul Iôn.

Haul a nawf i'w lawn nerth, – i'w rymuster
Ymestyn mewn mawrnerth;
Dwg ei hynt i'w deg anterth:
Bron na sai'n yr wybren serth.

Melyn haul ar ymyl nef, – gloyw anian
Goleuni a thangnef;
Dwyfol gannaid, fel gwiwnef,
Yw gorau ei olau ef.

Bu gwanwyn yn byw, gynnau, – gan agor
Ei dirion ystôr drwy anawsterau:
Wedi gwewyr dig aea',– bywyd cryf
Yn frysiog heinyf a oresgynna:
Ei eiddgar hoen ddwg yr had
I deg fyd adgyfodiad,

A threiglir drwy ddieithr wagle
Ddu oer faen oddi ar fedd.
O! mor gain y mae'r gwenith
Tan ir law y tyner wlith;
Tardd o wyw wedd tiroedd âr
Gain ddiwyg i'w hen ddaear.

Wedi Ebrill daw wybren – hyfryd Fai
Ar dwf ir daearen;
Y dydd byr redodd i ben:
Ymwroli mae'r heulwen;
Ac â'i drem myg dyry Mai
I'r dail hyfryd eu lifrai.

Ei dymer cynnes a dwyma'r canu:
Cawn gerdd ddiatal, cawn gôr oddeutu;
Draw yn y mangoed y 'deryn mwyngu
Ei sain adnoddol sy'n adnewyddu;
Mewn cangen addas mae'n cynganeddu
Ei chwiban dilesg uwchben ei deulu:
Fwyneiddied yw ef yn nyddu – o'r drain
Ei emyn gywrain i'r rhai mae'n garu.

Daw Mehefin â'i dwym afiaeth,
Mis dialaeth – moes y delyn;
Ei anedwin hael ddarbodaeth
A ry doraeth i'r aderyn;
Dyry luniaeth a chynhaliaeth
Rhwydd a helaeth i'r eiddilyn;
A'i fagwraeth ry amrywiaeth
I gôb odiaeth y gwybedyn.

Anian o'i bodd ollyngodd ei llengau:
Cyfranna i luoedd eu cyfrin liwiau;
Mae'n galw'i cheinion mewn gloyw-wych ynau
I dwf arddunol yn dew fyrddiynau:
Tirion ymwêl y tawel finteiau
Yn welw a gwridog ŵyl gariadau;

Y llwyn adlonol â llon delynau
A bletha garol o blith ei gorau:
Heddiw dihunodd doniau – 'hedydd llon,
A'i fawl yr awron fel ar ei orau.

Daw iraidd dw ar rudd dôl; – ar y gwrych
    Ac i'r graig enciliol:
  Mae purdeb wyneb-wenol
  Mal yn cau ymlaen ac ôl.

Gwelw olwg y lili – hawdd eilw
    Addoliad i'w thlysni:
  Mae rhyw swyn amhris inni
  Yn llygaid ei henaid hi.

A! ethol swyn ei thlysineb, – syml drem,
    Sy mal drych o burdeb:
  Nid ystyr ei phryd hyfryd heb
  Danio o weld ei hanwyldeb.

Daw'r rhosyn hyd ein drysau, – a'i fron hardd
    Freinia wedd ein muriau:
  Ei buraf rwysg bâr fawrhau
  Serch enaid o blaid blodau.

Dechrau haf huda fodyn – eiddil, gwan,
    O ddwl gell neu blisgyn,
  I lygad haul gyda hyn,
  Ar ddelw rhyw eiddilyn.

Yr isa'i ryw is y rhod – ddaw allan
    Yn ei ddullwedd priod,
  Yn silyn bach, sala'n bod,
  Ar fin ei yrfa hynod.

Eofn, heinyf wenynen – gwyd o'i llwch
I gael difyrrwch o glyd fiaren:
Glöyn byw o ryw yr haf, – a'i ddefnydd
Unlliw â'r hirddydd, o'r oll yw'r harddaf.

Haul ysblennydd,
Archofalydd y trychfilyn;
Haf o'i wala
Bery fwyta o bryfetyn.

Diofn y daw i fin dôl – aml osgyrdd
Ymlusgiaid amrywiol;
Hwythau, yr adar teithiol,
Dduant y nef, ddônt yn ôl.

Segur gog sy'n gwasgar gwawd
Â'i cherdd hoywiach ar ddeuawd;
Y troellwr sy'n troi allan,
A rhegen 'rŷd rygna'i rhan.
Mae adar hoff ym myd yr ardd
O hyd yn diwyd wahardd
Trychfilod neu falwod fydd
Yn menu ar ddail manwydd;
Â'u barus, arswydus wanc
Difaol ar dwf ieuanc:
Â medr ei big, y mae dryw bach
Yn bore-fwyta'i bryfetach;
Daw'r wennol, hyfedr anian:
Ei bwyd yw myrdd gwybed mân;
Yntau, lyffant, a loffa,
Yn rhwydd, ar wybed yr ha'
A deheuig dwrch daear
Ymleinw â'i ferw fâr.

I'w llety didwyll daw'r alltudiedig
O barthau dyfroedd i ryw berth dewfrig;
I lan ac adail neu lwyn caeëdig
Daw swynol nodau sy'n ailanedig:
Mae llu diddolur yn mesur miwsig
Eu caniad hyfwyn o'r nyth cyntefig:
Dathliadau etholedig – ddyry'n goedd
Eu brwd oludoedd ysbrydoledig.

Yn ôl daw y wennol deg
I fondo hefo hindeg,
Wedi ei maith daith drwy des
Draw o India a'r Andes.
O'r bondo ar dro hi drydd:
Dyry wibiad dirybudd;
Heibio'n ôl buan ehed:
Gwae i obaith y gwybed!

Min ei hedyn main, odiaeth – drwy y chwa
Ry dro chwyrn mewn afiaeth;
Try wedyn fel sydyn saeth,
A chilia fel drychiolaeth.

Gwylied ei gae, liwdeg ŵr,
Mae weithian yr amaethwr;
O byddo diwrnod yn deg
Ni chwyna am ychwaneg:
Wedi'r gwres dyry groesaw
I hyfryd wledd o frwd law.

Acw i gwr cae agored – yr êl
Gyda'r wawr i weled:
Heddiw'i had ar doriad dydd
A genfydd ar ei ganfed.

O'r braidd na fai'r haidd yn frith, – hydrin haul
Dry'n wyn y glas wenith;
A chyn bai hir dichon y bo
O dan ei fondo yn fendith.

Ysgatfydd, od yw'r dydd yn deg,
Dynoda y daw yn adeg
Disgwyl ei wair i das glyd,
A'i gael i ddiogelyd.
O'i ddeutu, yn llu iach, llon,
Mae degau o'i gymdogion,
Yn blentyn, dyn, a dynes,
Yn dwyn eu tâl dan y tes.

Y gweiriwr, abl ŵr, pan fo blin,
A gâr roi heibio ei gribin
Am gysgod congl, neu dan gronglwyd,
Yn barod i fawr bryd o fwyd.
Bwyty bawb, bobtu y bwrdd,
A didaw ydyw'r dadwrdd:
Y mae cant am y cyntaf
I daenu hwyl: on'd yw'n haf?

Gwanu mae pelydr gwynias – haul uchel
I loches y ddinas,
A'i ferw lif o awyr las
Sy'n deg ar garreg eirias.

Y gŵr a gychwyn yn llesg ei lwynau
I gael adfywiad y wlad a'i blodau;
Mae'n caru aros mewn cu ororau,
Lle na ddaw garwedd i'w llonydd gyrrau:
Dylifa iechyd i'w welw fochau,
A mwynha awel o fwg simneiau:
Munud awr ym mwynderau – Anian hael,
A mynd i'w adael y mae'i wendidau.

Pan, ar dro, y darffo dydd
Ar aur oror y Werydd,
Cwyd y llanc, ac wedi lludd – y diwrnod,
Daw i gyfarfod â'i guaf Forfudd:
Ym min hwyr, dwg cwmni hon
Ddifyr, ddedwydd freuddwydion.

Swyngar haf sy' yn ei grud – ar riniog
Ariannaidd ei febyd;
Dwg in wawl, deg anwylyd:
'O na fyddai'n haf o hyd!'

Ciliodd amserau celyd, – mwy ni cheir
Namyn chwardd a hawddfyd;
Man y bo, mwyn yw bywyd:
'O na fyddai'n haf o hyd!'

Os troi'n drawster neu dristyd – mae henaint
A mynych afiechyd,
Cawn haf ieuanc yn fywyd:
'O na fyddai'n haf o hyd!'

4

Tameidiau a ddyfynnwyd ym meirniadaethau Awdl y gadair yn *Cofnodion a Chyfansoddiadau Eisteddfod Genedlaethol 1907 (Abertawe),* tt. 3, 9, 10, 28-30, o awdl 'Y Gwenith Gwyn'. Bedwyr Lewis Jones oedd y cyntaf i weld mai R. Williams Parry oedd 'Y Gwenith Gwyn'. Gweler ei nodyn yn *Llên Cymru,* IX, tt. 240-41.

John Bunyan

[Ymbil am nawdd yr awen]

Fy niben, O Awen, yw – esbonio
Hanes Bunyan heddyw;
Dod yn y bardd dy dân byw
I olrhain oes uchelryw.

Os yn dy wres nid arhosaf – ffôl wyf;
Heb dy fflam diffygiaf;
Yng ngolau hon englynaf – gyda grym;
Mawr iawn yw gennym yr hwn a ganaf.

Awen fwyn, dywed, o'th fodd – am gyflwr
Hil y damhegwr: pa wlad a'i magodd?
Dyro fedr i fyw adrodd – ei eni –
Y math o rieni a'i meithrinodd.

Rhof yn gynnar ar f'arawd – yma drem
Draw i Elstow ddinawd;
Af i eilio ei folawd
 thant lleddf i'r bwthyn tlawd.

[Tad Bunyan]

A! hedd i'w fron, ddifyr ŵr,
Oedd magu ei ddamhegwr;
Eli rhag ing, lawer gwaith,
Fu'i obaith yn ei febyn;
Bore a hwyr, heibio'r âi,
O dŷ i dŷ y deuai,
A'i holl oes rôi i wellhau,
Poed wall ar y padellau;
Ni chawsai'i fab achos fyth
I fyw fel ei wehelyth.

[Bunyan yn fachgen]

Ni bu o dan haul un bod anwylach,
Na dim eginyn o dw amgenach;
Gorlawn o hoen, ni fu oen hyfwynach
Ei gampau pwysig, nac imp hapusach;
Ger y bwth yn geriwb bach – chwaraeai:
Dan asur Mai 'doedd dawnsiwr mwy hoywiach.

[Cyfnod Bunyan]

Arwyddion cur oedd yn cau – fel nifwl
    Annifyr gymylau;
  Heb araul wybr i leihau
  Trwm soriant yr amserau.

Difoded ei ofidiau, – a diflin
    Ymdafled i'w gampau:
  Daw oriau mwll i'w drymhau,
  A blas sur ar bleserau.

[Llygredd yr Oes]

Ymroi i orwanc mae'r werin, – a'i moes
    Dan ormesiaeth byddin;
  Malais a thrais yn ei thrin,
  Heb rinwedd yn ei brenin.

[Bunyan yn bechadur mawr]

Och! yn y cylch hwn y caf
Enw Bunyan yn bennaf.

Ni fu dan haul fod annuwiolach,
Na dim ynfytyn o'i dom anfatach.

Ei fiwsig fyddai difoes gyfeddach.

Mor ieuanc yr ymroai
Ei fryd i fywyd o fai;
A! deuddeg oed oedd y gwas
Yn ieuanc Ananïas,
Ei frau oes, mor fyr ei hyd,
A chyhyd yn bechadur!

Y Sabath a droes heibio, – mewn trachwant,
Am hoen a mwyniant, y man y mynno.

[Tröedigaeth Bunyan]

Nes dyfod cydwybod heibio – i'r hagr
Euogrwydd oedd ynddo,
A'i dwrn dur yn ei daro
I alar trwm lawer tro.

Hi deifl ei sen, daw fel saeth,
Nes taro i ystyriaeth;
Lle bo brwnt enllib a brad,
Yno bydd heb wahoddiad;
Try fwynder a braster bri
Mal drain a moel drueni.

Bu iachawdwriaeth drwy bechadures.

Ei ffrewyll a'i deffroai
Yn dlawd fod i weld ei fai;
Hi ddaliodd, gadwodd y gŵr,
O dân yr anudonwr.

[Bunyan yn ymroi i fuchedd newydd]

Wedi hir oes o dan drwch
Uchel wawd a chaledwch,
Hwn o'r gwae y Barnwr gwyd
O le gwrenglu i'w gronglwyd.

Yr hwn a hododd yn oer i nwydau
A moes crechwenwyr ymysg crochanau;
Yr hwn niweidiwyd gan ymraniadau
Yn sŵn cwerylon a sain carolau,
Genhedlwyd wedyn o'i gnawdol didau
I waed dilychwin y duwiol achau;
Modd y dringodd hyd rengau – yr ysgol
I lwydd dymunol o ddu domennau.

Un a drodd mewn budreddi – a ddug Iôr
Hawddgared â'r lili;
Troes y brwnt i ras a bri,
Trwy ddinistr i ddaioni.

Pwy yn fwy addas na'r pennaf feddwyn
I alw ei debyg o ael y dibyn.

[Bunyan yng ngharchar yn ysgrifennu Taith y Pererin*]*

Pedair gwal pwdr eu golwg
Dorau mawr yn drwm o wg . . .

I fyny fry gwelaf restr
O heyrn ffyn yr hen ffenestr.

5

Lleufer, Cyf. XII, Rhif 2, Haf 1956, tt. 75-86. Lluniwyd ym 1908.

Cantre'r Gwaelod

I

Goris aig, Ow! arw sôn, – dyrwygwyd
    Y diriogaeth ffrwythlon;
Dorau'r rhandir i'r wendon – ddymchwelwyd,
A'i furiau hyrddiwyd i Fôr Iwerddon.

Y gaer o gerrig wyrwyd, – dinas glyd
    Yn ysglodion holltwyd;
Ei theilchion ymaith olchwyd – i'r môr cau,
A'i dinerth gloddiau dan warth a gladdwyd.

A Seithenyn, goegyn gau, – gan yfed,
A rôi ymddiried yng ngrym ei ddorau.

    Min y môr yw'r man i mi
    A gâr olwg yr heli:
    Y gwyrdd fôr yn gorwedd fel
    Gwridog aur hyd y gorwel.
    O daw lloer, yn ei dull hi,
    Mae'r don yn marw odani;
    Y mae'r aig fel môr o wydr
    A phali yn ei phelydr;
    Ei phelydr hoff loywa'i draeth
    A chaf ran o'i chyfriniaeth;
    Ym min hwyr, dwg cwmni hon
    Ddifyr, ddedwydd freuddwydion.

Tua'r ymyl y tremiaf; – o'r golwg
    I'r gwaelod edrychaf;
Â bron y don odanaf – yn rhywiog,
Ba le dihalog, ba wlad a welaf?

Yma, fro dirion, mae hyfryd erwau
O lawnder melyn hyd yr ymylau;
Hardd bau oludog lle tardd y blodau
I dwf arddunol yn dew fyrddiynau.
Eu gweunydd cnydiog nydda'u caniadau
Lle na ddaw garwedd i'w llonydd gyrrau.
Caf hen ac ieuanc o fewn y caeau,
Hwythau'r medelwyr, gwŷr o gyhyrau,
Ar waith y gweunydd, â nerth gewynnau
Yn cywain hufen y cynaeafau.
Ba dirion fwthyn heb drin ei foethau,
Medd a digonedd i fwydo genau?
Pa ryw fonheddig heb brif neuaddau
A hardd ddanteithion o'r eiddynt hwythau?
Tlws yw rhianedd y gwastadeddau,
A'u geiriau'n fiwsig ar win wefusau.

Ni fu o dan haul fodau anwylach,
Na dim eginodd o dw amgenach;
Gorlawn o hoen, ni fu oen hyfwynach
Ei gampau pwysig, nac imp hapusach;
A llama'r oll, O! môr iach – a nwyfus,
Dawns ewig ofnus nid yw'n ysgafnach.

Mae dinas yma danaf,
Dinas rydd dan asur haf;
Haul ei hunan eleni
Ni welodd ail iddi hi.
Ynddi mae gerddi'n amgáu
Tw mirain hwnt i'w muriau;
Gwelw olwg y lili
Feinhir, dlos, a rhos di-ri.
Trigolion llon a'i llanwant – drwy y dydd,
Rhwng ei pharwydydd yn rhengau ffrydiant.

Mor orwych mae'r awron – ei cheyrydd beilch;
Ei heirdd byrth mor dirion;
Drych o geinder uwch gwendon,
Saif yn deg yn safn y don.

Am lawer oes amlhai rhi'
Prydyddion parod iddi,
Ac yn y tir cenid hon
Yn glodforedd gwlad Feirion.

Heli isod, ail asur – heddiw sydd
Swrth tu hwnt i'r rhagfur,
Heb chwa, heb waneg segur,
Môr gwydr, is pelydr haul pur.

Mawr a theg, rhwng môr a thir,
Dihafal wal a welir:
Gwal ddisigl ym mherygl môr,
Wech, geindeg, uwch agendor.
Ail cadarn haearn yw hi,
Nas dawr môr na storm erwin;
Mur helaeth, llym yr olwg,
Dorau mawr yn drwm o wg.
Adail a'i sail is heli,
Ni syfl oes ei hafal hi.

Pau'r llwyni a'r perllanwydd, – pau rydeg,
Paradwys y gwledydd;
Goror gain y gwair a'r gwŷdd
O dwf hael, dihefelydd.

Yr heini bysg a wibiant
Heb ddwndwr yn nŵr y nant.
Adar nef, dirion afiaith,
Godant, ehedant i'w taith
O drum i drum, ddau neu dri,
Yn gyforiog o firi;
A chilia ych i loches
Rhyw frigau tirf rhag y tes.

Pan, ar dro, y darffo dydd
Ar aur oror y Werydd,
Cwyd y llanc, ac wedi lludd – y diwrnod,
Daw i gyfarfod â'i guaf Forfudd.

Mae awr â'i fun, O! mor fer,
Dan olau gwinau Gwener.
Ieuainc a nwyfus yn eu cynefin,
Gwridog rianedd, gwair, ŷd, a grawnwin;
Mai hafaidd a Mehefin – leinw'r fro;
Dlysed haul uchod o'i las dilychwin!

Aeron y maes, grawn a medd, – a llwydd oll
Ddiwalla bob annedd;
Bord lawn yn barod i wledd,
Da a gwin mewn digonedd.
Byth ni sang deifiol angen
Ar olud ir y wlad wen.

O frwd anwylaf frodir!
Telyn a thant leinw'i thir
O buredig fiwsig fel
Pe bai eos pob awel;
Ac oriau twym ger y tân
A yrr ofid i rywfan.
Molawd gerdd i ymlid gwae,
Ac iach orig i chwarae;
Swyngar gân sy'n gyrru gwg
Ar y gwyliau o'r golwg.

Pau lawn o bob haelioni, – pau o nod,
Pwy na waedai drosti?
Wedi hirnos daw arni
Erwau llaith o ddŵr y lli.

II

Tywyllwch, düwch di-dor,
A yrr haul ar ei elor;
Nid oes seren wen unig
I'w gweled, arwed y dig.
Ffyrnig iawn y ffroena gwynt
Ryfelawg her fal corwynt:
Gyr o'i flaen â garw floedd
Nifer cymylau'r nefoedd.

O hynt y llid, hwnt y llen,
Mewn lle â chwmni llawen,
Seithenyn a fyn fwyniant,
A gwlych yn fynych ei fant;
Wrth ei fwrdd, swrth oferddyn, – mae pob rhad;
Mae saig at alwad, a miwsig telyn.

I fedd a gwin ef oedd gaeth,
A'i serch a roes i'w archwaeth;
Halogedig wael geidwad,
Fu'n lwth ar hufen y wlad.

Oriau segur a seigiau – roddai fawr
Ddifyrrwch i'w ddyddiau:
Rhodd ei fryd ar ddifyr hau – erwau ffôl
Barai ddyfodol o brudd ofidiau.

O'i ddeutu yn llu dewr, llon,
Mae degau o'i gymdogion:
Bwytawyr, bawb, boptu'r bwrdd,
A didaw ydyw dadwrdd
Y fintai fawr: yfant fedd
Ym miwsig cerddi maswedd.

Y dôr geidwad o'r gadair
A gwyd, a gosteg a gair;
Llinyn y delyn a dau,
Rhua'r môr ar y muriau;
Yntau uchod yn codi
Ei lef, uwch llef groch y lli:

'Rhued eigion aflonydd – heb lesgáu,
Ac ar y dorau cured y Werydd;
Ca' forfur a'i cyferfydd – heb wyro;
Ni syfl er curo: nid sofl yw'r ceyrydd.

'Y gadwyn dal gydia'n dynn
A diarbed i'w erbyn.
Â'i main teg yma o'n tu,
Ba raid awr o bryderu?
Llanw a gorllewinwynt!
Nid ofnaf er gwaethaf gwynt,
Ond uwch hyrddwynt y chwarddaf,
Uwch y llanw erch llawenhaf.
Di-ofn y boed fy hen bau,
Diogel huned y glannau,
Tra fo glew'n y gantref glyd
Ni cha' môr ei chymeryd;
Maged fâr mewn carchar cau,
Cwynfaned, canaf innau.

'Parod y muriau, poered y moroedd
Eu trochion ofer i entrych nefoedd;
Digryn a difraw, uwch utgorn dyfroedd,
Y trawstiau disigl trwy ystod oesoedd;
Ac er anterth corwyntoedd, – hwy fyddan'
Arhosol darian yr isel-diroedd.'

Bas dynged a bost angall,
Yfed win oni fo dall:
Daw gwelw haint wedi gwledd,
A daw gofid o gyfedd.

Eisoes mae'i dymp yn nesu,
A gwae'n dod o'r eigion du,
A'r dŵr, sydd heibio'r dorau
Safnrhwth, yn bygwth y bau.
Y bobl ddedwydd ni wyddiad
Nesed, ebrwydded y brad:
Diarwybod y'i rheibir,
Dison y daw'r don i dir.

Drwy'r dorau rhed y Werydd,
A'i lanw ar geindw gwŷdd;
Dôr agored i'r gweirwellt,
Adwy i dramwy drwy wellt.
Yna bloedd a gyhoeddir,
Ar fyrder twrf ordoa'r tir:
Taranfloedd dyfroedd ar daith,
Trwy y niwl taran eilwaith;
Si dieithr o'r nos dywyll,
Gawr nerthol o gôl y gwyll.
Daear ni saif: darnio sydd,
Curo ym mhen y ceyrydd.

Bradwrus heibio'r dorau – troes dyfroedd,
A llyma'r moroedd yn llamu'r muriau;
Y don ar fain dianaf – ry ei nod,
Rhy farc ei dyrnod ar fur cadarnaf.

Ac O! erch olwg! Y gaer a chwelir,
Allor oferedd yn llwyr a fwrir
I grombil eigion; ei grym a blygir,
A chread harddwch i waered hyrddir.
Y neuadd lawen ar fyr ddilëir,
A mwynder gloddest mewn dŵr a gleddir;
Llais y gyfeddach yn llesg a foddir,
Ei di-ri abwydion nid arbedir;
Rhuthra ton ar wartha'r tir, – gan dramwy
Â thwrf rhuadwy hyd eitha'r frodir.

Pobl yn troi i ffoi o'r ffin,
Tan gur y tonnau gerwin,
A'u gofid yn dygyfor
O ddychrynfeydd y chwyrn fôr.
A oes loches i lechu?
At alwad, un tad o'u tu?
Nid oes un cam rhag camwedd;
Oes brawd hoff i sibrwd hedd?
Neu chwaer fwyn o'i ochr i fod,
Rhag ei alw i'r gwaelod?

Teuluoedd oeddent lawen – a chwelir
	Uwch eu haelwyd addien;
Aig a ddwg y weddw hen – o'i lloches,
A llwnc i'w fynwes y llanc a'i feinwen.

	Pob annedd yn rhyfedd red
	Yr awron ar i waered;
	Mewn mawr gyffraw'n syn dawnsiant
	Ar wib oll i lawr i bant;
	Â mawr rwyg, môr a'u hegyr,
	Y maent ar ben mewn tro byr;
	Trech eigion na briwsion brau,
	A threch môr na thrwch muriau.

Pwy a saif ennyd? Pa gampus feini?
Cwympo i lawr acw mae pileri;
Darnio bras diroedd, dŵr yn brys-dorri,
A'u hanifeiliaid yn nofio heli;
Gwŷdd deiliog a gudd dyli – eigion glas;
Rhwyga galanas y brigog lwyni.

Y muriau ogylch ym merw eigion,
Diddan aelwydydd yn ei waelodion;
Curo a bwrw gwelw drigolion,
A'u dwyn yn drachwyrn dan ewyn drochion.
Deri y goedwig, fel brau blanhigion,
O'i fewn wasgerir yn fân ysgyrion,
Llysiau a blodau yn wyneb lwydion,
A mirain erwau yn marw'n oerion;
A! bro deg a reibia'r don – ddifater,
A drych o lawnder a chwâl y wendon.

III

	'Tyr y wawr fel tro arall,
	Huan a gwyd heb un gwall';
	Ar draeth y trai rhai a red,
	O'r galar yw eu gweled!

Daw anwyliaid yn welw – ac isel
    I geisio eu meirw;
Och! eu hiraeth chwerw – yma ni wêl,
Hyd niwlog orwel, ond anial garw.
Gwirion, llesg, a'u dagrau'n lli – ar y traeth
A threm marwolaeth ar y môr heli.

Hywel ieuanc am [ei] 'Lio – eurwallt,
    Liw arian' sy'n chwilio,
  A'i ddolef gref ar y gro
  Leinw galon ag wylo.
    Ow! alar, Ow! hola'r ewyn
    Ar y traeth, beth a ddaeth o'i ddyn!

    Hithau'r fam heb ei mebyn,
    Ei chalon sech welwa'n syn;
    Ba les byw heb ei lais bach –
    Fywiog lais na fu'i glysach?
    Aeth y dŵr â'i gŵr gwirion,
    Cymerth lli y cymorth llon;
    Yn ei chlwyf y chwilia hi
    Mewn eiddi am ei noddwr.

    O benyd! ba newid byd!
    Un oedd ddoe'n briod ddiwyd
    A mwyn ei threm yn ei thrig
    Heddiw'n weddw anniddig.

Gwlad deg i waelod eigion – a fwriwyd,
Eden a gladdwyd yn ei goluddion,
A bywiol dw blodeuog – y bau fras
A droes galanas yn dir siglennog.

Ei gwerin oedd goron iddi, – gwŷr o dras
    Garai drem ei gerddi;
  Â doeth deyrn bendithiwyd hi,
  Un fu'n nawdd a chefn iddi.
Addfwyn oedd ef yn ei ddydd, – ac enwog:
Gwyddno goronog, ddengar awenydd.

Teyrn oedd, ond truan heddiw,
Garanhir y goron wyw;
Weithian o'i dud alltud yw,
Estron uwch dinas distryw,
A chwyna uwch ei annedd:

'I mi na boed namyn bedd.
O ingoedd fyrdd! fy ngwedd fain
Wedi rhychu drwy ochain;
Fy nhud dan lid ofnadwy,
Fy nghalon ddilon yn ddwy.
Mae fy annedd i heddiw
Dan brudd don – ai breuddwyd yw?
Trodd môr ar y tiroedd mau,
Ydwyf ddyn difeddiannau.

'Y ddu weilgi ddialgar
Ddihatrodd y tiroedd âr;
Lle'r oedd y tw llarieiddiaf,
Heli ton a gwymon gaf,
A du bruddhad breuddwydiol
Mal yn cau ymlaen ac ôl.
Dan orthrwm, tlawd iawn wrthrych
Yw'r galon oer, gwely nych;
Bob yn ddarn, haearn yw hi,
Ei balm drodd yn blwm drwyddi.
Yn iach mwyach i'm hawen,
Rhewed ei ffrwd a'i phur wên;
Lloer addwyn fo'n llawr rhuddwaed,
Ei lli gwyn unlliw â gwaed;
A chlöed tawch olud haul,
Aed yn oer ei dân araul.
O fy ngwlad wen! f'anghlod wyd,
Gwae'r dydd y'm gwaradwyddwyd,
A gwae'r adyn gwyredig
A roes ddôr i'r dyfnfor dig;
  Caffed farnau,
Dychryniadau a chernodion
  Is y waneg,
Heb un adeg o'i boenydion.'

Plyga'i ben mewn trueni, – a'i anian
O'i fewn yn dihoeni;
Ei dalaeth yn llywodraeth lli,
A'i brenin heb erw ohoni.

Y ddinas oedd i Wynedd – yn addurn,
Heddiw'n anghyfannedd:
Difa du fu ei diwedd,
A'r hallt fôr ei dyfrllyd fedd.
O olwg leddf! heli glas
Heddiw chwardd uwch ei hurddas.

Obry blodeuai Ebrill,
Ymwelai Mai a'i lu mill;
A dawns y don sidanaidd
A'r hallt fôr, lle tyfai haidd.
Lle bu trydar a chware,
Dŵr a nawf rhwng dae'r a ne'.
Canu o berth, ac ŵyn bach,
Eu 'me' ni chlywir mwyach;
Ni cheir na dôl i chwarae
Na llwyni cyll yn y cae.
Gorau Natur, fflur a phlant,
Morynion – yma'r hunant:
Blodau hoff heb olau dydd,
O dan oer don y Werydd,
Sy'n edwi'n grin dan y gro,
Lle maent oll mewn tywyllwch.
Pob ieuanc ar ddifancoll,
A hithau'r gân aeth ar goll;
Mud oer dant ymado'r don,
Ni chlywir iach alawon
O fin hwyr hyd fân oriau:
Eigion yw bedd y gain bau.

Neuadd gynt a noddai gerdd
Heddiw dau, heb odlau bardd;
Y fro gynt fu ir a gwerdd
O'i bron a'i dôl brwyn a dardd.

Uwch ei phen mae llen y lli
A'i ddŵr gwyrdd ar ei gerddi;
Ei hamdo mwy ydyw môr,
A'i ddylif fydd ei helor,
Gymar drist Gomora drom,
Dilesâd, ail i Sodom.

IV

Gyda'r môr, godre Meirion
Gaf yn deg i fin y don,
Ac ni ddwed bardd cain ei ddydd
'Mor annwyl yw Meirionnydd';
Ond â'r galon hon o hyd
Mae hiraeth yn ymyrryd:
Dyry drem, o dro i dro,
I'r man nas gwelir mono.

Dinas dawel môr heli – gem enwog
Ym mynwes y weilgi;
Hafan y dwfn ydyw hi,
Aeres hardd ei ros erddi.

Eden deg o dan y don
I frwyn a môr-forynion;
Yma rhwng ei muriau hi
Nofiant yn eu cynefin.
Main hudol a phob golud
Sy o fewn y ddinas fud;
Tlysau a pherlau a physg,
Gwymon a gemau'n gymysg,
Ac erwau aur yw ei gro,
Gwlad rydeg, El Dorado.
Pan fo'r llif yn genllif gwg,
A'i donnog ael dan gilwg,
Mud yw'r hafan dan y dŵr
Ym mro dawel mordwywr;
Pau segur is pwys eigion,
Distaw dud is to y don.

Ond traddodiad hardd ydyw
Y chwery clych ar y clyw
O'r ddinas gain: sain y sydd
Soniarus yn y Werydd.

6

Y Geninen, Cyf. XXVI, Rhif 2, Ebrill 1908, t. 128.

Englyn ar glawr Beibl yn anrheg

Cymer hwn; ac am arweiniad – a nerth,
Glŷn wrtho yn wastad:
Coelia'r bri, y clwy' a'r brad,
Gwarth y cur, gwerth y Cariad.

7

Y Geninen, Cyf. XXVI, Rhif 3, Gorffennaf 1908, t. 171.

Y Gwynt

Hwn dery gyfandiroedd, – chwibana
Uwchben y cefnforoedd:
Gyr o'i flaen, â garw floedd,
Nifer cymylau'r nefoedd.

Yn ddiffrwyn yr aig ddeffry; – yr eigion
Rwygir ar ei wely;
Daear ni saif: darnio sy
O'r wybren i'r ddae'r obry.

Fawr ysgwyd! dyfnfor esgyn – i'w chwalu
Mal drychiolaeth brigwyn:
Fry y gro y dyfnfor gryn,
Ergydia'r ddaear gwedyn.

Ar hynt llwyr, mawr wyntyll Iôn, – ffyrnig iawn
    Yw ffroen y gwynt dicllon:
  O'i ôl gwelir amlwg olion
  Anaf y dydd yn nwyf y don.

Sŵn barn gadarn, ergydiol – sy'n y Gwynt,
    Ymson gwae tragwyddol:
  A! ei her sydyn, arswydol,
  Yw ernes Naf o farn sy'n ôl.

8

The Magazine of the University College of North Wales,
Rhagfyr 1908, t. 32.

Y Bwrdd Billiards

Wele fwrdd a ddeil i fod
Inni'n gysur pur, parod;
A bwrdd gwyrdd i'r bardd gerdded
Â dwy law o'i hyd i'w led.
Bwrdd del iawn, bwrdd di-ail yw,
Bwrdd hudol i'r bardd ydyw;
Bwrdd di-les o beraidd dlysau,
Cochion beli, gwynion, yn gwau:
I'w taith yr ânt – *one, two, three* –
Pwy a'u cwyd o'r pocedi?
Ow em o fwrdd! – dyma fo –
Wna i alltud ymwylltio;
Y bwrdd a edy barddu
A gwyn faw, a dwylaw du.
Bwrdd hudol i'r breuddwydiwr,
Bwrdd di-wall i angall ŵr;
Bwrdd brenin, bwrdd gwerin, bwrdd gwanc,
Bwrdd euog wario, bwrdd gorwanc;
Bwrdd chwe throed, bwrdd chwith-rodiad
Gwehilion a glewion gwlad.
  Thus I sing, ye budding bards:
Na chybolwch â *billiards.*

[Ceir fersiwn arall yn *Papur Pawb,* Ebrill 21, 1906, t. 13. Ceir y pedair llinell ganlynol ar ôl y llinell 'Wna i alltud ymwylltio':

Bwrdd y *breaks,* bwrdd ddaw â bri
Ac ysbryd o wag asbri;
Bwrdd gwastraff, bwrdd ddug ystryw
Yn goedd warth: eiddigedd yw.

Mae'r cywydd yn cloi â'r chwe llinell ganlynol, yn dilyn y llinell 'Bwrdd euog wario, bwrdd gorwanc':

Er hynny, bwrdd ar unwaith
Ddaw â hwyl bob gŵyl a gwaith;
Bwrdd hyfryd bâr i ddwyfron
Yfed llwyr o hawddfyd llon:
Bwrdd hynaws i brudd enaid
Gael, o'i boen, hoff hoen na phaid.]

9

Lluniwyd ym 1909, ar ymadawiad T. Gwynn Jones i Aberystwyth. *Anthropos a Chlwb Awen a Chân,* O. Llew Owain, Dinbych 1946, t. 43.

Cathl y Gair Mwys

Gresyn, gresyn i Gaernarfon
Golli'i henw da yr awron:
Beth mewn difri ddaw ohoni
Heb ddim Gwyn yn aros ynddi?

Llawer, llawer sydd o sôn
Am Oronwy Ddu o Fôn;
Mwy o sôn fydd gyda hyn
Am Oronwy Ddu a Gwyn.

Dysgwyd inni gan rieni
Barchu henaint a phenwynni;
Pwy ohonom sydd yn gwybod
Am ben Gwyn heb ei gydnabod?

Yn yr Orsedd, ddydd Eisteddfod,
Gwisga'r Awen liwiau hynod,
Ond yn ei Gwyn y cân hi ora'
Gerddi'r Mabinogion bora.

Fe ddaw adeg, pawb ŵyr hynny,
Pan fo'r duaf wallt yn gwynnu,
Ond beth am yr adeg honno
Bydd gwallt Gwyn yn dechrau britho?

Mae Cyngor Tref yn Aberystwyth
Sy'n pardduo enw'r tylwyth,
Ond coltaried a goltario,
Bydd un Gwyn beth bynnag yno.

10

Cymru, Cyf. XXXVII, Rhif 219, Hydref 1909, tt. 163-164.

Siffrwd y Deilios

Gwyn dy fyd, gain dafodiaith,
Edrydd deimlad llygad llaith.

Rhoes Natur ei swyn iti; – ti gefaist
    O gyfoeth ei thlysni;
Eu su roddes yr eddi, – a'r awel
Alara'n isel â hwyr yn nosi.

Cyn canu cainc awenydd,
Cyn bod llên i'r awen rydd,
Dy fiwsig a dyfasai
Yn llon a thrist llanw a thrai.

Di a ddyfalaf bob dydd hefelydd
Siffrwd y deilios, a ffrydiau dolydd;
A rhaeadr didor dyrïau dedwydd
Ar wefus meinwar o faes a mynydd;
D'oslef gest o fforestydd – llechweddau,
Ac o ganiadau gwig yn niwedydd.

Frenhines y fynwes fau,
Dy laned ar delynau
Ddadebrodd wawd y beirdd hen
Is hud y gypreswydden;
Eu galar gerdd glywai'r gwynt,
Ac â'r helyg yr wylynt
Ddyri leddf am ddewr a las,
Ac am weinydd cymwynas,
Am ŵr y carai morwyn
'Ddaear ei fedd er ei fwyn'.
Wedi darfod oed eurferch
Byddai fardd uwch bedd y ferch:
Ei ddolef gref ar y gro
Ddodi Gwenddydd deg ynddo;
A chwynai uwch ei hun hi
'Nad oedd yn amdo iddi'.

Oronwy fawr y nef wen!
Gwrandewais utgorn d'awen;
Deigr a rof, dy garu raid,
Wyd unben y gerdd danbaid.
Am dy wlad, em delediw,
Dihoenai bron dan ei briw;
Dy beraidd wawd a bruddhai,
A'th delyn o'i thud wylai.

Iaith yr alaeth a'r wylo, – hi fydd hardd
　　Ar fedd oer y Cymro;
　Carreg hawddgar ar ei ro,
　Hithau'r heniaith ar honno.

Rhoer rhyw air o arwyrain – i'r hwn geir
　　Yn ei gochl o liain,
　Na byddo mud y bedd main, – na'i weryd
　Yn obrudd, oerllyd, heb air i'w ddarllain.

I'r fangre deued awen – rhyw hen gâr
Unig iawn o'i angen
Ag odlau syml, rhag dêl sen
I'w sarhau is yr ywen.

* * * *

Fy heniaith fwyn, hithau fydd – soniarus
Yn neri fforestydd
Ban ddaw oed, a bun ddedwydd,
A gwresog awr is y gwŷdd.

Hi gâr dwyn ac erwau dôl,
Hi gâr wefus griafol.

Ar dyner hwyr dan yr onn – dirioned
Ar enau rhai mwynion
Cryn ei thinc: yr heniaith hon
Draddoda'r addewidion.

Cain a mirain yw Mari; – gŵyr garu
Gwiw oror ei geni;
A thân yr heniaith heini
Yw cân llanc i'w hennill hi.

Dan olau gwinau Gwener
Mae awr â'i fun, O! mor fer;
Y dengar waed yn ei grudd,
A'r Dwyrain ar ei deurudd,
A chenfydd serch nefoedd swyn
Dan gwrlid unig irlwyn:
Y nos effro yn siffrwd,
I ardd a phren, gerdd y ffrwd,
A thwym heniaith y mynydd
Yn gynnes, gain is y gwŷdd.

Ddyn wylaidd yn awelon
'Bro y llus' a'r ebyr llon,
Llewych haidd y llechweddau
Yw eurbleth y toreth tau;

Dy rudd, nid o wawr eddi,
Ond unlliw aur dywyn lli,
A'th dalcen, y feinwen fau,
O li cwmwl y cymau;
Ar dy feinglust hoenus di
Erys tyner su twyni;
Clywi'r oen, ac awel rydd
A'u cyrn hwyntau'r cornentydd,
A chlywi fach awel fel
Ar a wea hwyr-awel.
Wyt Wener hoff twyni rhydd,
Wyt ogoniant y gweunydd.

Adwaen olud anwylach – na'r awel;
Na'r eos melysach;
Cain yw ei thinc, heniaith iach – dan gronglwyd
Y bwth y'm ganwyd – ba iaith amgenach?

Yn hwn fy nain fwyn-wyneb – a sieryd
Glasuron dihareb;
Pwy ystyr ei phryd hyfryd heb
Danio o weld ei hanwyldeb?

Mam fu mam a fu i mi,
Mi nyddaf emyn iddi.

Wedi rhychu drwy ochain – heddiw mae
Y grudd mwyn fu firain;
Ond aros mae'r ceirios cain
Liwiai'r awel i'r rhiain.

Ei swyn sy yn y Seiad; – hi yn hon
Eneinia'r addoliad;
Caiff yr ifanc ei 'phrofiad',
A'r emyn hwyr ei mwynhad.

Duw ei thadau a'i thudwedd – wylia byrth
Capel bach y llechwedd;
Fin nos dlos, i'w dawel hedd,
Try henaint a rhianedd.

Daw'r 'brodyr' i'w barwydydd, – ac i'r drig
Rhodia'r hen 'chwiorydd';
Canant emyn, derfyn dydd,
O gnwd y Pêr-ganiedydd.

Bau tlysineb tlos heniaith!
Ni fydd a dyr fedd dy iaith.

Tra fytho to ar fwthyn, – tra dwsmel
Yr awel o'r ewyn,
A thra bro ar lethr y bryn,
Ni thau alaw ei thelyn.

Fryniau fy henfam a'r forwyn finfel,
Ddiwyro geyrydd awyr a gorwel;
Lle bu'r hir ofid a llwybr y rhyfel,
Dros y gwyn raeadr sugana'r awel;
Ac ar wefusau cwrel – mae'r iaith dlos
Yn symledd teios y moelydd tawel.

11

Y Geninen, Cyf. XXII, Rhif 4, Hydref 1909, t. 285.

Y Bannau Gwynion

Deledìw wlad olau, wen,
Wyd anwylyd y niwlen;
Henfro'r brwyn a'r clogwyni,
A thud y tarth ydwyt ti;
Yn dy niwlen deneulwyd,
Ac yn dy wyn, geined wyd!

Dy niwl a daena olud
Ei gwrlid teg ar wlad hud.
Mae tw'r maes? Mae tir a môr?
Mae'r Iwerydd? Mae'r oror?
Â gortho dawch, gwyrth a'i dwg
I ddirgeledd o'r golwg.

Ei gaddug wea iddi – rwydwaith cêl,
O'r aig ar orwel i frig Eryri;
Lle'r oedd mae unlliw'r eddi, – a'i lân glog
I gribau heulog ry we o bali.

O dewfrig lwyn hyd fôr glas,
O dyddynnod i ddinas,
Duwies hud a osododd
Goronbleth, a pheth na ffodd?
Hi roes dyner sidanwe'n
Olud o niwl hyd y nen;
A than hud-lath yn dileu
Diflanned y foel wineu.

Gorwedd pân ar geyrydd pell:
Pwy adnapai dŷ nepell?
Rhannu'r arian i'r oror,
I'w mynydd mwyn eddi môr;
Niwl dison lwyda'i hasur
Â lledrith pell ei darth pur.

Cêl y daeth: cilied weithion – ei gaddug
A huddai yr eigion,
I farw'n friw, o fron i fron,
A'i gnul a gân awelon.
Minnau wela' 'm hanwylyd,
Y bau a garaf o'r byd.

Ceyrydd y mynydd i mi,
Y llyn tywyll yn tewi,
A main y cwm yn cymell
Myfyr y bardd am fro bell,
A chais yn nhawch oesau'n ôl
Eu diddanwch hud-ddenol.

Liw nos, gwerinos grynent; – lliw'r 'gannwyll'
Ar y gweunydd welent;
Ar fin hwyr, o Fôn i Went,
Griddfanau gerddai fynwent.

I gwm unig y mynydd – deuai fraw
Hyd frwyn y diwedydd;
Ni rodiai'r dewr wedi'r dydd
Lwybrau anial y bronnydd.

Ba ryw drysor agorwyd – hud-ddenai
Dyddynnwr o'i gronglwyd?
Gwladwr glew, od âi o'r glwyd,
A groesai gyrs ag arswyd.

Ban bo'r hwyr ar ben y bryn
Wyla'r awel o'r ewyn,
A'i dyri brudd drwy y brwyn
Geir o glegyr i glogwyn:
Sugana hesg yn y waun
Alar hwyrol yr hirwaun,
A'i chŵyn, i gwm a cheunant,
Sieryd Nos o ryd y nant.
Llinos llwyn is ei llenni
Sy'n ddison, ddwys ynddi hi.
Ciliodd haul lle clywai ddydd
Darawiadau'r ehedydd.
Blodau hoff, heb olau dydd,
Sy'n oer yn sŵn Iwerydd.
Lle bu trydar a gware,
Nid oes a naid is y ne'.
Mud yw'r dôn ymado'r dydd
Uwch main tawelwch mynydd;
Tannau'r nant yn hwyr y nos,
A'r rhaeadr yw ei eos;
Cwynfan adar gâr y gwyll,
A su dieithr nos dywyll.

Bau'r rhianedd a'r bryniau, – ei thalaith
Welodd ofid oesau,
Ac ar lonydd corlannau – daeth cysgod
Ofnadwy gyfnod o wae ac ofnau.

O binacl ban clybu hi – dynnu cledd
      A dwyn clwyf o'i phlegid;
   Dygyfor brad a gofid,
   A gwyniau llosg yn eu llid.

Ac aml y clywid cymloedd – dewr gadau
      Ar gedyrn fynyddoedd;
   O'r ceyrydd clir cwrdd y cledd
   Ddeffroai hedd y ffriddoedd.

   Gorau gwaed hen gewri gynt
   Brynodd bob erw ohonynt.
   Lanciau lu a wanai cledd!
   Tarienynt eu rhianedd.

Lle na ddôi garwedd i'w llonydd gyrrau,
Daeth yr estroniaid â thrwst tarianau;
Gwerin annedwydd dan garn eu nwydau,
Bonedd adfydus heb nawdd defodau;
Cur a chwerwedd carcharau – uchelfur
Yn galed ddolur mewn gwlad ddihawliau.

Rhodiai braw hyd y briwwydd, – ac ingoedd
      Rhwng cangau'r fforestydd:
   Deufor gwaed a yfai'r gwŷdd;
   Cwyna, wynt, drwy'r ceunentydd.

Telynau oeddynt lonydd; – dilëid,
      O lawen aelwydydd,
   Tyner dant yn hwyr y dydd:
   Cwyna, wynt, drwy'r ceunentydd.

Bun lonydd a benliniai – ar fedd oer
      Ufudd was garasai;
   Dewr oedd, a mud orweddai,
   O ddwyn y cledd, yn y clai.

Dan y Ddraig pan ganai gyrn
Gwrandawodd gorn ei dëyrn;
Ei hendre wen darianodd,
A'i ruddwawr waed erddi rodd.
Nid ail ei bryd olew bren
Ban oedd, na syth binwydden.
Nid mor wâr yr adar hed
Mewn gwig, nac ewig hoywed.
O benyd! ba newid byd!
Yntau'n awr tan ei weryd:
Ei golofn ei ymgeledd,
A'i fynor, fun ar ei fedd.

Bau'r brad a'r ymraniadau, - cur welodd,
Cwerylu o'i llwythau:
Yn ei glyn bu'r gelyn gau,
Bu'r anwr ar ei bryniau.

Ei gledd a gywilyddiai - yfed gwaed
Cyfoed gynt garasai.
Gwae warth y bradog werthai - ei bau rydd,
Ei môr a'i mynydd, am aur a mwnai.

Cario'r cur a orug hon - am oesau
Ym miwsig ei gwyrfon:
Drygfyd brwydr, a gofid bron - is yr yw:
Calon a'u clyw yn eco'i halawon.

12

Cofnodion a Chyfansoddiadau Eisteddfod Genedlaethol Llundain 1909, tt. 12, 13, 22, 23. Rhannau o awdl.

Gwlad y Bryniau

Geinwlad gu, anwylyd gwynt,
Cainc erod yw cân corwynt;
Chwery drwmp uwch rhaeadr yt
A'i nerth sydd lawen wrthyt.

O'r llanw a'r gorllewinwynt
Cei riein-gerdd corn y gwynt,
A thon y traeth ynot rydd
Arwyrain yr Iwerydd.
Y gwynt a gân iti gerdd
Â'i fêl udgorn folawdgerdd.
Oracl y wig a'r clogwyn,
A thyrau serth ŵyr ei swyn.
Y derwgoed yw ei organ:
Rhy gerdd bêr i geyrydd ban,
A chwery drwmp uwch oer drig
Muriau henoed mor unig,
Lle bu'r arall beroriaeth
Ym mhlas y mêl oesau maith.
Alaw hwyrol Iwerydd
Ddihuna gerdd unig wŷdd;
Gwynt y weilgi'n y talgoed
Yn canu cainc yn y coed.

A chwa'r hwyr, uwch yr oror,
Dynn y mêl o don y môr.

Oronwy fawr y nef wen!
Gwrandewais utgorn d'awen.
Deigr a rof, dy garu raid,
Wyd unben y gerdd danbaid.

Gorwedd pân ar geyrydd pell,
Pwy adnapai dŷ nepell,
Dan niwl gwelw unddelw ynddi
Eithin llwyn a thon y lli,
Niwl dison lwyda'i hasur
Â lledrith pell ei darth pur . . .

To mawr gwellt a muriau gwyn:
Yr un fyth yw'r hen fwthyn;
Yr un ddôr o hen dderwen
A'r un fam arnaf a wên.

Eryri i mi ermoed,
Bau gwylltineb geillt henoed;
Digryn a difraw uwch udgorn dyfroedd
Rhaeadrau cannwelw a rhu drycinoedd;
Ac ar anterth corwyntoedd – hwy fyddan'
Arhosol darian yr isel-diroedd.

Fryniau fy henfam a'r forwyn finfel,
Ddiwyro geyrydd awyr a gorwel;
Lle bu'r hir ofid a llwybr y rhyfel
Dros y gwyn raeadr sugana'r awel;
Ac ar wefusau cwrel – mae iaith dlos
Yn symledd teios y moelydd tawel.

13

Y Geninen, Cyf. XXVIII, Rhif 2, Ebrill 1910, t. 135.

Edith Myfanwy

Edith eurwallt a thirion, – d'anwyled
Ni welir drwy Arfon:
Dy lygad o liw eigion,
Dy dâl cyn wynned â'i don.

14

At the Foot of Eryri, W. Hughes Jones, Bangor, 1912, t. 88.
Cyhoeddwyd dan y ffugenw *Llion.*

Cerdd Gyfarch i Mr a Mrs Gruffydd W. Francis

Gwna'n llawen, Ruffydd, yn dy hafan swyn;
Rhy brin yw'r byd o hoywder bron y bardd,
Rhy brin o hyd o loywder wybren hardd
I fedru hepgor glesni nef a llwyn

Yn nydd eu hoywder. Yno, er dy fwyn,
Mae gallt a gwig a chlogwyn gwyllt a gardd
Yn dwyn eu cynnwys teg, cans yno tardd
Ym min aberoedd gwiw, mewn bro ddi-gŵyn,
Lliwiau yr Eden goll ar dân i gyd
Gan serch pob serch. Gwna'n llawen, fardd, dy fun;
Llawn, llawn o'r gwin yw llais y gain ei llun,
A'i meddal drem o hedd pob meddwl drud.
O, dwfn o hyd yw hoen dy hafan di,
Lle huna gardd a llwyn ger hedd y lli.

15

The Welsh Outlook, Cyf. IV, Rhif 43, Gorffennaf 1917, t. 246.

ORIAU HIRAETH

(I)

Atgof

Ty'nynant a Phantyffynnon,
'Rhen Fryndery a'r Frondirion;
Sêr wybrennog, sawr y bronnydd,
Mynwes lawn a min nos lonydd.

(II)

Godre Berwyn

Dos, lythyr lwcus, at fy mun,
  Gwyddost y ffordd o'r gore;
Gwyn fyd na chaffwn ddod fy hun
  I'r fan y byddi'r bore.

Gwyn fyd na chaffwn hanner awr
  Hyd lwybrau gerddais ganwaith
Ar lannau dyfroedd Dyfrdwy fawr
  Yng nghwmni'r eneth lanwaith.

16

The Welsh Outlook, Cyf. IV, Rhif 39, Mawrth 1917, adran fewnol ar wahân rhwng t. 96 a t. 97.

Private Lewis Jones Williams, Pwllheli

Lewis annwyl sy a'i wyneb – heb ddim gwên,
Heb ddim gair i'm hateb;
Diffrwyth enaid ffraethineb
Roed i oer lawr daear wleb.

17

Yr Eurgrawn, Cyf. CL, Rhif 5, Mai 1958, t. 124. [Lluniwyd ym 1918. Cyhoeddwyd yn wreiddiol yn *Y Cydymaith* (cyhoeddiad chwarterol cylchdaith Wesleyaidd Llanrwst), Tachwedd 1918-Ionawr 1919, tt. 2-3.]

Darlun Idris

Cyntaf-anedig fy nghyfaill
y *Shoeing-Smith* H. Hughes, Bryn, Nebo, Llanrwst

Mae'i wedd, wirionedd innau, – yn gariad
O'i gorun i'w sodlau:
Dau rosyn coch, coch yn cau
A roddwyd ar ei ruddiau.

Mor annwyl, annwyl yw e – yn eistedd
Mewn ystum mor ddethe:
O'i foch gron i'w droed fach gre'
Nid yw'n wanllyd yn unlle.

Dau heulog lygad welaf – yn edrych
Diniweidrwydd arnaf:
A chyda braich dew a braf
Mae ganddo'r dwylo delaf.

Yr haf ar ei wyneb roes – deg iechyd
I gychwyn ei einioes:
Byr ei gam, cans byr ei goes,
Ond ysa i gerdded eisoes.

Er barnu braidd yn fuan – nid ydyw
Ei dad a mi f'hunan
Heb obaith y daw'r baban
Yn rhywun mawr yn y man.

18

Ym mhapurau E. Morgan Humphreys cadwyd un englyn i Robert Einion Williams na chyhoeddwyd mohono gyda'r gweddill yn *Y Genedl Gymreig,* Tachwedd 12, 1918, t. 2.

Heb ffrwst a heb drwst y rhodd – i eraill
Ei orau tra gallodd:
Fe wnâi a fedrai o'i fodd
A thawel gynorthwyodd.

19

Y Brython, Hydref 9, 1919, t. 2.

Cyfarchiad Priodas i Mr Evan Hughes, M.I.M.E., a Miss Morfudd Morris

Ifan annwyl fwyn wyneb, – ti yfaist
O afon doethineb
Pob rhyw *-eg* drwy'r Coleg heb
Ildio dy naturioldeb.

Rhyfeddaist uwch Rhifyddeg – a gwyliaist
Ddirgelion Fferylleg;
Profaist flas dy deyrnas deg,
Mwynderau mewn Daeareg.

Ond mwy yw wynepryd merch – na gwedd oer
Gwyddorau didraserch;
'Dan lwyn mewn dien lannerch'
Syrthiaist yn swrth is ton serch.

Ab Gwilym oedd gyflym gynt – yn neidio
Yn nwydwyllt i'w helynt,
Gan yrru'i gân ar y gwynt – a'i ruad;
A chywydd cariad ar grochwaedd corwynt.

Tithau fel pren Gorffennaf – agoraist
I gariad addfwynaf;
Nid yn oer, ond yn araf,
Fel y grug o flagur haf.

'Rôl aros hir ac irad – ti gefaist
O gyfoeth ei chariad.
Wele'r dydd i Forfudd fad
Roi'i thrysor i'th arhosiad.

Dewis gwell fyddai dasg oes; – ei gwên wiw
A'th gynheuodd eisoes;
Addfwyn o reddf, hon a roes
Drydaniaeth drwy dy einioes.

Dy gariad wiw o Gaerdydd – a giliodd
I galon Meirionnydd;
O Gernyw deg yr un dydd
Dilynaist dy lawenydd.

Mae'r wennol ym Meirionnydd – yr awron,
Ond rhyw hwyr, heb rybudd,
Ei henaid gwyllt aflonydd
I wlad yr haf yn ôl drydd.

Chwithau dilynwch weithian – am yr hin
Lle mae'r haf yn hwian;
A haf fo'ch bywyd cyfan,
Ail dyri mil adar mân.

20

Casgliad Bedwyr Lewis Jones o englynion coffa a gyhoeddwyd yn *Yr Haul a'r Gangell,* Rhif L, Haf 1971, tt. 33-4.
Ar fedd Robert Williams, 2 Coetmor Terrace, Tal-y-sarn, m. 1917, a'i wraig Catherine Williams, m. 1922, ym mynwent Macpelah.

Tad a mam mewn tywod mwy – a gysgant
Hir gwsg, ond er tramwy
O'r plant nid anghofiant hwy
Eu cu nerth a'u cynhorthwy.

21

Western Mail, Awst 21, 1922, t. 4.

Mab y Mynydd

Mi dyngaf lw gerbron y nef
Nad wylaf fi'r un deigryn mwy,
Ond rhodiaf gyda llanciau'r dref,
A gwnaf yn llawen fel hwynt-hwy;
Mi drwsia' 'ngwisg, mi drefna' 'ngwallt,
A mynnaf arian ar fy ffon;
A rhof ffarwél i hiraeth hallt
Pan gerddaf gyda'r bechgyn llon.

A phan ddêl heibio nos y ddawns,
A'r telynorion oll mewn hwyl,
Mi af yn hyf i brofi'm siawns,
A chadwaf ddydd fy uchel-ŵyl;
A'r nos yn gynnes yn fy ngwaed
Mi fynnaf gariad wrth y drws,
Mewn mantell sidan at ei thraed,
A'i phen mewn pleth o felyn tlws.

Pan ddisgyn f'amrant ar ei phryd,
A'm llygad ar ei gwedd mor gain,
Mi fydda'n ddifyr iawn fy mryd
Yng nghwmni'r eneth fwynbleth, fain;
A minnau o fy nghlwyfau'n iach
A gaf ymwared â fy mhwn,
A'm calon – O! fy nghalon fach –
Pa chware newydd ydyw hwn?

22

Western Mail, Tachwedd 3, 1922, t. 8.

Beddargraffiadau'r Byw

(Y Gwyneddigion, Caerdydd)

Major H.A.S.R.

Mawl iddo rôi'r ymladdwyr – yn ei ddydd;
Bu'n dda i'w ddilynwyr:
Swyddog rhyfelog filwyr
A'i glod ar dafod ei wŷr.

Capt. J.M.

Uwch hedd y bedd o byddwch, – mewn dwyster
Mwyn, distaw clustfeiniwch;
Odid na chais llais o'r llwch
Denori'r hen dynerwch.

Gnr I.J.

Carai osber llonder llwyr – a mwg maith
Ymgom hir drwy'r awyr:
Sam Johnson sôn a synnwyr,
Coleridge encil yr hwyr.

Pte J.H.

Dilynai'r bêl yn selog; – yn ei Ochr
Llawenychai'n wresog;
Pan gollai, gwgai'n gegog,
Pan gurai, canai fel cog.

23

Western Mail, Chwefror 23, 1923, t. 6.
Cyfieithiad gan R. Williams Parry o gân o'r opera *Samson a Dalilah* (Gounod)

Tyner y Tardd fy Serch

Tyner y tardd fy serch, fel y blodau'n ymagor
Dan gusanau'r wawrddydd ara':
O dwed, O gariad gwyn, na'm llwyr anghofi rhagor;
Dywed eilwaith! O llefara!
O dwed na throi di fyth rhag Dalila dy wedd;
Dy addunedau llosg yw fy hiraeth a'm hedd,
Yw fy hiraeth a'm hedd.

A! unwaith eto 'rwyf yn erfyn!
A! ar fy mhryder dyro derfyn!
A! 'rwy'n erfyn! Gwêl fi'n erfyn!
A! ar fy mhryder dyro di derfyn.

Fel i'r sibrydus wynt y plyg y tonnog rawn
Ôl a blaen yn araf oriog
Y plyg fy nghalon gryn, nes lleddfu'i hofnau llawn,
O dan swyn dy lais cyforiog.
Y saeth ar fuan hynt nid yw gynt na myfi
Pan ad'wyf bethau'r byd am dy fynwes di.
Am dy fynwes di.

A! unwaith eto . . .
Samson! F'Anwylyd.

24

Western Mail, Mawrth 7, 1923, t. 6. Cyfieithiad o 'Love went a-riding', Frank Bridge.

Marchog yw Cariad

Marchog yw cariad;
Marchog yw cariad – byth ni ddaw'n ôl:
    Ar Begasws yr â.
O'i flaen fe ddeffry blodau'r ddôl,
Ac fe ddaw y rhew a'r iâ.

Clafycha'r ieuanc am haul ei wedd:
'Trig gyda ni! Trig gyda ni' yw eu harch;
Ond, medd Serch, Na! Cans adenydd fedd
    Fy March.

25

Western Mail, Mawrth 7, 1923, t. 6. Cyfieithiad o 'In Haven' (Elgar).

Mewn Hafan

Rho dy law'n fy llaw, fy merch,
Tramwy'r môr mae'r storom erch;
    Dim ni saif ond serch.

Tyrd yn nes, crynhoi mae'r lli,
Uwch y graig dyrchafa gri;
    Serch yw'n hafan ni.

Dywed yn dy lais di-lyth –
'Bri a chyfoeth heibio chwyth:
    Serch a bery byth.'

26

Yr Eurgrawn, Cyf. CL, Rhif 6, Mehefin 1958, tt. 149-150.
Lluniwyd ym 1923.

Beddargraff y Diweddar Mr Morris Hughes

Daionus fywyd union – ni ddianc
Rhag y ddaear brydlon:
Priddellwyd pur weddillion
Gŵr cu dan y garreg hon.

Daionus fywyd union – ni ddianc
Rhag y ddaear brydlon:
A Morus Huws, trwm yw'r sôn,
Gymerwyd i fysg meirwon.

'Dyma ddewis o ddau . . . Y cyntaf a ystyriaf fi yn oreu, ond y mae'r ail yn fwy penodol . . .' [R.W.P.]

27

Seren Cymru, Awst 7, 1925, t. 5.

Englynion Cyfarch i Thomas Shankland yn ei waeledd

Dy ddrych mewn nych yn achwyn – ystyriem
Â thosturi morwyn:
Mor irad oedd dy gadwyn!
Llusgodd y llew is gwŷdd llwyn.

Y llew unig a llonydd – godai gynt
Gyda gwib ysblennydd
Lawer awr i hela'r hydd
Ar finion yr afonydd.

Tithau o'th seibiant weithion – ni chrwydri
Uwch rhaeadrau afon
Henfyd a fu, hyd i fôn
Y trywydd ar fentr eon.

Pob canrif o'r canrifoedd – a drosaist;
Eu drysi anghyhoedd
Yn lle teg o'r neilltu oedd;
Dy ddeunawfed oedd nefoedd.

Cais hybu, cas yw hebod; – dilewych
Hefyd lawer diwrnod;
Mae dy gell a'i hastellod
Fel dieithrbell lyfrgell od.

28

Western Mail, Medi 28,1925, t. 8.

Deialog

'Pa ŵr yw'r llefarwr?'
'Owain Wladgarwr.'
'Beth amgen y'th enwir?'
'Glyndŵr y'm cyfenwir.'
'Arglwydd byddinoedd!
Luyddwr ymladdau!
Ple'r aethost o'r trinoedd
A nawdd y neuaddau?'
'O glod i galedi,
Fy had heb ei fedi.'
'Pa le mae dy drymro?
Pa gwr, pa gyfeiriad?
Pa abad, offeiriad,
Gysegrodd â gweddi
Y pridd y gorweddi?'
'Na channwyll, O Gymro,
Na cherddor i'w chywain,
Na châr na chymheiriad
Ni adawyd i Owain;
Ond llesg olau lleuad
A chloch y dylluan

O frigau'r coed caead
Yn trist . . .' O fedd truan!
Pa du i Glawdd Offa
Y gweddai ei goffa?

Bendragon y dreigiau!
Pan giliaist i'r creigiau,
O glod i galedi
Pa gerdded fu gwedi?

Paham na ddywedi?

29

Casgliad Bedwyr Lewis Jones o englynion coffa a gyhoeddwyd yn *Yr Haul a'r Gangell,* Rhif L, Haf 1971, tt. 33-4.
Ar fedd Dr Robert Owen, a'i wraig, Pen-y-groes, m. 1925, ym mynwent Macpelah: mae englynion Williams Parry i Mrs Owen yn *Yr Haf a Cherddi Eraill* ('Gwragedd' 3).

Y ddau hyn ddoe wahanwyd – o'u hanfodd
O wynfyd eu haelwyd;
O'u bodd llawn yn eu bedd llwyd
Y ddau lonydd ailunwyd.

30

The Welsh Outlook, Cyf. XIII, Rhif 2, Chwefror 1926, t. 47.

A Wish (from the Welsh)

What joy it is to stare across
Broad acres of green earth
At milkwhite waves that dance and toss
With a most silent mirth:
So shall a deaf man's eyes
Comfort a case for sighs.

What joy to hear the solemn hail
  Of some great bird in flight,
When with the wind the grey geese sail
  Unseen upon the night:
So shall a blind man's ears
Console a plight for tears.

I would this flesh, so like a craft
  With a full, indolent crew,
Were served like theirs who fore and aft
  Have toilers fit as few;
Whose vessels undermanned
Challenge each idle hand.

31

Western Mail, Chwefror 11, 1926, t. 6.

Pa Le Mae'r Hen Gymry?

(Ar fesur Ceiriog yn y gân o'r un enw)

Yw'th haul wedi machlud a'r dydd ar ei hanner?
  Hen Walia dirionaf, pa fodd y bu'th gwymp?
Pa le mae'r Hen Gymry ddyrchafodd dy faner
  Yn nyddiau gogoniant mil nawcant a phump?
I hir frwydyr galed ar frodir y gelyn
  O'th byllau a'th fryniau, heddiw oes neb
A ddaw â llu eilwaith fel ddoe â Llewellyn,
  Pritchard ac Owen a Nicholls a Gabe?

Pan welwyd y doctor yn gwibio fel trydan
  I dderbyn taranfloedd 'rôl mellten ei Gais,
Dy glodydd atseiniai hyd wledydd byd-lydan
  Uwch clod yr Ysgotyn, y Gwyddel a'r Sais.
Yw'th haul wedi machlud a'r dydd ar ei hanner?
  Hen Walia dirionaf, pa fodd y bu'th gwymp?
Pa le mae'r Hen Gymry ddyrchafodd dy faner
  Yn nyddiau gogoniant mil nawcant a phump?

32

Casgliad Bedwyr Lewis Jones o englynion coffa a gyhoeddwyd yn *Yr Haul a'r Gangell,* Rhif L, Haf 1971, tt. 33-4.
Ar fedd Mary Alice Owen, Bronallt, Tal-y-sarn, m. 1926, ym mynwent Macpelah.

Bu lawn iddi'r blynyddoedd, – ac erioed
Un garedig ydoedd:
Cynnes, fe dystia cannoedd,
Uwchlaw neb ei chalon oedd.

33

Y Genedl, Chwefror 7, 1927, t. 5. Rhifyn y Jiwbili.
Cyfarchiad gan R. Williams Parry.

Y Genedl

Yn hanner cant rhamantus, – tyner yw,
Nid hen wraig fethiantus;
Cyrhaeddodd – ni heuodd us –
Hanner dydd anrhydeddus.

34

Trosiad o gerdd A. E. Housman 'Into my heart an air that kills'.
Yn Bangor MS. Rhiwafon I, t. 53, ac yn y *Western Mail,* Chwefror 25, 1929, t. 6.

I'm calon rhyw angheuol wynt
O'r fro bell acw a chwyth:
Pa lwyd, gyfarwydd fryniau ŷnt?
Pa dai, pa dyrau syth?

'Nacw yw Eden ieuanc oed
Yn twnnu'n glir, ddi-glwy;
Y priffyrdd dedwydd lle bu'r troed
Na ddichon ddychwel mwy.

35

Y Ford Gron, Cyf. 1, Rhif 11, Medi 1931, t. 8, dan y ffugenw *Llywelyn.* Mae traddodiad llafar mai R. Williams Parry oedd *Llywelyn.* Gweler *Ysgrifau Beirniadol,* Cyf. III, tt. 186-7.

Y Dyrfa

Pe cawn ysgrifbin Cynan,
  A phwyntl a losgai'n fflam,
Edrychwn yn nes adre
  Na'r cae yn Nhwickenham.

Rhown fraslun gyda'r 'sgrifbin
  A braslun gyda'r brws,
O dyrfa 'Steddfod Bangor
  Yn ceisio byrddio bws.

Paganiaid am y gorau
  A gwŷr yr Ysgol Sul
Yn rhuthro ar nos Sadwrn
  I ddringo'r llwybyr cul.

Y llwybyr hyd risiau'r modur,
  Y ffordd i'r nef o'r nos;
Y trechaf yn gadwedig,
  A'r gwannaf yn y ffos.

Mae rhywbeth braf mewn rhyddid
  Ac annibyniaeth wiw;
A phenyd yw cynffonna
  Ac aros yn y 'queue'.

36

Y Ford Gron, Cyf. II, Rhif 3, Ionawr 1932, t. 72, dan y ffugenw *Llywelyn.*

'Megis ag yr Oedd . . .'

Ystalwm yng Nghymru
  Bu dadlau deheuig
Na pharchai'i Phrifysgol
  Mo'r awen Gymreig;
Ac nad oedd ei Llysoedd
  Yn hynod o sgut
I gredu bod Cymro
  Deilyngai *D.Litt.*

Nid ydyw hi bellach
  Fel 'rydoedd hi gynt;
Symudwyd 'i raddau'
  Pan shifftiodd y gwynt.
Bydd Pedrog ac Elfed
  A Job a J.J.,
A Dyfnallt o'r diwedd
  Yn marw'n M.A.

Mae honno'n ddiamau'n
  Gynhysgaeth go nobl
I feirdd a ddarllenir
  Gan ddyrnaid o bobl.
Rhaid canu yn Saesneg,
  Ac ennill gwir fri
Fel Masefield a Davies
  Cyn derbyn *Litt.D.*

37

Casgliad Bedwyr Lewis Jones o englynion coffa a gyhoeddwyd yn *Yr Haul a'r Gangell*, Rhif L, Haf 1971, tt. 33-4.
Ar fedd John Owen Jones, Bodelwy, Cyffordd Llandudno, m. 1935, ym mynwent Macpelah.

O! fonheddig fynyddwr, – mawr ei barch,
Ym mro bell y trefwr;
Ei henfro'n ôl, firain ŵr,
Gyrhaeddodd. Cwsg, orweddwr.

38

Heddiw, Cyf. II, Rhif 5, Mehefin 1937, t. 161; hefyd yn *Y Llenor*, Cyf. XX, Rhif 4, Gaeaf 1941, t. 156.

Democratiaeth

Duw gadwo'i weinidogion
Nad ydynt gyfoethogion,
Ond sy'n gorfod profi hyd fedd
Drugaredd Cristionogion.

Rhwng ambell fwli o flaenor
Sy'n waeth nag arglwydd maenor,
Ac ambell gecryn sydd mor gas
Ei slas â Modryb Gaenor;

Rhwng Israel a'r Asyriaid,
Y saint a'r pechaduriaid;
Rhwng byddarol stêm y brwd
A rhwd y cysgaduriaid,

Duw ŵyr pa fodd y mae ar
Eu ffydd drwy boeth a chlaear.
Caffont nef heb awel chwern:
Cânt uffern ar y ddaear.

39

Coelcerth Rhyddid (Plaid Genedlaethol Cymru, Caernarfon), 1937, tt. 11-12. Cyhoeddwyd dan y ffugenw *Yr Hwsmon*. Cyhoeddwyd yn wreiddiol yn *Y Ddraig Goch,* Mawrth 1937, t. 3.

Ma'r Hogia'n y Jêl

'Roedd Nebuchod'nosor a'r dyn ar 'i dwrn
Yn deud bod 'na bedwar i'w gweld yn y ffwrn;
Fydda' fo syn yn y byd gin inna', Wil Êl,
Petai 'na Bedwerydd i'r hogia'n y jêl.

Ma' Twm yn 'i barlwr yn chwara' pontŵn,
Ma' Dic yn rhoi swlltyn ne' ddau ar y cŵn;
Ma' Harri'n y *Bedol,* a'r ddiod fel mêl:
Dros bobol fel ni, Wil, y ma'r hogia'n y jêl.

Ma' stiwdants drwy'r byd yn rhai brwd dros 'u gwlad,
Ond oer 'di'r athrawon, 'does undyn a'i gwad;
Ma' nhw'n rhy athronyddol i deimlo dim sêl:
Dros addysg a choleg ma'r hogia'n y jêl.

Ma'r pregethwr yn bloeddio nerth esgyrn 'i ben,
A rhai o'r hen bobol yn gweiddi 'Amen';
Ma'r rhain yn yr harbwr o afa'l y gêl:
Dros grefydd a chapal ma'r hogia'n y jêl.

Mi ddaw'n wanwyn cyn hir, mi ddaw'r hedydd i'w lais,
A'r falwan i'r ddraenan, fel y deudodd rhyw Sais;
Mi fydd popeth yn iawn ar y byd 'ma, Wil Êl;
Mi fydd Duw yn 'i Nefoedd – a'r hogia'n 'u jêl.

40

Heddiw, Cyf. III, Rhif 7, Chwefror 1938, t. 241.

Pererin

(Dialog yn null Housman)

Pa hwyl, y 'bachan bidir',
Ar ŵr o'i wlad erlidir?
'Nid anffyddlon ydyw ffawd
Ac nid yw dlawd Elidir.'

Sut 'rwyt ti'n dal y tywydd
Ar hir, druanaf drywydd?
'Ni phery'r rhew, ni phery'r ôd,
Na'r gawod yn dragywydd.'

A ddichon, ddyn, na chryma
Dy ben pan chwyth hi dryma'?
'Pengrwm ydwyf uwch fy nghrwth,
Ond chwimwth yw'r fraich yma.'

Beth wna dy hen gyfeillion
Sy'n hapus lle mae'r meillion?
'Nid yw fy hen gyfeillion ffeind
Yn rhai di-feind na deillion.'

Och! anudonwr smala,
Digyflog, digyfala',
Sydd yn tystio mor rhyw freit
Ei fod yn reit-i-wala.

Yn *Barn 21* y mae gan Aneirin Talfan Davies nodyn diddorol ar y gerdd hon. Enghraifft a wêl ef ynddi o awen y bardd yn cael ei chyffroi gan gyfaill yn cael cam. Pan oedd A.T.D. yn olygydd *Heddiw* derbyniodd lythyr gan R.W.P. yn gofyn iddo a gyhoeddai gân a luniasai yn sôn am y cam yr oedd y B.B.C. ar fedr ei gyflawni yn erbyn Elidir Sais, y Cyfarwyddwr Rhaglenni.

41

Yr Herald Cymraeg a'r Genedl, Medi 22, 1941, t. 6.

Yr Hen Actor

(Llanbeblig)

Fan yma mae drama yn dirwyn i ben,
Yr olaf yw'r olwg pan gyfyd y llen.
Mae'r cwmni difrifddwys yn cynnwys pob haen:
Ond Gwynfor yw'r arwr fel ganwaith o'r blaen.

Ei ran yw'r hen actor difywyd a dof
Y pylodd ei gynneddf, y pallodd ei gof;
Sy'n chwilio am loches ym mynwes y ffridd
I aros y promptiwr a'i herys o'r pridd.

42

Yr Herald Cymraeg a'r Genedl, Hydref 6,1941, t. 8.

Gwynfor Diragrith

(Hyderaf yn fawr y lluniwch englyn iddo)

Mynegai'i wedd, ai mewn gwg – ai boddiog
Y byddai, 'n bur amlwg;
Rhoddai drem ar dda a drwg
A'i galon yn y golwg.

43

Dyma fersiynau eraill o'r englyn i John Evan Thomas a ysgrifennwyd ym 1941 ac a gyhoeddwyd dan y teitl 'Hen Gyfaill' yn *Cerddi'r Gaeaf.* Cafwyd trwy law Derwyn Jones.

i

Diddanai hen dyddynnod – â mynych
Gymwynas a chardod.
Hyn oedd well o bell na bod
Yn enaid bach dibechod.

ii

Enaid nobl i'w adnabod – i dlodion
A dyledwr dinod:
Eneidiau bach dibechod
Rhowch i glai Dyngarwch glod.

iii

Crefydd o ddeunydd hynod – a feddai,
Un fuddiol i'w nabod,
A chalon hael uwchlaw nod
Eneidiau bach dibechod.

iv

Enaid nobl i'w adnabod – ydoedd ef
I'w gyd-ddyn mewn trallod.
Pwy faliai na fynnai fod
Yn enaid bach dibechod?

v

Enaid nobl i'w adnabod, – enaid mawr
A dymherai drallod.
Crist ni fyn i'r Cristion fod
Yn enaid bach dibechod.

vi

Ar ei faen ysgrifennwch – yn bennaf
Beth bynnag a gerfiwch,
'I'r neb a gâr ddyngarwch
Annwyl iawn yw hyn o lwch'.

44(i)

Baner ac Amserau Cymru, Mai 20,1942, t. 4.

Tŷ'r Caethiwed

('Agorwch dipyn o gil y drws')

Fy hen gyfeillion, pan fo hyn o gnawd
Wedi ei gynaeafu a'i yrru drwy
Ffwrneisiau'r felin honno, rhowch fy mlawd
I wynt y nefoedd, nid i gladdfa'r plwy'.

Chwithau rhwng pedair astell weddus ewch,
  Pan eloch, at y llu sydd yn y llan:
O'r herwydd ni thristâf, ac na thristewch
  Oblegid nad af innau i'r un fan.
O! bydd y modd yr af yn burion ddrych
  O'r fel yr euthum dros y drum erioed;
A chan na byddwn ddedwydd yn fy rhych,
  Na diddig dan y cysegredig goed,
Rhowch im ddychwelyd rhwng y byd a'r bedd
I'r hen fynyddoedd ar fy newydd wedd.

44(ii)

Papurau J. O. Williams, Bethesda.

Clawstroffobia

Fy hen gyfeillion, pan fo hyn o gnawd
Wedi ei gynaeafu a'i yrru drwy
Ffwrneisiau'r felin honno, rhowch fy mlawd
I wynt y nefoedd, nid i gladdfa'r plwy'.
Chwithau rhwng pedair astell weddus ewch,
Pan eloch, at y llu sydd yn y llan:
O'r herwydd ni thristâf, ac na thristewch
Oblegid nad af innau i'r un fan.
I fyny'r drum yr euthum i erioed,
Suliau a gwyliau, nid i'r eglwys glyd;
A chan na byddwn ddedwydd dan ei choed
Na diddig yn fy * nghysegredig grud,
Rhowch im ddychwelyd rhwng y byd a'r bedd
I'r hen fynyddoedd ar fy newydd wedd.

* Uwchben y geiriau hyn ysgrifennwyd yr amrywiad hwn: 'dan y cysegredig'.

45

Baner ac Amserau Cymru, Awst 25, 1943, t. 1.

Y Faner

Ie, baner pob enwad – a phob plaid
A phob plwy'n yr henwlad;
Hyd ei holaf ddyrchafiad
Hi ddeffry Gymry i'r gad.

46

NLW MS. Papurau J. W. Jones. Lluniwyd ym 1945.

Englyn i J. W. Thomas, B.A., Manod

I anrhydedd y rhodiais – yn fy nhref.
Yn fy nhro eisteddais
Mewn llesgedd, a gorweddais
Lle'r wyf, heb na chlwyf na chlais.

47

Yn yr un casgliad o bapurau J. W. Jones ceir copi o gyfieithiad R. W. Parry o 'Cŵyn y Gwynt' J. Morris-Jones. [Cyhoeddwyd yn wreiddiol yn *Omnibus,* Rhagfyr 1929, t. 27.]

The Wind's Lament

Not tonight will slumber visit
These tear-haunted eyes;
Yonder at my window, moaning
Sorely the night wind sighs.

Now his voice he lifts up weeping,
Weeping and sobbing so;
At the pane his tear-drops hurling
In his wildest woe.

Why, O wind, dost thou come weeping
At my window here?
Tell me, pray, hast thou lost also
One that held thee dear?

48

Bangor Rhiwafon MS 1.
Baner ac Amserau Cymru, Mawrth 6, 1946, t. 1.

Nid Gwneud Miwnishons 'Nawr

(Ymson William Jones uwchben ei swydd newydd –
Gydag ymddiheuriad i T.R.H.)

Mae ambell job ddi-berig
Sy'n gyrru dyn o'i go';
Ac un 'di cario cerrig –
'Alwa' i mono'n lo.

Saith rât mewn saith ystafall,
A'r taniwr isio'u trin
Ar dair ne' bedair tafall
O fara a marjarîn.

Cyn hir fe ddaw'r athrawon
A'u lledar hyd y llawr;
A deugant o genawon
Mewn 'sgidia' hoelion mawr.

Biti na ddoech chi â thipin
O bapur, hogia' bach;
A lwmp ne' ddau o ddripin
I gychw'n tân go iach.

Ystyriwch yr hen stocar
Sy'n ceisio g'neud y tric,
A'r sir sy'n prynu'r procar
Yn gwrthod prynu'r pric.

Faint 'neith hi, tybad, bellach?
  Ma' hi'n chwartar wedi wyth,
A'r lle yn strim-stram-strellach,
  Ond dyma'r ola' lwyth.

A dyma'r seithfad ynta'
  Yn barod mewn da bryd;
Ond be' sy'n dod o'r cynta'
  Ys gwn i, ers cyhyd?

Sud y mae posibl cynna'
  Hen fflint fel hyn yn fflam?
'Roedd hwn yn mygu gynna':
  Mae o wedi diffodd. Dam!

49

Baner ac Amserau Cymru, Rhagfyr 15, 1948, t. 8.

Dinesydd Deufyd (Beddargraff)

Osborne hynaws! Brenhinol – oedd ei wedd
  A'i wisg yn wastadol,
 Ond y Ffin anniffiniol
 A rôi dân i gân ei gôl.

50

Ymhlith papurau Annie Ffoulkes yn Llyfrgell Coleg y Gogledd, Bangor. [Ceir copi arall, gydag ychydig amrywiadau ynddo, ymhlith papurau Leila Megane yn y Llyfrgell Genedlaethol.] Yn llaw R. W. Parry – ei gyfieithiad o 'The Moon', W. H. Davies.

Dy degwch ddena'm serch a'm bryd
  O loer mor agos, loer mor lân:
Dy degwch wna fi fel un bach
  Bron torri'i galon am dy dân:
Y plentyn bach a fynnai'th 'nôl
I'th wasgu yn ei gynnes gôl.

Er bod it adar heno a gân
  A'th lewyrch tros eu gwddf mor gain,
Llefared fy nistawrwydd i'n
  Felysach na'th felysaf sain:
Mae'r enaid ger dy fron sydd fud
Yn fwy na holl eosydd byd.

51

Bangor MS Rhiwafon 1, t. 53: cyfieithiad arall o gerdd gan W. H. Davies. [Cyhoeddwyd yn wreiddiol yn y *Western Mail,* Chwefror 25, 1929, t. 6.]

Un wyf, am unawr o bob cant,
A gân i adar, coed a phlant:
A farno 'muchedd wrth fy nghân
Ni wêl ryw lawer nad yw lân.

Ond yn fy nghân awr namyn un
Ni ddwedwn fy meddyliau f'hun:
Nid ŷnt mor bur â'r rhai a roed
Ar gân i adar, plant a choed.

52

'R. Williams Parry', Wil Ifan, *Y Genhinen,* Cyf. VI, Rhif 2, Gwanwyn 1956, t. 82. [Cyhoeddwyd yn wreiddiol yn y *Western Mail,* Ionawr 15, 1926, t. 8. Gw. Atodiad 3, Rhif 8.]

Old Age

Cyfieithiad o englyn Syr John Morris-Jones: 'Henaint'

Old age, old age comes not alone
But with sad sighs and many a moan.
Long sleeplessness it bringeth now,
And presently long sleep enow.*

* neu 'And soon long sleep, and sleep enow'.

53

Ymhlith papurau J. W. Jones yn Llyfrgell Genedlaethol Cymru, ceir y parodi hwn gan R. W. Parry.

In Memoriam W. J. Gruffydd, y Bardd

Cryf a llawn y trawai dannau'r delyn,
Union hyd y bedlan oedd ei law;
Gwyddai beth oedd gwae a gwynfyd caru,
Canai'r rheini'n felys ar y naw.

Nefol wynfyd cerdd yn nydd ieuenctid
Cyn crynhoi o'r cymyl oedd ei ran;
Canai'n oriau'r hwyr am 'Wen Golledig',
Canai yn y bore obaith gwan.

Rhoes ei ddysg a'i ddawn ar allor awen,
Rhoes ei galon i Geridwen lân;
Haul y deffro ar ei galon wylaidd
Dyfodd flodau'r deffro yn ei gân.

Carai'n syml holl ganu Ffrainc a'r Almaen,
Carai hen faledi'r tadau'n well;
Carai wrando, yn nhinc y delyn deires,
Adlais cerddi ango'r Cynfeirdd pell.

Neithiwr rhoes ei delyn ar yr helyg:
Ni ddaw mwyach tan ei fysedd main;
Bellach ni cha'i genedl brudd ond gwrando
Sŵn ei gryman cryf yn torri drain.

54

Ymhlith papurau J. O. Williams, Bethesda, ceir yr englyn hwn gan R. Williams Parry. [Cf. Atodiad 2, Rhif 3.]

Mae'r ffôl yn priodoli – im ar gam
Rigymau aneiri
O chwaeth amheus! Chwith i mi
Am ddeifiol drem i'w ddofi.

55

Papurau J. O. Williams: fersiwn arall o'r englyn i M. T. Williams, Dinbych.

Caf waeth afon na Chonwy – a gwaelach
Gwely na'r lle'r ydwy'–
Can gwaelach – cyn y gwelwy'
Prosser Rhys a Morus mwy.

56

Cafwyd oddi ar gof Derwyn Jones, Llyfrgell Coleg y Gogledd, Bangor. [Ceir yr englyn cyntaf ar garreg fedd y Parchedig William Williams (Einion), a fu farw ar Ebrill 14, 1913, ym mynwent Capel Salem, Llanllyfni. Gw. *Llais y Meini,* Griffith Thomas Roberts, Caernarfon, 1979, t. 42.]

Einion

Ym mynwes ddinam Einion – priodwyd
Y prydydd a'r Cristion;
Gwenai'n lleddf uwch Gwanwyn llon,
Wylai uwch annuwiolion.

Idwal

Yfodd a fedrodd tra fu – o gwrw
A gwariodd nes methu;
Carai dast y cwrw du,
Mewn dŵr y mae'n daearu.

57

Cafwyd oddi ar gof y diweddar F. Pritchard Jones, Porthaethwy.
Ar fedd Mrs Ann Jones ym mynwent Llanddeiniolen.

Dau frawd fwriwyd i farw – yn ieuanc
Yn y dawel erw,
A'r fam ddyfal, o'i galw,
A gaed yn awr gyda nhw.

58

Gwahanol fersiynau o'r englyn coffa i Gwallter Llyfnwy.
i a ii
'Manylder Cyfewin R. Williams Parry', Prys Morgan, yn *Y Genhinen,* Cyf. XXII, Rhif 4, Gaeaf 1972, t. 33.

i

Tua'r Brifwyl yr hwyliwn, – ei phabell
A'i phibau a garwn;
Difiwsig a difosiwn
Yw'r di-'steddfod dywod hwn.

ii

I'r Brifwyl gynt yr hwyliwn, – a chwrdd hwyr
Ei cherddoriaeth farnwn;
Difiwsig wyf, difosiwn:
Gwae'r di-'steddfod dywod hwn!

iii

Heddiw, Awst 1937, t. 40.

I'r Brifwyl gynt yr hwyliwn, – ei phabell
A'i phibau a garwn;
Difiwsig wyf, difosiwn:
Gwae'r di-'steddfod dywod hwn!

iv

Yr Herald Cymraeg a'r Genedl, Ionawr 3, 1938, t. 2.

I'r brifwyl gynt yr hwyliwn, – ei phabell
A'i phobol a garwn;
Difiwsig wyf, difosiwn:
Gwae'r di-'steddfod dywod hwn.

59

Y Drysorfa, 1956, t. 64.

Cyfieithiad o englyn Pedrog 'Blodau'r Grug'. [Cyhoeddwyd yn wreiddiol yn y *Western Mail,* Ionawr 15, 1926, t. 8. Gw. Atodiad 3, Rhif 8.]

To the soft hot-house roses give
Gentility, prerogative;
To the brave heather out of doors
The bleak democracy of moors.

60

Y Drysorfa, 1956, t. 64.

Cyfieithiad o englyn Alafon 'Beddargraff Dr Roberts'. [Cyhoeddwyd yn wreiddiol yn y *Western Mail,* Ionawr 15, 1926, t. 8. Gw. Atodiad 3, Rhif 8.]

The country doctor here concealed
Full many a thousand sick he healed;
With that same skill, so wise and sure,
Behold a case he could not cure.

ATODIAD 2

Cyfres y Meistri 1: R. Williams Parry

Golygydd: ALAN LLWYD

(1979)

1

Papurau J. Maldwyn Davies yn Llyfrgell Genedlaethol Cymru, Aberystwyth.

Er Coffadwriaeth am Edith Wynn

(a gyfarfu â damwain, Awst 26, 1924)

Mor gu i'th dad a'th fam
Fu'th fwyn sirioldeb;
Mor sydyn fu dy lam
I dragwyddoldeb;
Mor drist dy fynd i ffwrdd
Heb air o ffarwel;
Mor hyfryd fydd ail-gwrdd
Mewn nefoedd dawel.

2

Cyfarchiad Priodas i Mr a Mrs R. Sylvanus Parry

Fe'th gofiaf di'n blentyn bach, Bob, yn y Dre',
Ar aelwyd Talafon yn hyfryd dy le;
Anwyldeb dy wyneb heb gysgod tristâd,
Yn falchder dy fam, ac yn drysor dy dad.

Fe'th gofiaf di eilwaith yn llanc yn y llu
Yn arwain dy rengau drwy'r dyddiau blin, du;
Yn ffefryn pob cwmni, yn llenwi pob lle,
Yn ffyddlon i'th wlad, ac yn driw i'r hen Dre'.

Fe'th welaf di heddiw yn dyner dy wedd
Yn arwain d'anwylyd i wynfyd a hedd,
A'th luniaidd gorff heinyf yn gryf fel y graig,
Yn falchder dy fam, ac yn drysor dy wraig.

3

Ni chyhoeddwyd y ddau englyn cyntaf o'r pedwar englyn canlynol yn *Barddoniaeth Robert Williams Parry;* gw. Rhifau 42 a 54, Atodiad 1.

Gwynfor

Ynddo nid oedd haen o dwyll; – agored
Ei gerydd i'r byrbwyll.
Brawd y beirdd, o barod bwyll;
Ie'n tad, enaid didwyll.

Pan fyddwyf, fardd penfeddal, – yn actio'n
Fy nicter fel rebal –
Mae'r dyn a'm dilyn i'm dal?
Mae eto neb i'm hatal?

Mynegai'i wedd, ai mewn gwg – ai boddiog
Y byddai, 'n bur amlwg:
Rhoddai drem ar dda a drwg
A'i galon yn y golwg.

Pan fo'r ffôl yn priodoli – im ar gam
Rigymau aneiri
O chwaeth amheus, chwith i mi
Am ddeifiol drem i'w ddofi.

4

[At John Davies, Llwyniolyn, Y Sarnau, ger Y Bala, ar ôl i R. Williams Parry adael yr ardal i fynd i'r Barri.]

Och! gyfaill, peidiwch gofyn – i mi'n awr
Am wên iach nac englyn;
Yn stŵr di-Dduw'r strydoedd hyn – 'rwy' o 'ngho':
O! mi allwn wylo am Llwyniolyn.

Dof yn ôl i Lwyniolyn
A'i goed a'i hedd gyda hyn,
Canys gwell yw cynnes gâr
Na duwiau trefydd daear;
I fryd mynyddig frodor
Gwell nentydd mynydd na môr,
A'r arogl oddi ar irwydd
Na sawr y gwymon y sydd.
Boed im lwybrau'r llethrau llon
A difyrrwch gwlad Feirion:
Gweld clogwyn a thwyn a tharth,
A bywyd yn y buarth,
Minnau'n ôl y Nadolig
A drof yn llawen i'th drig.

5

Y Ford Gron, Cyf. I, Rhif 10, Awst 1931, t. 22 dan y ffugenw *W.P.*; fe'i ceir hefyd yn llawysgrifen y bardd yng nghasgliad J. Maldwyn Davies o bapurau R. Williams Parry yn Llyfrgell Genedlaethol Cymru.

Yn y Bebis

(1890)

Ni wyddwn i fod ffwtbol
  Yn rhan o'r nefol drefn,
Nes clywed yn yr ysgol
  Am un *'which charge in heaven'*.
'Roedd hwnnw'n ôl yr hanes
  Yn gwthio ar hyd y gêm
A dwedai yr athrawes
  Mai *'Harold be thy name'*.

6

Y Ford Gron, Cyf. I, Rhif 11, Medi 1931, t. 20, dan y ffugenw *W. P. Plus,* a rhwng cromfachau, dan y teitl, 'Awgrymwyd gan "Yn y Bebis" yn *Y Ford Gron* ddiwethaf'.

Rhith a Dadrith

Ni wyddwn i y gallai,
  Mewn synagog na ffair,
Dyn serchog fod yn grintach –
  'Mwyngaled' ydyw'r gair –
Nes gweld bod llyfr Kate Roberts
  A chwrs y byd, heb os,
Yn tystio i'r gwirionedd
  Fod pobol glên yn glòs.

Ni wyddwn i y gallai
  Dyn fod yn Gristion gwir,
Yn dad a gŵr hawddgaraf,
  Os byddai'n yfed bir,
Nes gweld (i lanc hygoelus
  Bu'n drasiedi go drist)
Ar gip drwy ddrws y dafarn
  Y gorau ond Iesu Grist.

7

Stori Fer Wir

Ar sgwâr y pentref neithiwr
  Rhyw fugail ifanc syn
Gyfarchodd fy nghyd-deithiwr
  Â'r rhyfedd eiriau hyn:
'Dewch draw nos Iau i Seion –
  Mae'n rhatach na'r *White Horse.*
I'm gwesty a'm gwesteion
  Chwi fyddech foral ffôrs.'

Ar hyn fe welai'n nesu
  Ddyn sanctaidd iawn ei sŵn:
Os rhydd ei bres i'r Iesu
  Ni rydd mo'i faw i'r cŵn.
'Pe baech yn newid llefydd
  Mi ddawnsiwn,' meddai e.
'Gwna fwy o ddrwg i grefydd
  Na llanciau gwlypa'r lle.'

8

Cofia

Fy Austin bach, pan ddelo'r dydd
It fynd o'r hundy hwn yn rhydd
Ar b'nawn dydd Iau ein gorchest ni,
A chreu y rhych a fynnych di,

Cofia dy daid, sef Crossville Gawr,
A'i gorff chwyddedig yn 'sgubo'r llawr,
A gofyn beunydd gan y nef
Am lathen rhwng y wal ac ef.

Cofia dy nain, yr hen Goets Fawr,
Cyn i Facadam lyfnu'r llawr;
Pan wawdio'r moduron, na wrando'r rhain,
Ond cofia'r ffyrdd oedd ffyrdd dy nain.

Cofia dy fam a'i phryder hi
Yng ngolau dy gampau aneirif di;
A chofia beunydd mai dy grud
A yrrodd Leusa 'Ford' o'r stryd.

Cofia dy dad a'i feirniaid lu,
Fe gurodd er mor fychan fu;
A gofyn beunydd gan y nef
Am fonet uwch na'i fonet ef.

Cofia dy ddreifar os hyllt ei ben
Wrth droi dy drwyn yn erbyn men;
Cofia ei ddagrau pan ddêl gwŷs
I ddweud yr hanes yn y llys.

9

Cyfieithiad o 'Dirge in Woods' gan George Meredith.

Galarnad mewn Gwig

Y gwynt sigla'r pîn,
        Ac islaw
Nid oes awel na su;
Mud fel y mwsog a ran
Ei wyrddlesni rhwng priddlawr a ffin
Y noeth wreiddiau bob tu.
Ei feirw syrth o'r pren;
Maent yn dawel, tawelfor a'u todd;
Ond uwchben, ond uwchben,
Rhuthra bywyd fel to
O gymylau ar ffo.
        Hyn yw'n rhan,
Canys disgyn wnawn ninnau'n ddi-nodd
        Yr un modd
        I'r un man.

10

Y Dinesydd Cymreig, Hydref 1, 1924, t. 7. Englyn yn llawysgrifen y bardd ar glawr copi o *Yr Haf a Cherddi Eraill* i Phylip Thomas, Castell-nedd. Gw. hefyd *Barn,* Rhif 13, Tachwedd 1963, t. 4.

[I Mr Phylip Thomas]

Gŵr ddyry i gerddoriaeth – gynhaeaf
O ganeuon hiraeth,
Ac O! mwynha'r gwmnïaeth
Hudolus ffrwd ei lais ffraeth.

11

Cwpled a oroesodd ar lafar.

[I Kate Roberts]

Cafodd arf, ac o'i harfer
Ystyr fu i'r Stori Fer.

ATODIAD 3

Cerddi eraill na chyhoeddwyd mohonynt yn *Barddoniaeth Robert Williams Parry* nac yn *Cyfres y Meistri 1: R. Williams Parry*

Casglwyd gan ALAN LLWYD

1

Ni chyhoeddwyd y cywydd canlynol erioed o'r blaen, ac ni chynhwyswyd mohono yn y llyfryddiaeth yn *Dawn Dweud: R. Williams Parry*. Tybiwyd cyn hyn mai'r cywydd 'Efo'r Sant ar Fore Sul' a chywydd 'Y Bwrdd Billiards' (gw. Atodiad 1, Rhifau 2 ac 8) oedd y cywyddau cynharaf o waith Williams Parry i oroesi, y ddau yn perthyn i'r flwyddyn 1905, ond gellir yn awr ychwanegu'r cywydd canlynol atyn nhw. Darganfuwyd y cywydd gan T. Emyr Pritchard wrth iddo baratoi'r gyfrol ar R. Williams Parry ar gyfer y gyfres Bro a Bywyd. Dododd Williams Parry y cywydd yn ei law ei hun yn albwm ei chwaer, Dora, ym 1906, a chan wyres Dora, Mrs Gwenfair Aykroyd, Y Bala, perchennog yr albwm, y cafodd T. Emyr Pritchard y cywydd. Ysgrifennwyd y cywydd yn yr albwm gyferbyn â llun o hen forwr. Teitl Saesneg yn unig sydd i'r cywydd.

The Old Sea-dog

'Welwch chi bryd difalch, braf
Y gorhwyliog ŵr haelaf?
Mewn glas gôb, a mwyn glos gwyn,
Bywiog yw ymhob gewyn.

Beiddio ymlaen heb ddim lol
Wna'r hen forwr anfarwol;
Mae ar droi i dramor drig,
Drwy'r môr draw i'r Amerig,
'N dra siriol dros y Werydd
I weled rhwysg y wlad rydd.

Hwn a ddwg yn hawdd ddigon
Ei bwrs bras yn ddi-bres bron:
Wedi ei faith daith trwy des
O du'r India a'r Andes,
Nid hir y ceidw'i arian:
Gwaria ei log ar y lan,
A'i gan punt â'n ddigon pell
Ar ôl agor ei logell.

Ond awn i'r llong: dyna'r lle
Daw'r hen ŵr i'w drin ore,
Pan chwery a deffry'r don
Ddyri agwrdd yr eigion.
Diofn y rhed i fyny'r rhaff,
Mwy siriol na dim seraff,
Pan fo'r llif yn genllif gwg
A'i donnog ael dan gilwg,
Ac ar ei lanw creulonwedd
Aml y bu yn ymyl bedd.

Nesáu i wyro mae'i seren;
Ni weithia'n awr: aeth yn hen.

2

Y Goleuad, Awst 4, 1916, t. 7. Englyn i gyflwyno ffon yn rhodd ffarwél i Evan Hughes, am ei wasanaeth i'r Ysgol Sul yng nghapel Pembroke Terrace, Caerdydd.

[Cyflwyno Ffon]

Er myned o rai mwynion – ar y daith;
Er dwyn hen gyfeillion
Hyd ryfedd rydau'r afon,
Evan Hughes gaiff *use* y ffon.

3

Y Dinesydd Cymreig, Ebrill 30, 1919, t. 8.

[Ar Briodas John Evan Thomas a Mary Ivey]

Mary deg ym more'i dydd – a gerddodd
I gwrdd â'i diddanydd;
Heulog odidog yw dydd
Ei phriodas â'i phrydydd.

Mae John yn ei ogoniant – yn nwthwn
Ei neithior a'i nwyfiant:
Dewch, flagur a fflur, â phlant,
A chyfeiliwch ei foliant.

Yr adar sy'n llafar gerllaw, – ac acen
Y gwcw, ond gwrandaw:
Os bu yn drist a distaw
Heddiw yw y dydd y daw.

Cyfarchwn lawen bennill – i'w hir oes;
Boed y rhan sy'n weddill
Yn llawen faes llawn o fill,
A'u llwybr dan friallu Ebrill.

4

Western Mail, Rhagfyr 2, 1921, t. 6; cyhoeddwyd hefyd yn *Magazine U.C.N.W.,* Rhagfyr 1922, t. 5. Detholiad o Gywydd 'Yr Eira' ('Ni chysgaf, nid af o dŷ . . .'), ond dylid nodi fod amheuon ac anghytundeb ynghylch ei briodoli i Ddafydd ap Gwilym; bu'r cywydd yn destun sawl dadl rhwng ysgolheigion, rhai yn ei briodoli i Ddafydd ap Gwilym, eraill yn ei wrthod.

The Snow
(From the Welsh of Dafydd ap Gwilym)

A captive under my own roof
I may not now but live aloof.
There is nor field nor ford nor hill
Where I may wander at my will.
This night I'll trust no maiden's vows
To force her footprints out of house,
For God, He makes of every wight,
In this drear month, an eremite;
The earth's dark medley, with His mood,
Is bleached to soft similitude.

5

Western Mail, Rhagfyr 2, 1921, t. 6; cyhoeddwyd hefyd yn *Magazine U.C.N.W.,* Rhagfyr 1922, t. 5. Ni phriodolir y cywydd enwog hwn ('Yr alarch ar ei wiwlyn . . .') i Ddafydd ap Gwilym bellach.

The Swan (From the Welsh of Dafydd ap Gwilym)

Thou art like none in habit save
Most like a surpliced abbot grave;
Thou art more fair than is the flow
Of headlong waters seen like snow.
Two gifts are thine, for thou hast skill,
Afloat or flying, at thy will.
When thou dost fish, thou beauty bright,
Thy fishing-rod's thy neck so white.
God gave thee leave for life to take
Thy levy from Yfaddon Lake.

6

Y Cerddor Newydd, Ebrill 1923, t. 33. Cyfieithiad o 'Divine Redeemer' (Gounod).

O fy Nwyfol Brynwr

O! Dduw, na thro fi draw: rho'th ras i'm calon euog;
O! Dduw, na thro fi draw: rho'th ras i'm calon euog;
Clyw Di fy nghri; clyw Di fy nghri: fy Iôr, gwêl Di fy ngwae.
Ateb fi oddi fry; brysia, Dduw, o fy mhlaid,
A moes dy hedd yn fy nwfn drallod,
A moes dy hedd yn fy nwfn drallod.
Na thrawer fi â chledd dialedd, er haeddu dy ddicter, O Dduw!
Dal fi rhag ofnau, o'th drugaredd; atat Ti dy hun mae fy nghri.
O fy nwyfol Brynwr! O fy nwyfol Brynwr!
Erfyniaf dy faddeuant, ac anghofia Di, anghofia Di, fy mai.
Maddeuant, O fy nwyfol Brynwr! Erfyniaf dy faddeuant,
Ac anghofia Di, O! Dduw, fy mai.

Nos ar fy enaid drig: arnat dyrchafaf lef:
Tyred i'm nerthu, Iôr! Tyred, Iôr, tyrd i'm nerthu!
Clyw fy nghri; clyw fy nghri: arbed, Iôr, yn dy dostur!
Clyw fy nghri; clyw fy nghri: tyrd i'm cadw, O Dduw!
O fy nwyfol Brynwr! O fy nwyfol Brynwr! Erfyniaf dy faddeuant:
Ac na chofia Di, na chofia Di, O! Dduw, fy mai.
Arbed pan ddelo dydd dialedd; rhag tranc cadw fi, O fy Nuw!
Rho, fy nwyfol Brynwr, drugaredd: dal fi, f'Achubwr!

7

Y Dinesydd Cymreig, Tachwedd 12, 1924, t. 8.

Mam Hiraethus

Hiraethais, llesgeais, gwn; – O! fy mab,
Yn fy myw ni pheidiwn;
O! Dduw Iôr, os bai oedd hwn,
I mi maddau: mam oeddwn.

8

Western Mail, Ionawr 15, 1926, t. 8. Ceir cyfieithiadau o bedwar englyn enwog yn y rhifyn hwn o'r *Western Mail.* Cynhwyswyd 3 yn Atodiad 1, Rhifau 52, 59 a 60. Yr englyn nas cynhwyswyd oedd englyn David Price (Dewi Dinorwig), 'Newid Byd'.

Weariness

Weary am I of this world's toys:
Be all its homage and its joys
To whoso loves them; in my eyes
Better the tomb and paradise.

9

'Rhagor o Friwfwyd Gweddill o Fwrdd Robert Williams Parry', R. Geraint Gruffydd, *Y Casglwr,* Rhif 17, Awst 1982, t. 5. Cyhoeddwyd y coralau hyn yn wreiddiol yn *Bach's Extended Chorales,* Gol. W. G. Whittaker, Gwasg Prifysgol Rhydychen, a gyhoeddwyd mewn ugain rhifyn rhwng 1927 a 1929.

[O eiriau gan Nicholas Herman]

Am i Ti ddod i'r lan o'r bedd,
O'r bedd dof innau i fyny;
'Rwyt Ti'n dy nef ar ôl i'th gledd
Ddileu holl deulu'r fagddu;
Lle byddych Di y byddwyf byth,
Tu fewn i'r nef y gwnaf fy nyth:
Mi af ymlaen dan ganu.

10

[O eiriau gan Elisabethe Cruciger]

Bywha ni, Iôr tragywydd,
Cysura ni â'th wên;
Rho ynom anian newydd
Fel byddo marw'r hen.
Na foed ein myfyrdodau
Am ddim ond rhyfeddodau
Dy holl ddaioni Di.

11

[O eiriau gan Johann Heermann]

O fythol-ffyddlon Dduw,
Ffynhonnell pob daioni,
Cynhaliwr pob peth byw
Ac Arglwydd llawn haelioni;
Rho iechyd gwiw i'm cnawd,
I'm henaid llwm nid llai;
Pa beth sydd well na ffawd?
Cael calon heb un bai.

12

[O eiriau gan Johann Herman]

Ti'n unig biau'r moliant,
  Ti'n unig biau'r clod.
Ymgrymwn mewn addoliant
  I'r Hwn sy'n trefnu'r rhod,
Nes wedi blino ar bechu
  A phleser o bob rhyw
Y cawn dragwyddol lechu
  Yn sanctaidd fynwes Duw.

Gan hynny bydded arnom
Yn ôl dy lân ewyllys.

Chwi Gristionogion, molwch
  Yn llafar ac yn llon;
A'i enw Ef addolwch
  Y newydd flwyddyn hon.

13

[O eiriau gan Balthasar Schnurr]

O Dduw gwirionedd glân,
  Na'th welodd cnawd heb fraw,
Onid ataliodd Crist
  Rym dy ofnadwy law?
O ystyr friwiau'r hoelion dur,
Y bicell fain a'r creulon gur,
  Ac er ei fwyn dod i ni
  Drugaredd o'n mawr gyni.

14

[O eiriau gan Martin Luther]

Duw, yn dy ras rho arnom ni
  Dy fendith gu yn gawod;
Llewyrched d'wyneb arnom ni,
  Bydd inni'n noddfa barod,
Fel byddo trist farwolion byd
  Oll wedi'u llwyr feddiannu,
Ac Iesu Grist a'i aberth drud
  I'r pagan wedi'i gannu
  Yn destun mawl a chanu.

Dewch, molwch Dduw, ein Hiôr di-goll!
  Drigolion llawr, gwybyddwch:
Fe roes ei fendith arnom oll
  Gan wahodd i'w ddedwyddwch.
Dy fendith, Dduw, y Mab a'r Tad!
  Goleua ni, O Ysbryd Glân!
Dy glod atseinia'n ddi-leihad,
  A'r ddaear gyda'r nef a gân,
Cydganwn hyfryd Amen.

15

[O eiriau gan Martin Rinkart]

Cydgenwch 'Iddo Ef',
  Ein hollalluog Lywydd.
Dyrchefwch hyd y nef
  Anthemau yn dragywydd.
Trwy oriau'r nosau du
  Tywysodd ni â'i law;
Rhyfeddol oedd a fu,
  Rhyfeddach fydd a ddaw.

16

[O eiriau gan Paul Gerhardt]

O'm bodd, fy Nuw, dof atat Ti,
Gan bwyso ar dy gariad.
Recit. (Fel hyn y dywaid f'enaid drud,
Pan edrydd gariad pur, di-drai
Y maith ffyddlondeb ni leiha.)
O dwg fi a bydd gymorth im
Nes hed f'anadliad olaf.
Recit. (Da, da y gwn mai gwynfydedig
fyddaf mwy, a'm gwaeau oll
a'm dwys ofidiau i gyd o'th fawr
drugaredd a ddibennir.)
Boed i'th ewyllys f'arwain mwy,
A llwyddo f'holl ymdrechion.
Recit. (Fel pan ddêl terfyn f'einioes y rhof i Satan glwy,
A'th farnu, Iôr, yn fythol deilwng mwy.)
Dy enw mawr uwch nef a llawr
Ddyrchafaf yn dragywydd.
Recit. (Fel bo i'm calon drwy'th gyfeillach
Oddi wrth bob ofn ymysgwyd mwyach,
A chanu gydag euraid delyn
Anthemau T'wysog Heddwch uwchlaw gelyn.)

17

[O eiriau gan Samuel Rodigast]

A wnelo'r Arglwydd, cyfiawn yw;
Y cwpan hwn a yfaf
I'r gwaelod chwerw tra fwy' byw,
Dim arall ni ddeisyfaf.
Fe'm deil y Gŵr yng ngrym y dŵr,
Ac yn ei gariad credaf,
Cans ynddo ymddiriedaf.

A wnelo'r Arglwydd, cyfiawn yw;
  Rhaid arnaf yw bodloni
Er gweled llawer gobaith gwyw
  A phoenau gwae yn cronni.
Fe'm cynnal gyda gofal tad;
  Mi laniaf yn ei freichiau,
  Fy Mhrynwr mawr a'm Meichiau.

18

[O eiriau gan Johann Rist]

Nawr mi wn mai Cariad ydwyt
  A'th fod wedi maddau'n llwyr;
Mae d'addewid gadarn, Arglwydd,
  Imi'n gysur fore a hwyr.
Hyd y dyrys lwybrau blinion
Nid anghofi'r pererinion.
I gadwedig deulu'r ffydd
Bythol wynfyd nef a fydd.

19

[O eiriau gan David Deneck (?)]

Rhof glod i Dduw gan hynny,
  Rhof glod tra byddwy' byw;
Fy llais a yrr i fyny
  Ddiddiwedd glod fy Nuw.
I'r Drindod bur, ddi-lyth
  A'i bendith sydd dragywydd,
  I'r hollalluog Lywydd
Boed clod a bery byth.

20

[O eiriau gan Johannes Olearius]

Mae llysoedd nef yn llawn
  O fawl ein Duw bendigaid;
A ninnau uno wnawn
  Yn hyfryd gân seraffiaid.
Ei foliant yn gytûn.
  Cydganed nef a llawr:
Gogoniant Tri yn Un
  I dragwyddoldeb mawr.

21

[O eiriau gan Kaspar Fuger]

Haleliwia! Haleliwia!
I Dduw y bo'r mawl.
Cydganed pobloedd byd
Ei fythol foliant.
Mab Duw a ddaeth
I roddi'r caeth
Yn rhydd byth bythoedd mwy:
I Dduw bo'r moliant.

22

[O eiriau gan Martin Jahn)

Iesu drud, difyrrwch dynion,
  Gwrthrych gwiw ein clod a'n mawl,
Hedeg atat wnawn yn union
  Fry i'r digreëdig wawl.
Gair ein Duw, enynnaist ynom
Dân dyhead, fel y mynnom
Geisio datrys pethau cudd
'Gylch yr orsedd ddisglair sydd.

Gobaith fydd i ni'n adenydd:
  Clywch bereiddiaf nodau'r rhai
Sydd yn yfed o lawenydd
  Y ffynhonnau pur, di-drai.
Eiddynt hwy bob gwiw hyfrydwch,
Eiddynt hwy dragywydd glydwch,
Ti a roddi i bob un
O'th dangnefedd dwfn dy hun.

23

[O eiriau gan Johann Graumann]

Gogoniant, clod, anrhydedd
  I'r Tad a'r Mab a'r Ysbryd Glân:
Clodforwn mewn unfrydedd
  Yr Hwn a ddyry'n ddiwahân.
Y ffydd yn Nuw a feddwn
  A ddaeth ag ef i'n plith;
Ei enw anrhydeddwn
  Am oesoedd rif y gwlith.
Ar gadarn Dduw ein tadau
  Y bwriwn bob rhyw bwn,
A seiniwn bêr ganiadau
  O glod i'r dwthwn hwn.

24

[O eiriau gan Justus Jonas]

Mae grym gelynion ar bob tu
Recit. (Fel llewod â'u rhu yn fraw hyd gyrrau'r ddaear,
Didostur wae'n eu safnau anwar
Y truan gwael i ddifa.)
Boed clod i Dduw ein Cymorth cry'.
Recit. (Y Llew o Judah aeth â'r dydd)
Eu dichell ŵyr a'u llyfrdra;
Recit. (Fel sofl a chwâl y gwynt yr ânt,
Ond teulu'r ffydd ni syfl, ac yno ni lesgânt.)
Ei gynllun a'u goresgyn hwy,
I'w holl gynllwynion dyry glwy.

Recit. (Broffwydi gau,
Duw a'u difetha;
Â sanctaidd lid
Fe'u llwyr ddilea;
Eu dwfn anwiredd a'u condemnia.)
A'u pechod nis diogela.

25

[O eiriau gan Paul Speratus]

Os berni droi o'i wyneb draw
  Na foed it ddigalonni,
Cans pan ymddengys bellaf draw
  Y mae wrth law i'th lonni:
Gan hynny cymer gysur gwir,
A phan fo drom y nos a hir
Gwybydd daw'r wawr ohoni!

26

[O eiriau gan Martin Luther]

Ti, Iôr, a folwn ni.
Recit. (Ti, Ti sy'r Flwyddyn Newydd hon
Yn rhoi bendithion ar ein pen bob ennyd,
Ac eraill sydd ynghadw gennyd.)
Dduw Iôr, rhown fawl i Ti.
Recit. (Am nawdd dy wyneb cu
Drwy'r flwyddyn hen a aeth
I'n hannwyl wlad a'n teyrnas, lle ni ddaeth
Na newyn 'chwaith na phla, na rhyfel hyd i'w thraeth.)
Dduw Iôr, rhown fawl i Ti.
Recit. (Tydi sydd dirion Dad,
O'th ras diderfyn
Bob bore daw i ni fendithion mad.
Ag ufudd wedd, O raslawn Dduw,
I Ti penliniwn mewn addoliant,
Yn llafar fel y lli
O galon wir mewn salm o fawl):
Iôr, diolch wnawn i Ti.

27

[O eiriau gan Johann Heerman]

Pa ofn yw hwn, fy nghalon?
Paham y byddi brudd?
Rho bwys dy holl ofalon
Ar ein Immanuel;
Ac ynddo'n unig cred
Cans byth ni 'mad oddi wrthyt,
Ond saif yn ffyddlon wrthyt,
Ac wrth dy ystlys rhed.

28

[O eiriau gan Lazarus Spenger]

Yr hwn obeithia yn yr Iôr
  Ni chollir yn dragywydd,
Cans dyma'r graig ym merw'r môr
  Nas syfl na thon na thywydd.
Erioed ni welais dan y sêr
  Y cyfiawn yn cardota.
Rho gred yn Nuw: dy Geidwad yw,
  Dy Dŵr a'th Nawdd parota'.

29

' 'Alltud' R. Williams Parry', E. Wyn James, *Barddas,* Rhifau 176/177, Rhagfyr 1991/Ionawr 1992, t. 35. Fe'i cyhoeddwyd yn wreiddiol yn *Old Welsh Folk-Songs,* Gol. W. S. Gwynn Williams, 1927. Awgrymir gan E. Wyn James mai addasiad Cymraeg o eiriau Saesneg gan H. Idris Bell oedd 'Cân yr Alltud'.

Cân yr Alltud

Draw mae dyffryn uchel, unig
  Lle rhed afon ar ei gro;
Na ŵyr namyn ambell fugail
  A'r cornicyll am y fro.
Nid oes gochni'r criafol yno,
  Na blodeuyn bach yn byw;
Cnul y storom ar y bryniau
  Ydyw'r miwsig ar y clyw.

'Nawr mae'r cwmwl maith yn orchudd
  Dros bob clogwyn, bryn a phant;
'Nawr didostur ydyw'r heulwen
  Lysg y frwynen ger y nant.
'Nawr i ddeffro'r bore hwyrdrwm
  Fe ddaw'r gwcw ar ei hynt,
Neu gwynfanus furmur dyfroedd
  Ar adenydd llaith y gwynt.

Eto dychwel calon glwyfus,
  Yn yr alltud yma sydd
Yn dihoeni dan flinderau
  Hyd ystrydoedd dinas bur,
I ddistawrwydd eangderau
  Moel y mynydd di-ystôr
Lle mae dyffryn llwm â'i wyneb
  Ar dymhestlog, anial fôr.

30

Baner ac Amserau Cymru, Ionawr 17, 1928, t. 4.

Cyfarch Priodas Prosser Rhys

Canlynaist ferch o'r Gogledd,
Dilynaist ferch o'r De,
Ond merch o Geredigion
O'th fodd a'th drodd i dre'.
Boreddydd eich breuddwydion
A baro'n hir brynhawn:
Eich Gwaed o hyd yn Ifanc,
A'ch atgo'n felys iawn.

31

Mynwenta, Gomer M. Roberts, 1980, t. 55. Englyn ar garreg fedd Mary Jones (Hydref 1897 - Ionawr 1945), priod Huw Jones, Llwyniolyn, ym mynwent Cefnddwysarn, Penllyn, Meirionnydd.

Mae hiraeth ar ôl Mary – yn y Cefn,
Enaid cu pob cwmni;
Ba archoll oedd ei cholli
I bawb a'i hadnabu hi!

32

Barddas, Rhifau 92/93, Rhagfyr 1984/Ionawr 1985, t. 1. Cafwyd y soned ar dudalen flaen copi ail-law o *O Gors y Bryniau,* Kate Roberts, a brynwyd gan Gwilym Griffith, Casnewydd, Gwent, â'r dyddiad Mai 1925 uwch ei phen.

I'm Noddwr a'm Cyfaill Mr Owen Jones i Gofio am Aml i Sgwrs Ddifyr

Dy fore'n hardd ar fryniau Meirion fu,
  A'th fyd yn euraid ar rodfeydd y wlad,
Heb arlliw tristwch, heb un cwmwl du,
  Yn frenin bach yn heddwch fferm dy dad;
Ond cefnaist ar lonyddwch pêr dy fro
  I lunio'th fyd yn nwndwr dinas oer;
Daeth croesau a drycinoedd yn eu tro,
  Fel cymyl du dros wyneb gwyn y lloer.
Er hyn ni chollaist y gyfrinach bêr
  Sy'n aros ar y bryn pan syrth y nos:
Mae iti swyn wrth oedi dan y sêr,
  I wrando'r troellwr unig ar y rhos;
A theimlo'th ysbryd am ryw ennyd fach
Yn un ag ysbryd mawr y bryniau iach.

33

Barddas, Rhif 154, Chwefror 1990, t. 4. Englynion gan R. Williams Parry er cof am Richard Rowlands, tad Kate Ellen Rowlands, gwrthrych y gerdd 'Geneth Fach'. Bu farw Richard Rowlands ar Chwefror 14, 1917. Cyhoeddwyd yr englynion yn ysgrif T. Emyr Pritchard, 'Geneth Fach a'i Chefndir', t. 4. Cyhoeddwyd yr englynion yn wreiddiol ar gerdyn coffadwriaeth Richard Rowlands. Cyfeirir at Kate Ellen, 'yr 'eneth fach', yn y trydydd englyn.

[Er Cof am Richard Rowlands]

Marwolaeth a ddaeth i'w ddwyn, – ŵr annwyl,
Ar riniog y gwanwyn;
Wedi mynd mae'r enaid mwyn
O reddf a thymer addfwyn.

Glân ei galon a gwylaidd – fu efe,
O fywyd dichlynaidd;
Gŵr diddig, boneddigaidd,
Trwy hir oes gŵr triw i'w wraidd.

'Rôl croesi'r lli, ddidwyll ŵr, – dwy fraich fwyn
Dy ferch fach a'th Brynwr
A gefaist yn dy gyfwr'
O dir sy deg dros y dŵr.

34

' 'Osborne Druan!': Gohebiaeth R. Williams Parry a Leila Megane', E. Wyn James, *Taliesin,* Cyf. 99, Hydref 1997, t. 37. Cyhoeddwyd cyfieithiad R. Williams Parry o gerdd Shelley, 'A widow bird sate mourning for her love', gyda cherddoriaeth T. Osborne Roberts, mewn taflen a gyhoeddwyd gan gwmni Snell, Abertawe: *A Widow Bird (Aderyn Gweddw): Song (Cân).* Ni cheir dyddiad cyhoeddi ar y daflen ond cofrestrwyd yr hawlfraint gan Snell ym 1934.

Aderyn Gweddw

Aderyn gweddw wylai
  Ar noeth, aeafol frig;
Ymlusgai'r awel oer uwchben,
  A rhewai ffrwd y wig.

Nid oedd na deilen yn y goedwig lom,
  Na blodyn llwyd gerllaw,
Na sŵn ond sŵn 'rolwyn drom
  Yn dod o'r felin draw.

35

Ibid., t. 38. Cyfieithiad R. Williams Parry o'i gywydd 'Y Mynydd'. Cyhoeddwyd y gerddoriaeth o waith Osborne Roberts ynghyd â'r geiriau Cymraeg a Saesneg ar ffurf taflen gan gwmni Curwen, Llundain, dan y teitl *Y Mynydd/The Mountain (An Impression of Nature).* Ni cheir dyddiad cyhoeddi ar y daflen, ond cofrestrwyd yr hawlfraint ym 1934.

The Mountain

Sad, sad is eve on the lake,
Sunset and silence hover
O'er it in mirthless concord,
And lovers' boats now are beach'd.
The waving reeds on the marge
Sigh the sad dirge of daylight;
Afar the falling waters

Sound a muffled, mournful toll.
Mute the songs of vanish'd day
Upon the darkling mountain.
Mournful are the songs of night,
The cataract its music,
Cries of birds that love the gloom,
And strange sighings at sundown.

36

Ibid., t. 40 a t. 42. Cwpled i'w roi ar garreg fedd T. Osborne Roberts, ar gais ei briod, Leila Megane. Anfonwyd y cwpled gan R. Williams Parry at Leila Megane mewn llythyr dyddiedig Medi 22, 1948, a chyfieithiad Saesneg diwygiedig o'r cwpled mewn llythyr dyddiedig Ebrill 28, 1949.

Fel y feiol ei fywyd,
Yn dân ac yn gân i gyd.

His life was like the violin,
Full of fire and song within.

Nodiadau ar y Cerddi

Dwy Gymraes:

Cyhoeddwyd y gerdd dan y teitl 'Y Weddw' yn y *Western Mail,* Awst 6, 1924, t. 6. Ceir fersiwn arall ohoni ymhlith papurau J. Maldwyn Davies yn Llyfrgell Genedlaethol Cymru, a rhwng cromfachau dan y teitl, 'Fy Mam'. Dwy wedd ar ei fam, Jane Parry, a geir yn y gerdd, y naill ohoni yn ei hieuenctid a'r llall ohoni yn ei henaint.

Y Gylfinir:

Un gymhariaeth estynedig yw'r gerdd. Mae'n dychmygu mai bugail yw'r gylfinir, oherwydd ei chwiban, ac mai'r cymylâu yw praidd y bugail hwn a'r pedwar gwynt yn gŵn defaid iddo. Mae'n fwy na phosibl fod dylanwad pedair llinell gan Shelley, o'i gerdd hir *Prometheus Unbound,* ar ddelwedd ganolog ail bennill y gerdd hon:

> We wandered, underneath the young grey dawn,
> And multitudes of dense white fleecy clouds
> Were wandering in thick flocks along the mountains
> Shepherded by the slow, unwilling wind.

Y Sguthan:

Ym mynwes Coed y Mynydd Du: treuliodd R. Williams Parry y flwyddyn 1912-1913 yng Nghefnddwysarn, Penllyn, Meirionnydd, lle bu'n ysgolfeistr ysgol gynradd y Sarnau. Yng Nghefnddwysarn y mae Coed y Mynydd Du. Cyfeirir at Goed y Mynydd Du yn 'Y Tylluanod' yn ogystal: 'Y gwynt o Goed y Mynydd Du'.

Ac megis Lleu Llaw Gyffes Gynt/ Ni fedd a'th laddo ond un dull: un o brif gymeriadau Pedwaredd Gainc y Mabinogi yw Lleu Llaw Gyffes, mab Arianrhod a'i brawd Gwydion trwy losgach, yn ôl yr awgrymiadau a geir yn y chwedl. Ni ellir lladd Lleu ond mewn un modd: ni ellir ei ladd mewn tŷ nac allan, ar farch nac ar droed; byddai'n rhaid treulio blwyddyn yn paratoi'r waywffon a fyddai yn ei ladd, a hynny tra byddid ar yr aberth ddydd Sul yn unig; byddai'n rhaid iddo hefyd fod yn sefyll ag un troed ar gefn bwch a'r llall ar ymyl cerwyn wedi'i leoli dan gronglwyd. Mae'r sguthan mor anodd i'w lladd â Lleu.

Y Llwynog (1):

Digwyddiad a phrofiad gwirioneddol sydd y tu ôl i'r soned. Un o'r 'drindod faen' oedd Dr R. Alun Roberts, naturiaethwr a darlithydd yn Adran Amaethyddiaeth Coleg Prifysgol Gogledd Cymru, Bangor, pan luniwyd y soned. Ym 1926 fe'i penodwyd yn Ddarlithydd Annibynnol yn Adran Botaneg Amaethyddol y Coleg, ac yn Athro'r Adran honno ym 1945. Dr R. Alun Roberts oedd y 'cyfaill ar fudo o'r mynydd i'r pentref' y cyfeirir ato yn y cywydd 'Glan-y-gors'. Meddai R. Alun Roberts am y soned (*Cyfres y Meistri 1: R. Williams Parry,* t. 318):

> Un cof am y bardd Williams Parry – soned 'Y Llwynog'. Mynd wedi te yn yr hen gartref ar gyda'r nos Sul hyfryd yng Ngorffennaf – y 'drindod faen' yn y soned, sef y bardd ei hun, fy nghefnder Richard Thomas – Dic Cae'r Ffridd i ni – a minnau, a dod ar draws y llwynog ar ochr Y Graig Goch

uwchlaw Cwm Dulyn. Minnau pan welais y soned yn gofyn i'r bardd pam y peidiodd â sôn am Charlie, yr hen *Irish wolfhound* oedd gyda ni yn hen gi musgrell a llesg. 'O, am na wna'th o ddim sylw o'r llwynog,' meddai'r bardd, 'heb sôn am geisio 'mosod arno na'i ddal.'

Ym mhen isaf Dyffryn Nantlle y mae Cwm Dulyn.

Adref:

Fel y 'ddigrifawdl', 'Yr Hwyaden', mae'r soned hon yn ymwrthod ag awdl 'Yr Haf' yn ogystal â'r canu rhamantaidd a geid yng Nghymru yn ystod dau ddegawd cyntaf yr ugeinfed ganrif. Lleolid llawer o gerddi'r mudiad rhamantaidd yn y canol-oesoedd. Mae'r llinell olaf yn hynod o debyg i linell gan Francis Brett Young (1884-1954), o'i gerdd 'The Leaning Elm': 'There is no day for thee, my soul, like this'.

Y Ceiliog Ffesant:

Cymharer yr ail linell â'r pennill hwn o eiddo Andrew Young yn ei gerdd 'Late Autumn':

But I thought not once of winter
Or summer that was past
Till I saw that slant-legged robin
With autumn on his chest.

Pantycelyn:

Soned i'r emynydd mawr, William Williams, Pantycelyn (1717-1791), ac un o sonedau cynharaf R. Williams Parry. Clywed un o emynau Pantycelyn yn cael ei ganu yng Nghapel Pembroke Terrace, capel y Methodistiaid yng Nghaerdydd, a'i hysbrydolodd i lunio'r soned. At 'organ reiol' y capel hwnnw y cyfeirir yn benodol, ac at y capel ei hun y cyfeiria 'Rhwng muriau'r demel'. Arferai darlun o Bantycelyn grogi ar wal ystafell wely R. Williams Parry pan oedd yn blentyn yn Rhiwafon, Tal-y-sarn, ac at y darlun hwnnw y cyfeirir yn yr ail linell.

Trafodwyd y soned gan Williams Parry ei hun. Dywedodd 'fod gan Bantycelyn gymaint o ran yn y soned ag sydd gennyf fi fy hun'. 'Gelwais ef yn bererin am ei fod ef ei hun yn dweud mai dyna oedd . . . Pererin wyf mewn anial dir. Yr oedd yna bererinion eraill yng Nghymru yn ei amser ef; nid oedd y bardd crwydrad wedi llwyr ddarfod â bod a chaffai hwn groeso ym mhlasau'r boneddigion. Ond nid felly Williams: nid oedd ef yn un o'r Glêr.'

Mae'r soned yn frith o gyfeiriadau at waith Pantycelyn. 'Mae gan Williams,' meddai R. Williams Parry eto, 'lawn cymaint o ran yn y soned . . . ag sydd gennyf innau; e.e. ymadroddi fel 'llwyd eu gwedd', 'ar ddyrys daith', 'tu yma i'r bedd', 'Jiwbil', 'Anwylyd hardd', 'nad adnabu dyn', 'deheuwynt ir', 'pomgranadau'r Tir'.' Gw. *Cyfres y Meistri 1: R. Williams Parry,* tt. 319-320.

Y mae dylanwad Shelley ar y llinell 'Fel lloer ddigartref rhwng lluosowgrwydd sêr'. Ceir y llinell 'Wandering companionless/ Among the stars that have a different birth' gan Shelley yn ei gerdd 'To the Moon'. 'Fel lloer ddigwmni rhwng lluosowgrwydd sêr' a geid gan R. Williams Parry yn wreiddiol, ond dileodd 'digwmni' gan fod y llinell yn dilyn Shelley yn rhy glòs.

Brynsiencyn:

Cywydd er cof am John Williams, Brynsiencyn, Môn (1854-1921), gweinidog gyda'r Methodistiaid Calfinaidd. Bu iddo ran allweddol yn y weithred o ffurfio'r Fyddin Gymreig ar ddechrau'r Rhyfel Mawr, a bu ef ei hun yn gaplan mygedol iddi. Safai'n gryf o blaid y Rhyfel, ac anerchodd gyfarfodydd lawer i geisio darbwyllo bechgyn ifainc Cymru i ymuno â'r Fyddin. 'Roedd ganddo lais cryf, huawdl. Cafwyd y syniad o ymgom rhwng y Golomen a'r Gigfran yn *Llyfr y Tri Aderyn* (1653) Morgan Llwyd. Cyferbynnu rhwng y person byw nerthol a'r person marw llonydd a mud a wneir yma, gan gyflwyno amheuon R. Williams Parry ynghylch bywyd ar ôl marwolaeth. 'Roedd John Williams yn ddyn tal, gosgeiddig, urddasol, a meddài ar bersonoliaeth gref, ond darostyngwyd ef yn llwyr gan angau. Nid oedd yn ddim bellach. Mae'n arwyddocaol fod y cywydd yn dilyn 'Y Bedd' yn *Yr Haf a Cherddi Eraill.* Yn *Llyfr y Tri Aderyn,* cynrychioli'r sant a wna'r Golomen, yn un peth, a'r gigfran yn cynrychioli'r anghrediniwr. R. Williams Parry fel anghrediniwr sy'n llefaru yn y rhannau sy'n pwysleisio terfynoldeb marwolaeth.

Gellid darllen y cywydd ar lefel arall yn ogystal, sef fel dychan ar John Williams Brynsiencyn fel rhyfelgi, ac o'i ddarllen felly, condemnir ei gyd-weinidogion a'i gyd-grefyddwyr ar yr un pryd, y rhai a fu'n dyner ohono, ac a garai ei utgorn o lais, utgorn a oedd yn annog bechgyn ifainc Cymru i ryfela.

Gwanwyn:

Gellir cymharu'r gerdd hon â'r pennill hwn o eiddo W. H. Davies, o'i gerdd 'The Dumb World':

I cannot see the short, white curls
  Upon the forehead of an Ox,
But what I see them dripping with
  That poor thing's blood, and hear the axe;
When I see calves and lambs, I see
  Them led to death; I see no bird
Or rabbit cross the open field
  But what a sudden shot is heard;
A shout that tells me men aim true,
  For death or wound, doth chill me through.

Cantre'r Gwaelod (1 a 2) ac Araith Seithenyn:

Tynnwyd y tair cerdd hyn o awdl R. Williams Parry ar y testun 'Cantre'r Gwaelod', awdl a enillodd iddo gadair Eisteddfod Myfyrwyr Colegau Bangor, Gŵyl Ddewi 1908, dan feirniadaeth Syr John Morris-Jones. Seiliwyd yr awdl ar y chwedl am foddi tir Gwyddno Garanhir, oherwydd esgeulustod Seithenyn feddw, ceidwad y llifddorau a amddiffynnai'r ddinas rhag y môr. Ceir yr awdl yn ei chrynswth yn Atodiad 1, Rhif 5.

Mae Hiraeth yn y Môr:

Mae'n bosibl fod dylanwad soned gan Thomas Hood, 'Silence', ar agoriad y soned hon:

There is a silence where hath been no sound:
  There is a silence where no sound may be;
  In the cold grave – under the deep, deep sea,
Or in the wide desert where no life is found.

Y Gwynt (2):

Talhaearn: Talhaearn Tad Awen, bardd o'r chweched ganrif nad oes dim o'i waith wedi goroesi.

Yr Iberiad:

Yr Iberiaid oedd trigolion Prydain cyn y Celtiaid yn ôl haneswyr poblogaidd dechrau'r ugeinfed ganrif, ac O. M. Edwards yn eu mysg. Pobl bryd-tywyll a byr o ran corffolaeth oedd yr Iberiaid. Bwriadai R. Williams Parry lunio cerdd hir ar y thema ar un adeg. Mae'r gerdd yn croniclo'i ymateb i fyw ym Mhenllyn ym 1912-1913. Cymer yr Iberiad fel symbol o ddyn sy'n byw'n un â natur, ac â phridd y ddaear, sef yr hyn y ceisiai Williams Parry ei hun ymgyrraedd ato yn ystod y cyfnod y lluniwyd y gerdd.

Glan-y-gors:

Dr R. Alun Roberts oedd y cyfaill hwn a oedd ar fudo o'r mynydd i'r pentref (pentref Llanllyfni). Gw. y nodyn ar 'Y Llwynog' (1). 'Roedd ffermdy Glan-y-gors yn ymyl cartref R. Silyn Roberts, cyfaill mawr arall i R. Williams Parry. Safai cartref Silyn Roberts, Bryn Llidiart, ar Ben Cymffyrch (y cyfeirir ato yn 'Y Mynydd a'r Allor'), ar lechwedd Cwm Silyn, ar yr ochr i Ddyffryn Nantlle a wynebai bentref Tal-y-sarn. Wrth odre Pen Cymffyrch y mae pentref bychan Tanrallt lle ceir capel Methodistaidd, ac ar y trum uwchben y capel y mae Glan-y-gors.

Edward Ffoulkes:

Un o gyfeillion pennaf R. Williams Parry yn ystod ei gyfnod yn athro Cymraeg a Saesneg yn ysgol sir Llanberis, 1908-1910, oedd Edward Ffoulkes (1850-1917), goruchwyliwr chwarel wrth ei swydd, gŵr diwylliedig ac un o arloeswyr cynharaf y soned Gymraeg, gyda'i gyfieithiad o 'Ozymandias' Shelley ym 1883. Talodd Williams Parry deyrnged i'w gyfaill ar ffurf soned, yn briodol ddigon. Merch Edward Ffoulkes oedd Anne neu Annie Ffoulkes, golygydd y flodeugerdd boblogaidd a dylanwadol yn ei dydd, *Telyn y Dydd* (1918).

Gwragedd:

2. Englynion a luniwyd ar achlysur priodas John Evan Thomas a Mary Ivey a geir yn Atodiad 3, Rhif 3.
3. Bu farw Ellen Owen, priod Dr Robert Owen, Bodnant, Pen-y-groes, ar Hydref 21, 1916. Englyn er cof amdani hi a'i gŵr, Dr Robert Owen, a fu farw ar Ragfyr 1, 1925, yw Rhif 29, Atodiad 1.
4. Chwaer i fam R. Williams Parry oedd Catherine Evans, a fu farw ar Fawrth 6, 1916. Fe'i claddwyd mewn storm o eira ar Fawrth 9. Nid oedd R. Williams Parry yn bresennol yn yr angladd, ac mae'n debyg mai gan ei fam y cawsai'r hanes. Gw. ' 'I'r Addfwyn rhowch Orweddfa' ', T. Emyr Pritchard, *Barddas,* Rhif 244, Rhagfyr/Ionawr/Chwefror 1997 – 1998, tt. 42-44.

Geneth Fach:

Kate Ellen Rowlands, merch Richard a Catherine Jane Tynyfawnog, Tal-y-sarn, oedd yr eneth fach yn y gerdd hon. Bu 28, 1909, ar ôl bod ar wyliau yn Aberdaron, Llŷn, gyda'i mam. Y Pritchard, ewythr Kate Ellen, 'Tarawyd hi yn sydyn â'r *appendicitis* pan yn chwareu ar y tywod ar lan-y-môr. Er gwaethaf ymdrechion llaw-feddyg o Liverpool, y *nurses,* a phob gweinyddiad dichonadwy, llithrodd rhwng ein dwylaw wedi cystudd a dioddef ofnadwy . . . am yn agos i naw wythnos, yn 13 oed' (*Trysorfa y Plant,* Medi 1910, t. 239). Dywedodd ei hewythr hefyd amdani: 'Meddai lais swynol, a llawer gwobr enillodd am ganu'. Cf. 'Pan ddifyr ganai fel y gog'.

Cyhoeddwyd 'Geneth Fach' yn *Y Faner,* Gorffennaf 17, 1924, t. 5, bymtheng mlynedd ar ôl ei marwolaeth, fel y dywedir yn y gerdd. Gw. ymhellach 'Geneth Fach a'i Chefndir', *Barddas,* Rhif 154, Chwefror 1990, tt. 1-4.

Yr Haf:

Awdl fuddugol cystadleuaeth y Gadair yn Eisteddfod Genedlaethol Bae Colwyn, 1910, awdl esthetig, ramantaidd, ac un o gerddi pwysicaf cyfnod Rhamantaidd dau ddegawd cyntaf yr ugeinfed ganrif. Patrymwyd yr awdl o ran mydryddiaeth ar awdl 'Gwlad y Bryniau', T. Gwynn Jones, a enillodd Gadair Eisteddfod Genedlaethol Llundain ym 1909. Cafodd R. Williams Parry fenthyg copi o awdl T. Gwynn Jones cyn iddi gael ei chyhoeddi, ac efelychodd un o fesurau Gwynn Jones yn yr awdl honno, mesur y rhoddwyd yr enw 'Mesur Llundain' arno, sef cyfuniad o ddau gwpled cywydd a phedair llinell hir-a-thoddaid. Am ddylanwad cyfieithiad John Morris-Jones o benillion Omar Khayyâm ar yr awdl hon, gw. y rhagymadrodd. Teflir peth goleuni ar yr awdl gan yr hyn a ddywedodd R. Williams Parry yn ei ysgrif 'The Summer of Love' a gyhoeddwyd yn *The Magazine of U.C.N.W.,* 1911. Meddai (t. 20):

> Thus we have three perspectives of summer, three conditions of the mind of man. First, we have the Passing of Summer, and its tendency to pessimism: secondly, the Summer of Love, with its agnostic indifference to the past and the future, and lastly, the Evergreen Summer, the summer of the optimist who has learnt the lesson of hope. The first and second must ever resolve themselves into the third, for the Summer of Love will in time give place to the Passing of Summer, and will complete the cycle in the hope of the Evergreen Summer.

Dychan ar ddullwedd ac ieithwedd yr awdl hon, a cherddi rhamantaidd eraill yn yr un cywair, yw'r awdl 'Yr Hwyaden'.

Llewelyn Williams:

Soned goffa i W. Llewelyn Williams (1867-1922), gwleidydd, hanesydd, newyddiadurwr ac eisteddfodwr. Addysgwyd Llewelyn Williams yng Ngholeg Llanymddyfri a Choleg y Trwyn Pres (Brasenose), Rhydychen. 'Roedd yn un o aelodau cynharaf Cymdeithas Dafydd ap Gwilym yn Rhydychen, a lluniodd Syr John Morris-Jones gywydd iddo ar achlysur ei briodas. ('Cywydd Priodas', *Caniadau,* 1907, tt. 49-54). Llewelyn Williams oedd golygydd cyntaf

The South Wales Post, papur newydd yn Abertawe, ond trodd at y gyfraith ym 1897. Hanesydd a gwleidydd oedd Llewelyn Williams yn bennaf, er iddo gael ei ddyrchafu yn fargyfreithiwr. Cyhoeddodd un gyfrol o ysgrifau ar hanes, *The Making of Modern Wales* (1919), a chyhoeddodd, yn ogystal, dri llyfr Cymraeg. Etholwyd ef yn Aelod Seneddol dros Fwrdeistrefi Caerfyrddin ym 1906, a chadwodd ei afael ar y sedd honno hyd at 1918. 'Roedd yn gryf o blaid Datgysylltu'r Eglwys ac Ymreolaeth i Gymru. 'Roedd Llewelyn Williams ('Llwydfryn' oedd ei enw gorseddol) yn eisteddfodwr brwd ac yn Gadeirydd Cymdeithas yr Eisteddfod o 1915 hyd at ei farw ym 1922. Areithiai'n gyson oddi ar y Maen Llog.

Cefnogodd y Rhyfel Mawr i ddechrau, er ei fod yn heddychwr wrth reddf, ond newidiodd ei feddwl a thorrodd bob cysylltiad â D. Lloyd George a'r Rhyddfrydwyr a'i cefnogai. 'Roedd Llewelyn Williams yn un o'r tri Rhyddfrydwr Cymreig a fwriodd bleidlais yn erbyn Mesur Gorfodaeth, a ddaeth i rym ym mis Ionawr 1916, mesur yr oedd Lloyd George yn frwd o'i blaid. Collodd lawer o'i boblogrwydd o achos iddo wrthwynebu'r Rhyfel a gwrthwynebu Lloyd George. Safodd yn erbyn ymgeisydd o'i blaid ei hun, Ernest Evans, a gefnogid gan Lloyd George, yn is-etholiad Aberteifi ym mis Chwefror 1921, cymaint oedd ei atgasedd tuag at y Prif Weinidog, ond nid Llewelyn Williams a enillodd y sedd.

Cyhoeddwyd teyrnged ddienw i Llewelyn Williams yn y *Western Mail,* Ebrill 24, 1922, t. 6, ddeuddydd ar ôl ei farwolaeth. Mae'r deyrnged honno yn tystio i'w frwdfrydedd eirias, ac i'r ffaith ei fod yn wael yn ystod ei ymgyrch i ennill sedd Sir Aberteifi yn is-etholiad 1921 ('Felly, a'i wedd heb lesgedd fel o'r blaen'):

> His ardent temperament and powerful intellect rendered him of necessity a conspicuous figure in any movement which he espoused and in most cases a tower of strenth also . . . Himself an eager and industrious student of many phases of national existence, he possessed also an apparently inexhaustible fund of enthusiasm in public enterprises of various kinds. His candidature in the Cardiganshire bye-election was one of the most strenuous episodes of his life: it was undertaken when his health was failing, and when he knew the physical risks he was venturing. It is difficult even for those who were most opposed to the opinions which he disseminated to with-hold a tribute of admiration of his self-consuming zeal in a public cause.

Talodd Syr Vincent Evans deyrnged i'w gyfaill yn *Y Geninen,* a thynnodd sylw at ei huodledd (cf. 'Huodledd rhyfedd') wrth areithio ('Llewelyn Williams, K.C. (Llwydfryn)', *Y Geninen,* Cyf. XL, Rhif 4, Hydref 1922, t. 187): 'Gallai ddyrchafu i bwynt uchel o hyawdledd, er gwaetha' llais oedd ar brydiau yn ansoniarus; ac ennillai wrandawiad pryd bynag yr ymaflai o ddifrif yn ei bwnc'.

Un trosiad estynedig yw'r soned, a disgrifir troeon gyrfa Llewelyn Williams drwy'r ddelwedd o haul yn codi yn danbaid ac yn frwd, yn treulio prynhawn brenhinol, llachar, yna, gyda'r Rhyfel Mawr, ac 'Anniddig osteg adar drwy y tir', yn cilio dan gwmwl, yn union fel yr aeth gyrfa Llewelyn Williams dan gwmwl, ond wedyn, wrth fachlud, gwelwyd eilwaith ei hen ogoniant a'i hen ysblander. 'Cyn ei farw, adenillodd Llewelyn Williams y poblogrwydd a gollasai yn ystod y rhyfel,' meddai R. Williams Parry yn ei sylw ar y gerdd yn *Yr Haf a Cherddi Eraill.*

Y Ddrafft:

Ceir sylwadau ar gefndir y soned hon, a luniwyd yn ystod cyfnod y bardd yn y Fyddin, gan gyfaill i R. Williams Parry, Hugh Hughes. Treuliodd 'Gunner' R. Williams Parry y cyfnod o fis Ebrill 1917 hyd at fis Mehefin 1918 yn ysgol gadetiaid y Royal Garrison Artillery ym Mornhill, Caer-wynt (Winchester), ac am y cyfnod hwnnw y sonia Hugh Hughes wrth drafod cefndir y soned (' 'Oriau Gofir a Gefais' ', *Cyfres y Meistri 1: R. Williams Parry,* tt. 43-44):

> Yn fyr, dyma ydoedd: pan fyddai cannoedd lawer o'r bechgyn wedi eu lladd a'u clwyfo yn y rhyfel, anfonid cannoedd o'r bechgyn cryfaf, iachaf, harddaf i lenwi'r bylchau, 'i Ffrainc, i'r Aifft, i Ganaan, i hir hedd', yn ôl y soned. Byddai dau neu dri o fandiau pres, band ffliwtiau, cotbibau etc., wedi eu rhannu yma ac acw ymhlith y cannoedd milwyr druain, er mwyn codi eu calonnau a'u hysio i ryfel. Yr oedd y ddrafft yn cynhyrfu'r bardd. Gwelais ef fwy nag unwaith yn edrych yn ddifrifol wrth weld yr hogiau'n tyrru o gwmpas y bwrdd du i weld a oedd eu henwau ar restr y ddrafft.

Mater Mea:

'Fy mam' yw ystyr y teitl. Mae'r soned yn ein hatgoffa am y llinellau hyn gan Shelley, o'i gerdd 'Stanzas Written in Dejection Near Naples':

> Some might lament that I were cold,
> As I, when this sweet day is gone,
> Which my lost heart, too soon grown old,
> Insults with this untimely moan.

Gorffwys:

Ac yna geilw'r utgorn, mingorn mawr: cyfeiriad at Gywydd y Farn Fawr, Goronwy Owen:

> Wrth ei fant, groywber gantawr,
> Gesyd ei gorn, mingorn mawr . . .

In Memoriam:

Aelod o'r Corfflu Meddygol oedd Dr Raymond Jones. Fe'i lladdwyd yn Ffrainc ar Orffennaf 10, 1916. Aeth Tom Elwyn Jones, *Naval Instructor,* i lawr ar y llong *Defence* ym mrwydr Jutland, Mai 31, 1917. 'Roedd yn un o gyd-fyfyrwyr R. Williams Parry ym Mangor.

Hedd Wyn:

Enw barddol Ellis Humphrey Evans (1887-1917), y bardd o'r Ysgwrn, Trawsfynydd, Meirionnydd, oedd Hedd Wyn. Fe'i lladdwyd ar Orffennaf 31, 1917, ym mrwydr Cefn Pilkem, Fflandrys, brwydr agoriadol Trydydd Cyrch Ieper (Ypres). Fe'i claddwyd ym Mynwent Artillery Wood, Boezinge. Cwblhaodd ei awdl 'Yr Arwr' rywbryd cyn Gorffennaf 15, 1917, a'i hanfon o bentref Fléchin, ar y ffin rhwng Ffrainc a Gwlad Belg, i gystadleuaeth y Gadair yn yr Eisteddfod Genedlaethol, a gynhelid y flwyddyn honno yn Birkenhead. Dyfarnwyd awdl Hedd Wyn yn orau gan feirniaid y gystadleuaeth. Yn ystod defod y cadeirio, ar Fedi 6, gorchuddiwyd y Gadair â chwrlid du, a galwyd yr Eisteddfod honno yn Eisteddfod y Gadair Ddu byth wedi hynny.

Mae trydydd englyn ail ran y gerdd yn adleisio dau bennill cyntaf y penillion a geir gan Elis Wynne o'r Lasynys (1671-1734) ar ddiwedd 'Gweledigaeth Angeu yn ei Frenhinllys Isa' yn *Gweledigaetheu y Bardd Cwsc* (1703), sef y penillion 'Ar y Dôn a elwir *Leaveland*, neu *Gadel y Tîr*':

Gadel tir, a gadel tai
(Byr yw'r rhwysg i ddyn barhau);
Gadel pleser mwynder mêl,
A gadel uchel achau.

Gadel nerth a thegwch pryd,
Gadel prawf a synnwyr ddrud;
Gadel dysg a cheraint da,
A phob anwyldra'r hollfyd.

John Alfred:

Lladdwyd John Alfred Griffith ar Dachwedd 28, 1917, chwe wythnos wedi iddo ymadael â Thal-y-sarn.

Robert Einion:

Cyfyrder i R. Williams Parry oedd Robert Einion Williams, ar ochr ei fam. Cofrestrodd yn wrthwynebwr cydwybodol adeg y Rhyfel Mawr, ond ymunodd â'r Corfflu Meddygol, y R.A.M.C. Canmolwyd Robert Einion gan y Fyddin am ei ddewrder eithriadol yn achub anafusion mewn brwydr a ymladdwyd ar Fedi 20, 1917, a chyflwynwyd y Fedal Filwrol iddo am ei wrhydri ym 1918. Mae'r llinell 'Yn arwr ieuengoed' yn cyfeirio at y gwroldeb hwn. Yn ymyl pabell cymorth cyntaf yr oedd Robert Einion pan drawyd ef gan dân-belen, a'i ladd, ar Fedi 19, 1918, yn saith ar hugain oed. Nid oedd ar ddyletswydd ar y pryd. Aeth i ymweld â chlwyfedigion yr ysbyty maes ac i ymuno â nhw mewn gwasanaeth crefyddol. Claddwyd Robert Einion ym mynwent Sucerie, Ablain, St. Nazaire, ger Arras. Mewn llythyr at E. Morgan Humphreys, golygydd *Y Genedl Gymreig,* ar Dachwedd 5, 1918, o A. A. Station, Billericay, Essex, dywedodd R. Williams Parry mai Robert Einion 'oedd y llanc mwyaf *chivalrous* a dilychwin ei gymeriad a gyfarfûm erioed'. Gw. 'Y Tyner Robert Einion', T. Emyr Pritchard, *Barddas,* Rhif 241, Mehefin/Gorffennaf 1997, tt. 10-12.

Ysgolhaig/ Ef a'i Frawd:

Bu farw Ail Lifftenant R. P. Evans, Melin Llecheiddior, Eifionydd, o'i glwyfau yn Ffrainc, ar Ebrill 11, 1917; bu ei frawd yntau, Pt. O. E. Evans, hefyd farw o'i glwyfau yn Ffrainc, ar Hydref 20, 1917. 'Roedd Robert Pritchard Evans yn gyfaill i R. Williams Parry yn Eifionydd ac yng Ngholeg y Brifysgol, Bangor. Arferent grwydro'r Lôn Goed gyda'i gilydd. Mae'r englyn 'Ef a'i Frawd' ar y maen coffa mynor i'r ddau ym Mynwent Eglwys Llanfihangel-y-Pennant yng Nghwm Pennant.

Dysgedigion:

Ar ôl cyflwyniad cyffredinol yn rhan gyntaf y gerdd sy'n pwysleisio terfynoldeb marwolaeth y tri dysgedig, ceir englyn yr un er cof amdanyn nhw yn yr ail ran, ac yn y drydedd ran dethlir anfarwoldeb y tri, gan y byddant yn fyw yng nghof ac yn hiraeth anwyliaid a chyfeillion. Mae'r gerdd, felly, yn symud o farwolaeth i anfarwoldeb o ryw fath. Enwir lle a oedd yn gysylltiedig â phob un o'r tri ym mhob englyn yn yr ail ran, gan gyferbynnu rhwng y mannau cynefin hyn a'r ffaith eu bod ynghladd mewn gwlad estron.

Bu farw Tom Roberts, gwrthrych yr englyn cyntaf, o'i glwyfau yn Ffrainc ar Hydref 11, 1918, ac fe'i claddwyd ym Mynwent Brydeinig Bucquoi Road, ger Arras. Bu farw Joseph Richard Joseph hefyd o'i glwyfau yn Ffrainc, yn 27 oed. Bu yng Ngholeg y Brifysgol ym Mangor rhwng 1908 a 1912, ac felly 'roedd yn cyd-oesi ag R. Williams Parry yno, gan mai ym 1907-1908, ac eilwaith ym 1910-1911 y bu R. Williams Parry yn fyfyriwr yn y coleg.

Pan gyhoeddwyd yr englynion hyn am y tro cyntaf, dan y teitl 'In Memoriam', yn *The Welsh Outlook,* Cyf. VI, Rhif 64, Ebrill 1919, t. 89, rhoddwyd dyfyniad o Lyfr Du Caerfyrddin uwch y gerdd, 'Yng Nghoed Celyddon y darfuan' '. 'Eu cledd yng Nghoed Celyddon/ Rwygodd Ddraig y ddaear hon' oedd trydedd linell yr englyn cyntaf yn y drydedd ran yn wreiddiol.

Mab ei Dad:

Unig fab Thomas Shankland (1858-1927), llyfryddwr, hanesydd, gweinidog gyda'r Bedyddwyr a llyfrgellydd cynorthwyol yng Ngholeg Prifysgol Gogledd Cymru, Bangor, 1905-1925, a gofféir gan y ddau englyn hyn. Lladdwyd Llewelyn ap Tomos Shankland ym mrwydr Bourlon Wood, a enillwyd oddi ar yr Almaenwyr ar Dachwedd 23/24, 1917, rhan o frwydr fawr Cambrai, Tachwedd 20 – Tachwedd 30, 1917. Yn ôl 'Roll of Honour' y *Western Mail* (Tachwedd 30, 1917, t. 5): 'Lieutenant Llewelyn Ap Thomas Shankland, only son of the Rev. Thomas Shankland, librarian of University College, North Wales, Bangor, was wounded on November 24, and died on the following day, aged 26'. Englynion i'r tad yw Rhif 27, Atodiad 1.

Milwr o Feirion:

Bu farw Thomas Jones, Cwm Main, Penllyn, 'Tom yr Hendre' fel y'i gelwid yn lleol, mewn ysbyty yng Nghaeredin ar Awst 27, 1916, 'Roedd Williams Parry yn ei adnabod yn ystod ei gyfnod yng Nghefnddwysarn, Penllyn, Meirionnydd, 1912-1913. Cymerodd Tom Jones ac R. Williams Parry ran yn y ddrama *Asgre Lân* gan R. G. Berry a berfformiwyd gan gwmni drama lleol yn ystod cyfnod R. Williams Parry yng Nghefnddwysarn.

Y Ddôl a Aeth o'r Golwg:

Mae'r gerdd yn mynegi ymateb cymhleth R. Williams Parry i'r modd y difethwyd harddwch naturiol, hud, rhamant a chwedloniaeth bro ei febyd gan y diwydiant chwareli. Ardal chwarelyddol oedd Tal-y-sarn, Dyffryn Nantlle, Arfon, a gweithid saith chwarel yno unwaith. Un o'r rhain oedd chwarel y Gloddfa Glai, neu Chwarel Coed Madog. 'Roedd tomen rwbel y Gloddfa Glai yn ymyl cartref R. Williams Parry yn Nhal-y-sarn, Rhiwafon, Station Road. Cysylltir ardal Dyffryn Nantlle â Phedair Cainc y Mabinogi.

Lleu Llaw Gyffes yn y Bedwaredd Gainc a roddodd i'r dyffryn ei enw (Dyffryn Nantlleu yn wreiddiol). Ar ben coeden yn Nantlleu y daeth Gwydion o hyd i Leu ar ffurf eryr. 'Merch Pebin o Ddôl Pebin yn Arfon' oedd Goewin, troed-forwyn Math, brenin Gwynedd.

Dylid cymharu'r gerdd ag 'Eifionydd' a 'Dyffryn Nantlle Ddoe a Heddiw'. Yn Eifionydd, ac wrth gerdded y Lôn Goed yno, y gallai R. Williams Parry ymdeimlo â rhin y gorffennol, ac ni allai wneud hynny mwyach yn ei 'ddyffryn diwydiannol'.

Eifionydd:

Arferai Williams Parry aros gyda modryb iddo, cyfnither i'w fam, ar fferm Hendrecennin yn Eifionydd (y cwmwd sy'n ffinio â Llŷn, ac yn ymestyn o gyffiniau Pwllheli hyd at gyffiniau Porthmadog) pan oedd yn blentyn, ac âi yno ar ambell ymweliad pan oedd yn fyfyriwr yng Ngholeg Prifysgol Gogledd Cymru, Bangor. Mae fferm Hendrecennin yn terfynu ar y Lôn Goed. Gw. ymhellach, am gysylltiadau R. Williams Parry ag Eifionydd, 'Mae Yno Flas y Cynfyd', T. Emyr Pritchard, *Barddas,* Rhif 226, Chwefror 1996, tt. 6-8.

Mae 'Eifionydd' mewn mannau yn adleisio'r pennill hwn gan Shelley:

Away, away, from men and towns,
To the wild wood and the downs –
To the silent wilderness
Where the soul need not repress
Its music, lest it should not find
An echo in another's mind,
While the touch of Nature's art
Harmonizes heart to heart.

Cf. 'Away, away, from men and towns' – 'O olwg hagrwch Cynnydd', 'Draw o ymryson ynfyd/ Chwerw'r newyddfyd blin', ac 'I lan na thref nid arwain ddim'; 'To the wild wood' – 'llonydd y Lôn Goed'; 'To the silent wilderness' – 'Y tawel gwmwd hwn'; 'An echo in another's mind' a 'Harmonizes heart to heart' – 'gydag enaid hoff, cytûn'.

Rhwng dwy afon yn Rhos-lan: Afon Dwyfor ac Afon Dwyfach.

Blwyddyn:

Treuliodd R. Williams Parry flwyddyn gyfan yng Nghefnddwysarn, Penllyn, Meirionnydd, 1912-1913, yn ysgolfeistr ysgol gynradd Y Sarnau. Gadawodd y cyfnod hwn ei ôl arno, a bu'n edifar ganddo ymadael â'r lle i fynd i ddysgu yn Y Barri, gan ildio i uchelgais ei dad a'i gyfaill Silyn i gael swydd deilyngach iddo na gweithio mewn ysgol gynradd. Cyfeirir at y cyfnod hwn ym Mhenllyn, ac at leoedd ym Mhenllyn, mewn sawl cerdd o'i eiddo, er enghraifft ' 'Trem yn Ôl' '.

Clychau'r Gog:

Mae'n bosibl fod dylanwad un o gerddi Thomas Hood (1799-1845) ar bennill cyntaf a thrydydd pennill y gerdd hon:

How sweet the sound of village bells
When on the undulating air they swim!
Now loud as welcomes!
Faint, now, as farewells!

Mae'r ymadrodd 'mudion glychau Mai' yn ddyledus hefyd, o bosibl, i'r llinellau hyn o eiddo'r bardd o Wyddel, Francis Ledwidge (1887-1917), o'i gerdd 'The Lost Ones':

> And white bells of convolvulus on hills
> Of quiet May make silent ringing.

Tylluanod:

Mae'n fwy na thebyg mai 'Winter', William Shakespeare, oedd cynsail y gerdd hon:

> When icicles hang by the wall
> And Dick the shepherd blows his nail,
> And Tom bears logs into the hall,
> And milk comes frozen home in pail;
> When blood is nipt, and ways be foul,
> Then nightly sings the staring owl
> Tuwhoo!
> Tuwhit! tuwhoo! A merry note!
> While greasy Joan doth keel the pot.
>
> When all around the wind doth blow,
> And coughing drowns the parson's saw,
> And birds sit brooding in the snow,
> And Marian's nose looks red and raw;
> When roasted crabs hiss in the bowl –
> Then nightly sings the staring owl
> Tuwhoo!
> Tuwhit! tuwhoo! A merry note!
> While greasy Joan doth keel the pot.

Mae'r gerdd hefyd, o bosibl, yn adleisio'r hen bennill hwn, a briodolir i Owen Gruffydd, Bwlch Gwernog, Nantmor, o ddiwedd y ddeunawfed ganrif:

> Ceiliog bach Yr Wyddfa
> Yn canu ar y bryn;
> Hwyaid Aberglaslyn
> Yn nofio ar y llyn;
> Gwyddau Hafodg'regog
> Yn gweiddi 'wich di wach',
> A milgwn Jones Ynysfor
> Ar ôl y llwynog bach.

Yn ymyl Bryn'refail, Arfon, y mae pont Pen-llyn. Dani mae dŵr Afon Rhythallt yn llifo o Lyn Padarn. Mae ffermdy Llwyncoed rhwng pont Pen-llyn a phentref Cwm-y-glo, nid nepell o Lanrug. Mae'r llinell 'Ym Mhen-y-llyn yn Arfon ar fy nhro' yn 'Hen Lyfr Darllen' yn cyfeirio at yr un lle. Yng Nghefnddwysarn, Meirionnydd, y mae Ffridd y Llyn, a'r llyn, Llyn y Ffridd, yn ogystal â Choed y Mynydd Du (gw. 'Y Sguthan'). Mae Pont Aberglaslyn yn ymyl Beddgelert (nid nepell o Hafodgaregog yr hen bennill). Yn ymyl Llanfrothen, ym Meirionnydd, y mae Ynysfor, ac yno y trigai Capten John

Jones, mab Thomas Jones, person Trawsfynydd, a Jane ei wraig, merch Plas Brondanw yn Llanfrothen. 'Roedd John Jones yn enwog am ei gŵn hela. Dechreuodd hela â'i gŵn ym 1765, a pharhawyd y gwaith hyd at yn weddol ddiweddar. Cyfeiriwyd at gŵn hela Ynysfor yn y pennill hwn o'r bedwaredd ganrif ar bymtheg gan Richard Jones, Llanfrothen:

Tra cidwm mewn gelltydd, a cheinach mewn moelydd,
Bydd hela ar feysydd a nentydd yn nod;
Tra llwynog mewn maenor a dyfrgi yn Nwyfor
Bydd helgwn Ynysfor i'r goror yn glod.

Anghytgord:

Recordiwyd cyfweliad rhwng R. Williams Parry a dau gyfaill iddo, Thomas Parry a J. O. Williams, ar Chwefror 4, 1953, wedi i *Cerddi'r Gaeaf* ymddangos. Dywedodd iddo seilio'r gerdd hon ar brofiad gwirioneddol. Meddai: ' . . . profiad digon od ac iasoer hefyd. Mi glywais un tro fronfraith yn canu yng ngolau'r lloer, a hynny yn y bore bach, a finnau bob amser yn cysylltu cân bronfraith â goleuni haul y dydd. Rhywbeth rhyfedd ac annaturiol oedd o rywsut.' Gw. *Cyfres y Meistri 1: R. Williams Parry,* t. 178.

Gofuned:

Cf. 'K is for Kings', W. H. Davies:

No man that's blind
Has ears more quick to hear;
No man that's deaf and dumb
Has eyes more sharp and clear.

Dyfynnir y disgrifiad canlynol o un o brif nodweddion W. H. Davies fel bardd, o ddarlith a draddodwyd gan R. Williams Parry ar Davies, gan Bedwyr Lewis Jones yn *Dawn Dweud: R. Williams Parry* (t. 111): 'Nid yn unig y mae yn gallu gweld yr agos yn bell a'r pell yn agos, ond gall fynd allan gyda chlust y byddar a llygad y dall', ac yn ôl Bedwyr Lewis Jones, y frawddeg hon oedd 'cnewyllyn y delyneg', ond cyfeirio at y pennill uchod yr oedd Williams Parry, a'r pennill hwn oedd gwir gnewyllyn y gerdd.

Bardd yr Oed a'r Rhedyn:

Cf. y pennill:

Mae'n rhaid i ti gael daear las
O dan dy droed, a mynd i ma's
O'r byd sy'n llawn o bethau bas

â'r pennill hwn gan William Williams, Pantycelyn:

Dal fi fy Nuw, dal fi 'mhob man,
'Nenwedig dal fi lle'r wy'n wan;
Dal fi yn gryf nes mynd i ma's
O'r byd sy'n llawn o bethau cas.

Hen Lyfr Darllen:

Ym Mhenllyn Meirion, ac ym Maldwyn, do: cyfeirir eto at y flwyddyn a dreuliasai R. Williams Parry yng Nghefnddwysarn, 1912-1913 (cf. 'Blwyddyn' a ' 'Trem yn Ôl' '), ac at ei gyfnod fel ysgolfeistr Ysgol Oakley Park yn ymyl Llanidloes, Maldwyn, rhwng Mawrth a Rhagfyr 1921.

Ym Mhen-y-Llyn yn Arfon ar fy nhro: gw. y nodyn ar 'Tylluanod'.

Canol Oed:

Esboniwyd y llinell 'Y disgyn y dail yng nghoedwigoedd y sêr' gan R. Williams Parry ei hun yn y sgwrs rhyngddo a Thomas Parry a J. O. Williams y cyfeiriwyd ati eisoes: 'Fel y mae rhywun yn heneiddio nid yw'r golwg gystal, ac y mae llai o sêr i'w gweld yn ffurfafen y nos. Syniaf am ganol oed fel hydref bywyd, pryd y mae dail yn dechrau disgyn yn y coed a welwn o'n cwmpas'. Gw. *Cyfres y Meistri 1: R. Williams Parry,* t. 16.

Cyffes y Bardd:

Dylid cymharu'r gerdd hon â soned William Wordsworth, 'The World is too much with us':

The World is too much with us; late and soon,
Getting and spending, we lay waste our powers;
Little we see in Nature that is ours;
We have given our hearts away, a sordid boon!
This Sea that bares her bosom to the moon,
The Winds that will be howling at all hours
And are up-gather'd now like sleeping flowers,
For this, for everything, we are out of tune;
It moves us not – Great God! I'd rather be
A Pagan suckled in a creed outworn –
So might I, standing on this pleasant lea,
Have glimpses that would make me less forlorn;
Have sight of Proteus rising from the sea;
Or hear old Triton blow his wreathèd horn.

Y ferch o fro Eglwyseg: Myfanwy, priod R. Williams Parry, merch o Rosllannerchrugog. Merch T. Llewelyn Davies, brodor o Faldwyn, a'i briod Elizabeth oedd Elizabeth Myfanwy Davies (1898-1971), ac ar Orffennaf 4, 1923, y priodwyd R. Williams Parry a hithau. Saif Rhosllannerchrugog ar lethrau dwyreiniol bryniau Cyrn-y-brain, a thua chwe milltir i gyfeiriad y gorllewin ceir creigiau calch Eglwyseg, uwchben Dyffryn Llangollen. Cysylltir ardal Eglwyseg â thywysogion Powys, Bleddyn ap Cynfyn a'i ddisgynyddion, ac yn ardal Eglwyseg y ceir Piler Eliseg a godwyd tua 825 gan Gyngen fab Cadell, un o Dywysogion Powys, a fu farw tua 855, i'w daid Eliseg, neu Elisedd. Olion hen groes yw Piler Eliseg, a hon a roddodd yr enw Pant y Groes/ Glyn y Groes/ Valle Crucis i'r ardal. Mae'r llinell 'Hoffusach ei Phowyseg' yn cyfeirio at y cysylltiadau hyn â Phowys, ac at y ffaith mai brodor o Bowys oedd tad Myfanwy. Mae'r ffurf dafodieithol 'geniog' yn y llinell 'Gall hithau fyw ar geniog' yn rhoi ynganiad Myfanwy i'r gair yn ei Phowyseg naturiol hi ei hun, ond mae R. Williams Parry yn arddel y ffurf 'ceiniog' yn y gerdd wrth sôn amdano ef ei hun: 'A medraf fyw ar geiniog'. Ceir cyfeiriad at Eglwyseg gan I. D. Hooson, bardd o Rosllannerchrugog, yn y gerdd 'Y Malu', a luniwyd yn Awst 1940, adeg yr Ail Ryfel Byd:

Mae terfysg yng ngwersyll y sêr,
Ac oergri yn rhwygo'r nos;
Mae mynydd Eglwyseg yn fflam
A lluoedd y fall dros y Rhos.

Y Mynydd a'r Allor:

Treuliodd R. Williams Parry ychydig fisoedd yn ardal Morlaix yng ngogledd-orllewin Llydaw yn ystod gaeaf 1911-1912 ar gyfnod o ymchwil. Ym mlaenau Dyffryn Nantlle y mae Mynydd Talymignedd.

'Gorchestion Beirdd Cymru' 1773:

Blodeugerdd a gasglwyd gan Rys Jones o'r Blaenau (1713-1801), bardd a hynafiaethydd o Lanfachreth, Meirionnydd, ac a gynhwysai waith y cywyddwyr mawr, o Ddafydd ap Gwilym i Wiliam Llŷn.

Pagan:

Cerdd sy'n mynegi siom a dadrith R. Williams Parry mewn Dyn ac yn y ddynoliaeth yn gyffredinol yw hon. Fe'i lluniwyd ym 1938 pan oedd clymbleidiau o Gomiwnyddion, gweriniaethwyr, sosialwyr ac anarchwyr, ar y naill law, yn ymladd yn erbyn y Ffasgwyr, ar y llaw arall, yn Rhyfel Cartref Sbaen, a gwledydd Ewrop yn prysur symud i gyfeiriad rhyfel arall. Arweinwyr militaraidd y dydd, Franco yn Sbaen, Hitler yn Yr Almaen a Mussolini yn Yr Eidal, y tri unben Ffasgaidd mawr, oedd 'duwiau cig a gwaed . . . hyn o ddydd'. Addoli'r duwiau newydd hyn a wneid bellach gan baganiaid yr oes.

Adleisir sawl emyn, yn eironig, yn y gerdd, wrth bortreadu dyn fel addolwr dynion bellach, yn hytrach nag fel addolwr Duw. Mae 'anwadalwch dyn' yn yr ail linell, yn ogystal â llinell olaf y gerdd (i raddau, gan mai cyfeirio at linell gan Williams Pantycelyn a wneir yn bennaf), yn cyfeirio at emyn adnabyddus David Jones, Treborth:

Yr Arglwydd sydd yr un,
Er maint derfysga'r byd;
Er anwadalwch dyn,
Yr un yw Ef o hyd;
Y graig ni syfl ym merw'r lli.
'Nesáu at Dduw sy dda i mi'.

Cyfeirir at y pennill hwn gan Bantycelyn yn llinell olaf 'Pagan':

Mae'n para'n ffyddlon byth heb drai,
Ffordd bynnag try y byd,
A phe cymysgai tir a môr
Yr un yw 'Nuw o hyd.

Mae llinell gyntaf 'Pagan', 'Darfydded pob rhyw sôn', yn cyfeirio at y pennill hwn gan Bantycelyn:

> Darfydded canmol neb rhyw un,
> Darfydded sôn am haeddiant dyn;
> Darfydded ymffrost o bob rhyw –
> 'Does ymffrost ond yng ngwaed fy Nuw.

Mae'r gerdd hefyd yn adleisio 'Ofn' gan T. Gwynn Jones, un o'r cerddi *vers libre* cynganeddol a luniwyd gan Gwynn Jones rhwng 1935 a 1936, ac a gyhoeddwyd yn ddiweddarach yn *Y Dwymyn* (1944):

> "Onid oes un Duw,"
> meddai'r bardd na fedd ddim o dda'r byd,
> 'Yna, bydded un, canys hynny yw bodd dynion;
> un onid oes, yna, eu duw
> a luniant ar eu delw eu hunain,
> a'i ddelw a addolant,
> bawb fel y bo ei obaith;
> onid oes un Duw, y mae duwiau,
> a duwiau od oes, nid oes un Duw."

Fel dinistriwr ac fel difäwr gwareiddiad y syniai T. Gwynn Jones am ddyn yn 'Ofn':

> . . . ei gwrs fydd amheuaeth ac arswyd;
> ni wêl yn un man onid gelyn,
> trais a genfydd lle try,
> o dir a môr, a'r uchder maith;
> i hwn a'i lu ni bydd wybren las
> a'i glaned onid maes gelyniaeth;
> yntau a fyn er maint ei fost
> fwgwd, neu gell, fel na fygo
> o wehynnu ei wenwyn ei hunan.

Ceir trafodaeth lawn ar y gerdd yn *Y Grefft o Greu,* Alan Llwyd, 1997, tt. 281-293.

Y 'Steddfod:

Cynhaliwyd Eisteddfod Genedlaethol 1926 yn Abertawe.

Dyffryn Achor: dyffryn a oedd yn rhan o'r ffin ogleddol rhwng Jwda a Benjamin. Yn Nyffryn Achor y llabyddiwyd Achan a'i deulu, yn ogystal â'i anifeiliaid, ac wedyn eu llosgi, gan Josua. 'Am hynny y gelwir enw y fan honno Dyffryn Achor [sef trallod], hyd y dydd hwn' (Josua 7:26).

Drudwy Branwen:

Cefndir y gerdd hon yw Ail Gainc *Pedair Cainc y Mabinogi,* chwedl Branwen ferch Llŷr. Y drudwy yw'r aderyn a anfonodd Branwen at ei brawd Bendigeidfran i adrodd hanes ei thrueni yn Iwerddon wrtho dan law ei gŵr, Matholwch, a'i caethiwodd i'r gegin, a pheri i'r cigydd roi bonclust iddi yn feunyddiol. Yn ystod tair blynedd ei chaethiwed:

> . . . meithrin aderyn drydwen a wnaeth hithau ar dâl y noe gyda hi, a dysgu iaith iddi, a mynegi i'r aderyn y rhyw ŵr oedd ei brawd. A dwyn llythyr y poenau a'r amarch a oedd arni hithau. A'r llythyr a rwymwyd am fôn esgyll yr aderyn, a'i anfon parth â Chymru. A'r aderyn a ddoeth i'r ynys hon. Sef lle y cafas Fendigeidfran, yng Nghaer Saint yn Arfon . . .

Cerdd alegorïol yw hon am dynged a swyddogaeth y bardd, y bardd fel cludwr gwae ac fel yr un sy'n datgelu ei gwir gyflwr truenus i'r ddynoliaeth. Gellid dweud mai symbol o'r bardd yw'r aderyn drudwy, a Branwen, ar y llaw arall, yw'r ddynoliaeth ddioddefus a erlidir ac a orthrymir (Matholwch, gŵr Branwen, yw'r gorthrymwr yn y cyswllt hwn, a Bendigeidfran, brawd Branwen, yw'r un a ysgogir i achub cam Branwen, y ddynoliaeth). Y mae cysgod y meddylfryd rhamantaidd yn drwm ar y gerdd, a gellir ei chymharu ag awdl Hedd Wyn, 'Yr Arwr'. Cyfetyb Branwen i 'Ferch y Drycinoedd' yn yr awdl honno, sef y ddynoliaeth dan orthrwm, ac ysbryd gwarineb a chreadigolrwydd dynoliaeth, ac mae'r arwr yn yr awdl honno, ac yntau'n batrwm o'r Arwr Rhamantaidd, yn cyfateb i Fendigeidfran. Dilyn Shelley yr oedd Hedd Wyn. Yn *Prometheus Unbound* mae Prometheus yn cynrychioli'r chwyldroadwr, yr arwr gweithredol, ac Asia yn cynrychioli'r ddynoliaeth ddioddefus a'r gwerthoedd creadigol a wawdir gan natur ddistrywgar dyn. Yn *The Revolt of Islam* gan Shelley mae Laon a Cythna yn cynrychioli'r arwr a'r un a waredir ganddo.

Digrifwas adar byd: yn llythrennol, y drudwy fel dynwaredwr adar eraill, gallu'r aderyn i ddynwared cân adar eraill, ond yn drosiadol, y bardd, croesan a digrifwas y ddynoliaeth, hyn eto yn enghraifft o ddylanwad y canu rhamantaidd ar y gerdd. Mae'r syniad o'r bardd fel cyff gwawd yng ngolwg dynion yn thema ramantaidd. Mae'r syniad hwn o'r bardd fel digrifwas, fel hurtyn yng ngolwg y mwyafrif, yn dwyn i gof y gerdd 'L'Albatros' gan y bardd Ffrangeg Charles Baudelaire. Cymherir y bardd â'r aderyn hwnnw yn y gerdd. Yn ei deyrnas ei hun, sef yr wybren, mae'n dywysog, yn osgeiddig ac yn hyderus ei ehediad, ond pan fo'n cerdded ar fwrdd llong, fe'i gwawdir gan y llongwyr. Digrifwas yw'r aderyn yng ngolwg dynion: 'qu'il est *comique* et laid!' Felly hefyd y bardd. Fe geir yn 'Drudwy Branwen' y syniad o'r aderyn, sef y bardd, fel 'digrifwas adar byd' yn ogystal â'r llongwyr dwl, gwawdlyd, difater.

Dolurus ydyw'r rhain,/ Creithiog fel dwylo Crist: y tu ôl i'r gerdd y mae'r syniad o Franwen fel merthyr, fel y wraig egwyddorol sy'n gorfod dioddef gwawd ac erledigaeth gan y difater yn ein plith. Un o brif themâu R. Williams Parry yw fod yr enaid tosturiol, yr enaid sensitif, caredig, yr unigolyn a fyn warchod gwerthoedd mwyaf gwâr cenedl, neu'r ddynoliaeth yn gyffredinol, yn nannedd pob gwawd, gorthrwm a chreulondeb, yn gorfod dioddef. Mae'r sawl a fyn ei aberthu ei hun fel Crist, i achub eraill, yn gorfod dioddef, a'r 'eraill', y mwyafrif difater, a bair iddo ddioddef. Y rhai egwyddorol a hunan-aberthol yn ein plith sy'n dioddef fwyaf. 'Roedd Branwen yn y chwedl wreiddiol yn wraig ddewr, oherwydd 'hi a gynsynwys uwrw neit yn y tan' i achub ei mab Gwern. Y drudwy yn y gerdd, ac yn y chwedl, oedd yr un a adawodd i Frân wybod am ddioddefaint cudd ei chwaer, hynny yw, un o swyddogaethau'r bardd yw tynnu sylw'r mwyafrif mud at y modd y camdrinnir rhai unigolion gan gymdeithas. 'Llwfr ydwyf, ond achubaf gam y dewr' meddai R. Williams Parry yn 'Gair o Brofiad', ac achubodd gam y dewr mewn sawl cerdd yn

Cerddi'r Gaeaf. Y bardd hefyd sy'n datgelu ei gwir gyflwr i'r ddynoliaeth.

Ac megis môr o wydr: y môr a welodd Ioan 'yn y nef' yn ôl Datguddiad 4:6: 'Ac o flaen yr orseddfainc yr ydoedd môr o wydr, yn debyg i grystal', a cheir cyfeiriad arall yn Datguddiad 15:2 at y môr o wydr.

Yn dadlau iddo dro: cf. y chwedl wreiddiol: 'Sef y lle y cafas Fendigeidfran, yng Nghaer Saint yn Arfon, yn dadlau iddaw ddyddgwaith'.

Fel anfonedig nef: ymadrodd a ddefnyddir i ddisgrifio Crist yw 'anfonedig nef', yn seiliedig ar ei eiriau ef ei hun wrth gyfeirio at Dduw, 'Yr hwn a'm hanfonodd', yn ôl Efengyl Ioan. Cf. emyn Gwili (John Jenkins), 'Ddiddanydd anfonedig nef,/ Fendigaid Ysbryd Glân'.

A garwhau ei blu: cf. y chwedl wreiddiol: 'A disgynnu ar ei ysgwydd, a garwhau ei phluf'.

Ac a wnaeth iddo fedd/ Petryal ar y traeth: cf. y chwedl wreiddiol, wrth sôn am farwolaeth Branwen: 'A gwneuthur bedd petrual iddi, a'i chladdu yno yng nglan Alaw'.

Yr Hen Ddoctor:

'Roedd Dr Edward Rees yn aelod blaenllaw o Orsedd y Beirdd, ac Ap Gwyddon oedd ei enw yn yr Orsedd. Ef oedd Arwyddfardd yr Orsedd o 1915 hyd at 1925, pan fu farw. Cyfeirir ato yn y soned 'Eifionydd' ('Ond dwedai Gwyddon gynt amdano fo'), ac yn yr englyn i Awen Mona, ei briod, Elizabeth Jane Rees, 'Ymson Awen Mona' ('Aeth Gwyddon dirion a da'). Daeth Williams Parry i adnabod y teulu yn ystod ei gyfnod yn brifathro Ysgol Oakley Park, Maldwyn, o Fawrth hyd Ragfyr 1921, pan benodwyd ef yn ddarlithydd mewnol ac allanol yng Ngholeg Prifysgol Gogledd Cymru, Bangor.

Yr Hen Actor:

Brodor o Bwllheli, Llŷn, oedd Thomas Owen Jones (1875-1941), neu Gwynfor fel yr adnabyddid ef orau. Bu farw yn ei gartref, Dwylan, Caernarfon, ar Awst 21, 1941, 'Roedd yn un o arloeswyr y ddrama yng Nghymru. Bu Gwynfor yn arolygydd y llyfrgell sir yn nhref Caernarfon am bedair blynedd ar hugain, hyd at ei farwolaeth. Symudodd i Gaernarfon ym 1893, ac yno y treuliodd weddill ei oes. Lluniodd nifer o ddramâu ei hun, ac ym 1901 sefydlodd gwmni drama y Ddraig Goch, a barhaodd hyd at 1935. Gweithredodd fel beirniad drama yn yr Eisteddfod Genedlaethol ac mewn cyrddau cystadleuol droeon, ac 'roedd yn un o aelodau cyntaf 'Clwb Awen a Chân' Caernarfon, a sefydlwyd ym 1908, gyda T. Gwynn Jones ac R. Williams Parry hefyd ymhlith yr aelodau cynharaf. Cyhoeddwyd cyfrol o straeon byrion o'i eiddo, *Straeon,* ym 1931, a sawl drama, rhai ohonyn nhw yn fuddugol yn yr Eisteddfod Genedlaethol.

Talodd R. Williams Parry deyrnged iddo ar ôl i'r *Cymro* ei holi ('Marw Dramaydd Cymreig', *Y Cymro,* Awst 30, 1941, t. 7): 'Y nodwedd anwylaf yn ei gymeriad oedd ei gymwynasgarwch i lenorion ieuainc. Bu amryw o'r rhain yn nhref Caernarfon o dro i dro – megis Mr. Prosser Rhys, Mr. Gwilym R. Jones, Mr. Caradog Prichard, ac y mae'n ddiau y tystiant yn frwdfrydig i'r nodwedd hon ynddo . . . Ymgomiwr dihafal oedd; yn ŵr ffraeth. Ond yr oedd un peth uwchlaw dim arall a barai loes iddo, sef iaith neu stori anweddus neu regi o fath yn y [b]yd. Dyn desant, didwyll, oedd Gwynfor, ymhob cwmni.'

Cyfeirir at Gwynfor yn 'Ffeiriau', a gw. yn ogystal Rifau 41, 42 a 54 yn Atodiad 1, a Rhif 3 yn Atodiad 2.

A pham 'rwyt ti'n teithio fel hyn wrthyt d'hun?/ Pa le mae dy gariad, hen lenor o Lŷn?: cyfeiriad at wraig Gwynfor, Madge (Margery Winifred), a arferai deithio gyda'i gŵr pan âi ar deithiau pell, i ddarlithio neu i feirniadu dramâu. Ni hoffai Gwynfor yrru'r car ar y teithiau hyn, ac âi ei wraig gydag ef i yrru. Mae'r llinell 'Pa le mae dy gariad, hen lenor o Lŷn?' yn cyfeirio at y llinell 'Pwy ydyw dy gariad, lanc ifanc o Lŷn?' yng ngherdd William Jones, Tremadog, 'Y Llanc Ifanc o Lŷn'.

Ac mor nodweddiadol oedd codi dy ddwrn/ Yn wyneb y werin am chwerthin o'i thwrn: ceir y nodyn hwn gan E. Wyn James (' 'Digymar yw fy Mro': R. Williams Parry a Gwynfor, 'Yr Hen Actor' ', *Ysgrifau Beirniadol XXIII,* Gol. J. E. Caerwyn Williams, 1997, t. 225):

> Dyma esboniad yr Athro Bedwyr Lewis Jones ar yr ymadrodd 'codi dy ddwrn': 'Un tro ym Mhwllheli, a Gwynfor yn chwarae rhan perchennog llong yn *Joan D'Anvers,* chwarddodd y gynulleidfa pan syrthiodd yr actor o strôc. Cododd yntau ac ysgwyd ei ddwrn arnynt' . . . Drama gan Frank Stayton oedd *The Joan Danvers,* a gyhoeddwyd yn 1927; cyhoeddwyd cyfieithiad Cymraeg ohoni gan D. R. Davies yn 1929. Fe'i perfformiwyd yn Gymraeg am y tro cyntaf gan Gwmni Drama Trecynon yn ystod Eisteddfod Genedlaethol Treorci, 1928. Perfformiodd Cwmni'r Ddraig Goch y ddrama ddydd Llun y Pasg 1929 ym Mhafiliwn Caernarfon, a Gwynfor yn chwarae rhan James Danvers, y tad.

Clyw geiliog y plygain yn galw o'r glwyd: cyfeiriad at *Hamlet,* drama Shakespeare. Mae'n rhaid sylweddoli mai ysbryd Gwynfor sy'n ymweld â chartref y bardd yng Nghoetmor, Bethesda, yn ail ran y gerdd, a bod y ddrychiolaeth yn diflannu gyda chân y ceiliog. Mae ysbryd tad Hamlet yn diflannu gyda galwad y ceiliog. 'It faded on the crowing of the cock' meddai Marcellus yn Act 1, Golygfa 1; ac meddai Horatio yn Act 1, Golygfa 2:

> . . . It lifted up its head, and did address
> Itself to motion like as it would speak;
> But even then the morning cock crew loud,
> And at the sound it shrunk in haste away,
> And vanished from our sight.

Gw. ymhellach ' 'Digymar yw fy Mro': R. Williams Parry a Gwynfor, 'Yr Hen Actor' ', tt. 208-239, am ragor o fanylion am R. Williams Parry a'i gysylltiad â Gwynfor, a hefyd, 'T. Gwynn Jones a Gwynfor', E. Wyn James, *Taliesin,* Cyf. 76, Mawrth 1992, tt. 61-71, am ragor o gefndir Gwynfor.

Yr Hen Gantor:

Dywedodd Kate Roberts am y gerdd hon ('Robert Williams Parry', *Cyfres y Meistri 1: R. Williams Parry,* tt. 90-91): '. . . ni bu erioed gân berffeithiach i neb. Yr oedd i Wallter Llyfnwy wendidau bach digon hoffus, megis pinio ei lewys efo gwŷr enwog, ac fel gwendidau hoffus y trinnir hwy yn y gân. Rhaid gwybod y cysylltiadau hefyd, megis am y floedd drwy hotel, peth a ddigwyddodd am ddau o'r gloch y bore mewn gwesty ym Machynlleth ym mis Medi 1926'.

y Llwyd o'r Bryn: Bob Lloyd (1888-1961), beirniad eisteddfodol, adroddwr ac eisteddfodwr o Gefnddwysarn, Meirionnydd, bathwr y term enwog 'y Pethe'. Cyhoeddodd gyfrol o erthyglau a phytiau, *Y Pethe,* ym 1955, ac fe gyhoeddwyd detholiad o'i lythyrau, *Diddordebau Llwyd o'r Bryn,* dan olygyddiaeth Trebor Lloyd Evans (1967). Golygwyd *Adlodd Llwyd o'r Bryn* (1983) gan ei ferch, Dwysan Rowlands.

[yr] hen Garn: Richard Griffith, Carneddog (1861-1947), a drigai yn y Carneddi, ar lethrau Eryri uwchben dyffryn Glaslyn. Gwerinwr diwylliedig oedd Carneddog, bardd-gwlad, casglwr a hanesydd lleol. Cyhoeddodd nifer o gyfrolau, er enghraifft, *Ceinion y Cwm* (1891), *Cyfaill yr Adroddwr* (1910), a *Blodau'r Gynghanedd* (1920).

y Llew: Owain Llewelyn Owain (1877-1956), newyddiadurwr ac awdur, a brodor, fel R. Williams Parry, o Dal-y-sarn. Bu'n gweithio gyda'r papur *Y Genedl Gymreig* yng Nghaernarfon am gyfnod, a pharhaodd â'i waith newyddiadura pan unwyd *Y Genedl* a'r *Herald Cymraeg.* 'Roedd yn un o'r tri a sylfaenodd Glwb Awen a Chân yng Nghaernarfon, a chroniclodd hanes y gymdeithas hon yn *Anthropos a Chlwb Awen a Chân* (1946). Cyhoeddodd lyfrau eraill yn ogystal, *Bywyd, Gwaith ac Arabedd Anthropos* (1953) a *Hanes y Ddrama yng Nghymru 1850-1943* (1948) yn eu mysg.

Cynan: Albert Evans-Jones (1895-1970), y bardd, y dramodydd a'r eisteddfodwr.

John: y John Evan Thomas y ceir englyn coffa iddo ('Hen Gyfaill'), a chyfeiriad ato yn 'Ffeiriau' ('Pan awn i ffair y Betws/ Am seiat efo Siôn').

Bu farw Walter S. Jones ar Fehefin 27, 1932. Ar garreg ei fedd ym Mynwent Gorffwysfa, Llanllyfni, ceir englyn iv, Rhif 58, Atodiad 1.

Yr Hen Sosialydd:

Un o gyfeillion agos R. Williams Parry oedd R. Silyn Roberts (1871-1930), bardd a Sosialydd, brodor o Ddyffryn Nantlle, Caernarfon, fel R. Williams Parry. 'Roedd yn Sosialydd brwd ac yn un o brif hyrwyddwyr y Blaid Lafur gynnar. 'Roedd Silyn hefyd yn addysgwr brwd, a sefydlodd gangen Gogledd Cymru o Gymdeithas Addysg y Gweithwyr ym 1925, 'Roedd Silyn yn rhannol gyfrifol am ddarbwyllo Williams Parry i symud o Gefnddwysarn i fynd yn athro Cymraeg a Saesneg yn Ysgol Sir Y Barri ym 1913. Cyhoeddodd Silyn gyfrol o delynegion ar y cyd â W. J. Gruffydd, *Telynegion* (1900).

Yn Angladd Silyn:

Mae dylanwad un o hoff feirdd R. Williams Parry, Thomas Hardy, ar y gerdd. Cymharer y pennill cyntaf â'r llinellau hyn o gerdd Hardy, 'Shelley's Skylark':

> And how it perished, when piped farewell,
> And where it wastes, are alike unknown.

Mae gan W. H. Davies bennill yn ei gerdd 'Wild Creatures' sydd hefyd yn ein hatgoffa am bennill cyntaf 'Yn Angladd Silyn':

> They say wild creatures hide themselves,
> And seek a quiet place to die . . .

Cymharer y pennill olaf â'r llinellau hyn, o 'The Last Signal', Hardy, cerdd er cof am y bardd o Swydd Dorset, William Barnes:

> Thus a farewell to me he signalled on his grave-way,
> As with a wave of his hand.

Mae llinell gyntaf y gerdd fel pe bai'n adleisio, yn eironig fwriadol, bennill agoriadol emyn gan Ieuan Glan Geirionydd:

> Mor ddedwydd yw y rhai trwy ffydd
> Sy'n mynd o blith y byw . . .

Ond amheuaeth, yn hytrach na sicrwydd ffydd, a geir ym mhennill olaf 'Yn Angladd Silyn'.

A. E. Housman:

Bardd a aned ac a faged yn Swydd Worcester oedd A. E. Housman (1859-1936), er mai â Swydd Amwythig y cysylltir ef yn bennaf, oherwydd ei gyfrol o gerddi *A Shropshire Lad* (1896), ac oherwydd ei gyfeiriadau mynych at leoedd yn Swydd Amwythig. 'I had a sentimental feeling for Shropshire because its hills were our western horizon,' meddai Housman ei hun. Anffyddiwr hunan-gyffesedig oedd Housman, bardd pruddglwyfus iawn ar adegau a fyfyriai ar themâu fel breuder a byrder bywyd dyn ar y ddaear dan ormes amser, yn enwedig o gyferbynnu byrhoedledd dyn a thragwyddoldeb natur. Galwyd Housman, fel Williams Parry, yn bagan, sef yn un a addolai natur yn hytrach na Duw. 'There is no Christian hope in Housman,' meddai F. C. Horwood. 'He is a pagan who looks hungrily at the Christian world, but refuses its food' (*A. E. Housman Poetry & Prose: a Selection,* 1971, arg. 1972, t. 32). Rhannai Williams Parry yr un weledigaeth ddirdynnol â Housman yn aml, a gallai ei uniaethu ei hun â'r bardd o Sais. Dywedir i Williams Parry ddweud mai ei enw ef ei hun a ddylai fod yn deitl i'r gerdd yn hytrach nag enw Housman.

Lluniwyd y gerdd ar y mesur a elwir yn gyffredin y 'mesur salm', sef y mesur a ddewiswyd gan Edmwnd Prys i drosi'r salmau ar ffurf fydryddol ar gyfer gwasanaeth cyhoeddus, a mesur llawer iawn o emynau Cymraeg, ac felly, mae'r defnydd a wnaethpwyd o'r mesur yn eironig, gan mai teyrngedu a moli anghrediniwr a wneir.

Nid agnostigiaeth Housman yn unig a apeliai at R. Williams Parry. Rhannai'r ddau yr un arswyd o farwolaeth, a sylweddolai'r ddau mai geni dyn i farw a wneir. Dychrynid y ddau gan derfynoldeb marwolaeth. 'Lovely lads and dead and rotten' meddai Housman yn un o gerddi *A Shropshire Lad* (Rhif XXXV), gan alw i gof linell debyg gan R. Williams Parry: 'Lluniaidd lanc sy'n llonydd lwch'. 'I shall have lived a little while/ Before I die for ever' meddai mewn cerdd arall (*A Shropshire Lad,* Rhif LVII), ac eto ('The Immortal Past', *A Shropshire Lad,* Rhif XLIII):

Wanderers eastward, wanderers west,
Know you why you cannot rest?
'Tis that every mother's son
Travails with a skeleton.

Nid ofna'r doeth y byd a ddaw: cf. un o emynau J. G. Moelwyn Hughes:

Nac ofna, f'enaid, am a ddaw
Wrth deithio tua'r nef;

Myfyria ar ei farwol stad,/ A brad ei enedigaeth: cf. agwedd Housman (cerdd IX, *Last Poems,* 1922):

It is in truth iniquity on high
To cheat our sentenced souls of aught they crave,
And mar the merriment as you and I
Fare on our long fool's-errand to the grave.

Ni rodia lwybr y dyrfa: cf. Rhif XII, *Last Poems,* Housman:

The laws of God, the laws of man,
He may keep that will and can;
Not I: let God and man decree
Laws for themselves and not for me;
And if my ways are not as theirs
Let them mind their own affairs.
Their deeds I judge and much condemn,
Yet when did I make laws for them? . . .
I, a stranger and afraid
In a world I never made.

Hwnnw yw'r ansylweddol wynt: cf. *A Shropshire Lad,* Rhif XXXVIII:

The winds out of the west land blow,
My friends have breathed them there;
Warm with the blood of lads I know
Comes east the sighing air.

It fanned their temples, filled their lungs,
Scattered their forelocks free;
My friends made words of it with tongues
That talk no more to me.

Their voices, dying as they fly,
Loose on the wind are sown;
The names of men blow soundless by,
My fellows' and my own.

Oh lads, at home I heard you plain,
    But here your speech is still,
And down the sighing wind in vain
    You hollo from the hill.

The wind and I, we both were there,
    But neither long abode;
Now through the friendless world we fare
    And sigh upon the road.

'Roedd A. E. Housman yn fardd poblogaidd iawn gan feirdd Cymru yn ystod y cyfnod rhwng y ddau Ryfel Byd, a cheir cyfieithiadau o'i waith gan feirdd fel Cynan, y ceir pedwar cyfieithiad o waith Housman yn ei gasgliad cyflawn o gerddi. Gw. hefyd Rhif 34, Atodiad 1, sef cyfieithiad Williams Parry o 'Into my heart an air that kills', a Rhif 40, sef y gerdd 'Pererin': 'Dialog yn null Housman'. Gw. hefyd y nodyn ar 'Ffeiriau'.

Ceir trafodaeth ar y gerdd gan J. E. Caerwyn Williams, 'Dwy Gerdd gan Williams Parry: J. E. Caerwyn Williams yn trafod 'A. E. Housman' ', *Barddas*, Rhifau 83/84, Mawrth/Ebrill 1984, tt. 8-9.

Y Ffliwtydd:

'Ond canu a gadael iddo': llinell gan Alun (John Blackwell; 1797-1841), yn ei gerdd 'Cathl i'r Eos':

Ac os bydd pigyn dan dy fron
    Yn peri i'th galon guro,
Ni wnei, nes torro'r wawrddydd hael,
    Ond canu, a gadael iddo.

Y 'Steddfod Ddoe a Heddiw:

Anthropos: Robert David Rowland (1853?-1944), gweinidog, newyddiadurwr a bardd o Gorwen, Meirionnydd, awdur *Y Pentref Gwyn* (1909), cyfrol boblogaidd iawn ar un adeg sy'n darlunio bro ei febyd. Ef oedd llywydd Clwb Awen a Chân, Caernarfon, rhwng 1908 a 1932, clwb yr oedd gan R. Williams Parry gysylltiad ag ef.

Owain Gwyrfai: Owen Williams (1790-1874), hynafiaethydd a bardd o'r Waunfawr, Arfon, un o ddisgyblion Dafydd Ddu Eryri.

yr hen Dal: Talhaiarn, John Jones (1810-1869), bardd o Lanfair Talhaearn, Sir Ddinbych.

Ambrose Bebb: W. Ambrose Bebb (1894-1955), yr awdur, yr hanesydd a'r cenedlaetholwr a oedd yn ffigwr blaenllaw ym mywyd llenyddol a gwleidyddol Cymru yn y cyfnod rhwng y ddau Ryfel Byd.

Edith Wynne: Sarah Edith Wynne (1842-1897), 'Eos Cymru', cantores enwog yn ei dydd, a hynny y tu allan i Gymru. Ymsefydlodd yn Llundain, a pherfformiai mewn cyngherddau ac operâu yno, a bu hefyd ar deithiau cerddorol. Canodd y gân 'Dafydd y Garreg Wen' yn ei dagrau yn ystod seremoni'r cadeirio yn Eisteddfod Genedlaethol Wrecsam ym 1876, pan fethwyd cadeirio'r bardd buddugol, Thomas Jones (Taliesin o Eifion), oherwydd iddo farw cyn yr Eisteddfod. Trodd y gynulleidfa hithau yn fôr o ddagrau.

Y Llew: Llew Llwyfo, sef Lewis William Lewis (1831-1901), bardd, nofelydd, newyddiadurwr ac eisteddfodwr o Lanwenllwyfo, Môn. 'Roedd yn ffigwr cyhoeddus blaenllaw fel arweinydd a chanwr eisteddfodol yn ystod y bedwaredd ganrif ar bymtheg.

Ceiriog yw J. Ceiriog Hughes, y bardd, wrth gwrs, a cheir nodyn ar D. R. Hughes gan R. Williams Parry ei hun.

Miss Jane a Froken Iohanne:

Fel y dywedodd R. Williams Parry yn ei nodyn gwreiddiol ar y gerdd hon, fe'i lluniwyd ar gais Mrs Silyn Roberts, priod ei gyfaill. Yn ôl Mrs Silyn Roberts, 'roedd yn well gan ferched Denmark weithio yn y wlad nag yn y dref, a merched Cymru i'r gwrthwyneb. Seiliodd ei sylw ar ei phrofiadau yn Nenmarc ar ddiwedd y Rhyfel Byd Cyntaf. Dychanu'r duedd ymhlith y Cymry i wyngalchu'r dref ar draul y wlad a wna Williams Parry yma, gan ymuniaethu â Froken Iohanne yn hytrach nag â Miss Jane.

Ffeiriau:

Mae dylanwad 'The First of May', A. E. Housman, ar y gerdd hon, yn enwedig y llinellau canlynol:

The plum broke forth in green
  The pear stood high and snowed,
My friends and I between
  Would take the Ludlow road;
Dressed to the nines and drinking
  And light in heart and limb,
And each chap thinking
  The fair was held for him.

Between the trees in flower
  New friends at fairtime tread
The way where Ludlow tower
  Stands planted on the dead.
Our thoughts, a long while after,
  They think, our words they say;
Theirs now's the laughter,
  The fair, the first of May.

Meddai Emrys Williams, yr Emrys y cyfeirir ato yn y gerdd, yn 'Atgofion am R. Williams Parry', *Y Faner,* Ionawr 25, 1956, t. 3: 'Buom gyda'n gilydd ar aml daith – yng Nghymru a Lloegr, mewn gwlad a thref. Aethom unwaith i Lwydlo i weld bedd A. E. Housman, ac wrth syllu ar y bedd, meddai'r bardd: 'Gwna wersi ar delyneg Housman i'r 'Ffair', telyneg berffeithia'r byd'.'

Gwrthodedigion:

Saunders Lewis yw gwrthrych y gerdd gyntaf, 'Y Cyn-ddarlithydd'. Darlithydd yn Adran Gymraeg Coleg Prifysgol Cymru, Abertawe, oedd Saunders Lewis pan gymerodd ran yn y weithred o losgi'r Ysgol Fomio, canolfan ymarfer filwrol, ar dir Penyberth yn Llŷn gyda Lewis Valentine a D. J. Williams. Llosgwyd rhai o siediau a defnyddiau'r adeiladwyr gan y tri yn ystod oriau mân y bore, Medi 8, 1936. Ar ôl cyflawni'r weithred aethant i Swyddfa'r Heddlu ym Mhwllheli i gyfaddef yn agored mai nhw oedd yn gyfrifol am y dinistr i'r adeiladau a'r defnyddiau ar safle'r Ysgol Fomio. Rhoddwyd y tri ar brawf ym Mrawdlys Caernarfon, ar Hydref 13, 1936, ond methodd y rheithgor gytuno ar ddedfryd. Cynhaliwyd prawf eilwaith yn yr Old Bailey, Llundain, ar Ionawr 19, 1937, a dedfrydwyd y tri i naw mis o garchar. Cyhoeddwyd yr anerchiadau a draddodwyd gerbron y rheithgor ym Mrawdlys Caernarfon gan Saunders Lewis a Lewis Valentine yn bamffledyn ym 1936, *Paham y Llosgasom yr Ysgol Fomio.* 'Byddai gwersyll bomio'r llywodraeth Seisnig yn Llŷn,' meddai Saunders Lewis yn ei anerchiad, 'yn anelu'n farwol at un o aelwydydd hynafol y diwylliant Cymraeg, y peth mwyaf pendefigaidd a fedd cenedl y Cymry.' Dywedodd mai 'hynny a barodd imi farnu bod fy ngyrfa i, a hyd yn oed ddiogelwch fy nheulu, yn bethau y dylwn eu haberthu er mwyn arbed cyflafan mor enbyd.' Y geiriau hyn sy'n esbonio arwyddocâd dwy linell olaf y gerdd. Diswyddwyd Saunders Lewis gan Gyngor Coleg Abertawe o ganlyniad i'w safiad, ar Hydref 18, 1936. Mae'r gerdd hon yn un o blith nifer o gerddi a luniwyd gan R. Williams Parry i'w gefnogi, gan gynnwys y ddwy gerdd ddilynol, 'Y Gwrthodedig', 'Y Dychweledig'.

George Maitland Lloyd Davies (1880-1949) yw gwrthrych yr ail gerdd, yr heddychwr mawr a aned yn Lerpwl, ac a fu'n gweithio mewn banc yno am gyfnod. Ar ôl iddo weithio gyda'r Ymddiriedolaeth Cynllunio Trefi a Thai Cymru, ym 1914 dechreuodd weithio'n llawn-amser gyda Chymdeithas y Cymod, yn ysgrifennydd di-dâl iddi. Carcharwyd George M. Ll. Davies droeon yn ystod y Rhyfel Mawr oherwydd ei argyhoeddiadau heddychol. Ym 1923 etholwyd ef yn Aelod Seneddol dros Brifysgol Cymru fel heddychwr Cristnogol, ac ymunodd â'r Blaid Lafur yn y Senedd, ond collodd ei sedd y flwyddyn ddilynol. Ordeiniwyd George M. Ll. Davies yn weinidog gyda'r Methodistiaid Calfinaidd ym 1926, ond gadawodd y weinidogaeth i helpu'r di-waith. Yn ystod y tridegau dirwasgedig gwnaeth lawer i liniaru cyni'r di-waith yn Ne Cymru. Ym 1932, symudodd i Faes-yr-haf, Trealaw, yn Y Rhondda, lle ceid sefydliad y Crynwyr, ac ymroddodd i sefydlu clybiau ar gyfer y di-waith, a'u hyfforddi i ddilyn crefft. Sefydlodd hefyd wersyll gwyliau i'r di-waith. Cyhoeddodd hanes ei fywyd yn *Pererindod Heddwch* (1945), a gyfieithwyd fel *Pilgrimage of Peace* (1950). Pregethai George M. Ll. Davies 'yr efengyl seml', sef cariad brawdol ac ewyllys da rhwng dynion, yn enwedig yn ystod y ddau Ryfel Byd. Credai fod yr eglwysi wedi canolbwyntio'n ormodol ar eu credoau a'u dogmâu yn ystod y Rhyfel Mawr, yn hytrach na chanolbwyntio ar frawdoliaeth ac ewyllys da rhwng dynion. Yn ystod yr Ail Ryfel Byd yr oedd yn Llywydd Cymdeithas Heddychwyr Cymru. Cf. 'seraff yr efengyl seml' â'r disgrifiad o 'hwsmonaeth seml' George M. Ll. Davies yn 'Y Cyrn Hyrddod'.

Y Parchedig T. Arthur Jones yw gwrthrych y drydedd gerdd. Yn ôl T. Emrys Parry: 'I un a gredai mai 'cariad yw Duw' nid oedd gymhwysach galwedigaeth na gweinidogaeth yr efengyl, ond am iddo ddewis gweithredu'r egwyddor hon hyd yr eithaf ni fedrodd barhau yn ei alwedigaeth. Aeth yn anghytundeb rhyngddo a'i flaenoriaid yn ystod y rhyfel pan wrthodasant hwy ganiatáu defnyddio Ysgoldy Jerusalem, Bethesda, fel ysgol i ffoaduriaid o'r dinasoedd Saesneg. Roedd Williams Parry yn aelod ar y pryd yn yr eglwys, ac yn cefnogi'r gweinidog i'r carn. Tystiolaeth J. O. Williams ydyw ddarfod i'r driniaeth ffiaidd a gafodd y gweinidog beri i'r bardd bellhau yn ei berthynas â'r eglwys'. Gw. *Barddoniaeth Robert Williams Parry,* t. 133.

Y Gwrthodedig:

Fel gyda 'Cymru 1937', mae'n bosibl fod dylanwad nodiadau golygyddol W. J. Gruffydd yn *Y Llenor* ar y gerdd hon. Meddai yng Ngolygyddol *Y Llenor,* rhifyn y Gaeaf, 1936 (Cyf. XV, Rhif 4, tt. 194-195):

> O'r tri a gyhuddir o flaen Saeson Llundain, y mae un yn weinidog a dau yn athrawon. Nid ymyrrwyd â'r gweinidog am fod ei eglwys yn gwybod nad oes a wnelo'r cyhuddiad ddim â'i gymeriad moesol, ond troed y ddau athro o'u swydd. Ai am fod perygl iddynt lychwino cymeriadau eu disgyblion? Ond os yw Mr. Valentine yn gymwys – yn gymhwysach, medd rhai aelodau – i ddal yn weinidog yr Efengyl, onid yw Mr. Saunders Lewis a Mr. D. J. Williams yn gymwys i ddal yn athrawon? A oes y fath doreth o athrawon da fel y gallwn hepgor dau o'r athrawon gorau yng Nghymru?

Y Dychweledig:

Anfonodd R. Williams Parry gopi o'r gerdd hon at Aneirin Talfan Davies i'w chynnwys mewn blodeugerdd, ac meddai amdani yn y llythyr at Aneirin Talfan: 'Y peth a'm hysgogodd i ganu oedd ei weld ar y llwyfan yn Hen Golwyn, a gweld a chlywed croeso'r dorf iddo. Ond ba well ydoedd o'i chroeso? I mi yr oedd ei weld fel gweld ysbryd: *'the ghost of his former self'*. Defnyddiais 'dychweledig' yn ystyr Gwynn Jones i'r gair *Dychweledigion* yn ei gyfieithiad o *Ghosts* (Ibsen: ATD.) Gwelwch gan hynny mor bwysig ydyw'r dyfyniad ym Mhrifysgol y werin o hyd, nis caiff ym Mhrifysgol Cymru: ac wedi'i ddihatru o'i swydd, nid yw yn well na chysgod. 'Alas poor ghost!' '. Gw. 'Williams Parry a'i Lythyrau,' Aneirin Talfan Davies, *Cyfres y Meistri 1: R. Williams Parry,* t. 96.

Cyfeiriodd yr Athro A. O. H. Jarman at yr achlysur a ysgogodd y gerdd yn ei gyfraniad i'r gyfrol *Saunders Lewis* (Goln. D. Tecwyn Lloyd a Gwilym Rees Hughes, 1975). Meddai yn ei ysgrif 'Llosgi'r Ysgol Fomio: y Cefndir a'r Canlyniadau' (tt. 121-122):

> Yn Eisteddfod 1941 ym Mae Colwyn cynhaliwyd trafodaeth lenyddol rhwng Saunders Lewis ac R. T. Jenkins, a chymerwyd y gadair gan Ifor Williams. Yr oedd y neuadd dan ei sang a chafodd Saunders Lewis dderbyniad tywysogaidd gan y dyrfa. Ar ôl yr areithiau bu Ifor Williams mor anffodus â diweddu ei sylwadau o'r gadair â'r geiriau: 'Wn i ddim beth alla'i ei ddweud ymhellach'. Ar amrantiad, yn foddfa o chwys a nerfau, cododd D. J. Williams ar ei draed yng nghanol y llawr a dywedodd: 'Yr hyn y gellwch ei ddweud, Athro Ifor Williams, yw eich bod yn ymdynghedu y byddwch o hyn ymlaen yn rhoddi pob munud sydd gennych yn sbâr a phob egni sydd gennych yn rhydd i geisio sicrhau ei swydd yn ôl i Mr Saunders Lewis ym Mhrifysgol Cymru'. Cymeradwywyd y sylw gan y dyrfa nes bod y lle yn diasbedain. Am y tro yr oedd fel petai

nemesis wedi disgyn, ond er mwyn arbed y cadeirydd cododd W. J. Gruffydd i droi'r drafodaeth i gyfeiriad arall. Yr oedd Williams Parry yn bresennol yn y cyfarfod a thragwyddololodd yr argraff chwerw-felys a gafodd yno yn y gerdd 'Y Dychweledig'.

Gorthrymderau:

Mae wrthi'n corddi cwrdd yr hwyr/ Gyda Rhianod Penrhyn Gŵyr: cyfeiriad sydd yma at faled Clement Scott (1841-1904), 'The Women of Mumbles Head', sef baled am Maggie a Jessie Ace, merched gofalwr goleudy'r Mwmbwls, a achubodd ddyn rhag boddi pan ddigwyddodd llongddrylliad ym 1883. Bu'r faled yn ddarn adrodd poblogaidd ar un cyfnod.

Y Wers Sbelio:

Un o gerddi ysgafn R. Williams Parry. Ceiriog biau'r llinell gyntaf, o'i gerdd 'Siaradwch y Ddwy':

> Llewelyn bach, tyrd yma,
> Ac ar fy neulin dysga
> Iaith dy fam yn gyntaf un,
> Ac wedyn iaith Victoria.

Cyfeirir yn yr ail bennill at y pennill hwn gan W. J. Gruffydd yn ei gerdd 'Cofia':

> Cofia dy nain a welodd wawr
> Drwy drymaf len y twllwch mawr;
> Pan waeddo'r amheuon, na wrando'r rhain,
> Ond cofia'r ffydd oedd ffydd dy nain.

Cyfeirir yn y gerdd at T. H. Parry-Williams, Iorwerth Cyfeiliog Peate, Gwenallt (David James Jones yn wreiddiol, wedyn D. Gwenallt Jones), Saunders Lewis (John Saunders Lewis), E. Prosser Rhys (E. Prosser Rees cyn iddo newid ei gyfenw), Daniel Rowland (1713-1790), y diwygiwr Methodistaidd mawr, Dilys Cadwaladr (1902-1979), Dilys Cadwaladr Jones yn wreiddiol, sef prifardd coronog Eisteddfod Genedlaethol Y Rhyl, 1953, ac awdur storïau byrion, ac mae'r nawfed pennill yn cyfeirio'n chwareus at lyfr Syr John Morris-Jones, *A Welsh Grammar, Historical and Comparative* (1913).

Chwilota:

Un o'r clwstwr o gerddi sy'n dychanu Prifysgol Cymru yw hon. Dadrithiwyd a siomwyd Williams Parry gan agwedd Adran y Gymraeg yng Ngholeg Prifysgol Gogledd Cymru, Bangor, ac agwedd pennaeth yr Adran, Syr Ifor Williams, yn fwyaf arbennig, ato. Tua diwedd 1928 yr oedd iechyd John Morris-Jones yn dirywio, ac 'roedd angen Darlithydd Cynorthwyol newydd ar Adran y Gymraeg ym Mangor. Ar y pryd 'roedd R. Williams Parry yn gweithio hanner y tu mewn i'r Coleg a hanner y tu allan, fel darlithydd allanol. Cyn penodi neb i'r swydd newydd hon, arolygwyd safle a statws Williams Parry yn y Coleg. Awgrymwyd iddo y gallai barhau yn ei swydd bresennol, gan rannu'i ddyletswyddau rhwng Adran y Gymraeg a'r Cyd-bwyllgor Efrydiau Allanol, neu ymgynnig am y swydd newydd, a gweithio'n llawn-amser o fewn Adran y Gymraeg yn unig, neu, yn drydydd, mynd ar y staff allanol yn llawn-amser. Dewisodd Williams Parry fynd ar y staff allanol. Ar ôl penodi Thomas Parry i'r swydd newydd, hysbyswyd Williams Parry gan y Cyd-bwyllgor Efrydiau Allanol na ellid ymrwymo i'w gyflogi ond am flwyddyn yn unig, ac ystyriai'r penderfyniad hwn yn fygythiad i'w ddyfodol. Nid oedd y Cyd-bwyllgor wedi ystyried diswyddo Williams Parry am eiliad; poenai aelodau'r Cyd-bwyllgor na ellid cyrraedd y nifer gofynnol o ddosbarthiadau allanol, a phe bai hynny'n digwydd, byddent yn gofyn i Williams Parry ddarlithio fel y gwnâi cyn iddo dderbyn y swydd newydd, gan rannu'i amser rhwng y dosbarthiadau mewnol a'r dosbarthiadau allanol. Dechreuodd weld bai ar Syr Ifor Williams am benodi Thomas Parry i'r swydd lawn-amser newydd heb esbonio'r sefyllfa yn llawn iddo.

Ddwy flynedd yn ddiweddarach, dwysaodd yr helynt. Newidiwyd teitl swydd Thomas Parry. Nid Darlithydd Cynorthwyol mohono bellach, ond Darlithydd. Ddwy flynedd ar ôl ei benodi i'r swydd newydd, 'roedd Thomas Parry yn dechrau carlamu heibio i R. Williams Parry. Yn ôl Thomas Parry ei hun (' 'Enaid Digymar heb Gefnydd' ', *Cyfres y Meistri 1: R. Williams Parry,* tt. 51-52):

> Nid oeddwn i fy hun, na neb arall chwaith, yn sylweddoli fod hyn yn peri tramgwydd a gofid i'r darlithydd arall [R. Williams Parry] yn yr Adran. Yr oedd ef yn ŵr teimladwy, a hynny, nid balchder na chenfigen yn sicr, yw'r esboniad ar ei adwaith i'r amgylchiadau newydd . . . yr oedd ugain mlynedd yn hŷn na'r darlithydd arall [Thomas Parry ei hun] yn yr Adran, ond yr oedd hwnnw'n cael ei dalu am amser llawn y tu mewn i'r Coleg, ac o ganlyniad yn rhoi mwy o ddarlithiau nag ef, a hynny i fyfyrwyr o bob graddfa. A barnu wrth swm, a hefyd wrth natur ei waith, y bardd a'r beirniad cenedlaethol oedd y lleiaf pwysig a'r hawsaf i'w hepgor o'r triawd athrawon yn Adran Gymraeg Coleg Bangor. Mewn gair, nid oedd ei statws yn yr Adran ac yn y Coleg yr hyn y dylai fod; nid oedd yn adlewyrchu ei statws ym mywyd llenyddol ei genedl.

Aeth y bardd ar streic lenyddol o'r herwydd. Gorfodid Williams Parry i ddarlithio ar bynciau nad oedd ganddo fawr o afael arnyn nhw na diddordeb ynddyn nhw ym Mangor, ac ni châi ddarlithio ar farddoniaeth yn unig, fel y dymunai. Credai Ifor Williams fod gan bob darlithydd prifysgol ddwy ddyletswydd a oedd yn amod dyrchafiad, sef darlithio ar bob agwedd ar y pwnc i bob dosbarth o fyfyrwyr, a chyhoeddi astudiaethau ar ei bwnc. 'Roedd Williams Parry wedi gwrthod darlithio ar hanes llenyddiaeth y cyfnod o 1550 ymlaen, ac nid oedd wedi cyhoeddi fawr ddim o natur ysgolheigaidd. Yn ystod y cyfnod hwn o dawedogrwydd ac o brotest, dechreuodd gyfrannu nodiadau ieithyddol i'r *Bulletin of the Board of Celtic Studies.* Mae hynny'n esbonio llawer ar y chwerwedd a geir yn 'Chwilota', yn enwedig wrth gyfeirio at y *Bulletin.* Mae'r cerddi 'Gwalia-Philistia' hyn yn beirniadu agwedd y Brifysgol at feirdd a barddoniaeth, ac yn dilorni'r modd y dibrisiai'r artist creadigol.

Mae 'Chwilota' yn honni fod y chwilotwr, yr ysgolhaig, yn bwysicach na'r awdur creadigol, 'awdwr llyfr o gân', o leiaf yn nhyb ysgolheigion fel Syr Ifor Williams. Mae'r bardd yn ei ddychmygu ei hun yn darganfod ffeithiau o bwys am lenorion y gorffennol, ac yn tybio y bydd hynny yn sicrhau ei anfarwoldeb, ond mae'n darganfod wedyn fod ysgolheigion a chwilotwyr eraill wedi darganfod y ffeithiau hyn o'i flaen. Enwir dau: y cyntaf yw David Thomas (1880-1967), y sosialydd a'r hanesydd o blwyf Llanfechain, Sir Drefaldwyn, ac awdur llyfrau fel *Y Werin a'i Theyrnas* (1910), *Y*

Cynganeddion Cymreig (1923), *Y Ddinasyddiaeth Fawr* (1938), ac yn y blaen, gan gynnwys *Silyn* (1956), cofiant i gyfaill Williams Parry; yr ail a enwir yw Griffith John Williams (1892-1963), un o ysgolheigion mwyaf Cymru erioed, awdur llyfrau pwysig fel *Iolo Morganwg a Chywyddau'r Ychwanegiad* (1926), *Gramadegau'r Penceirddiaid* (1934), *Gramadeg Cymraeg Gruffydd Robert* (1939), *Traddodiad Llenyddol Morgannwg* (1948) a *Iolo Morganwg* (1956).

O'r diwedd mae'n darganfod dyddiad cywir ''Steddfod fach Llangollen gynt', a bydd nodyn i'r perwyl hwnnw yn y *Bulletin of the Board of Celtic Studies* yn sicrhau anfarwoldeb iddo. Bod yn chwerw ddychanol y mae R. Williams Parry. Yn nhyb rhai gwŷr Prifysgol y mae troednodyn neu atodiad ysgolheigaidd yn fwy o gyfraniad i lenyddiaeth Gymraeg nag unrhyw waith creadigol.

Dylid cysylltu'r gerdd hon â'r gerdd ddilynol, 'Cymry Gŵyl Ddewi,' ac â'r gerdd 'Megis ag yr Oedd . . .', Rhif 36, Atodiad 1. Mae gan Thomas Parry nodyn arall sy'n cyd-fynd â'r agwedd a fynegir yn 'Megis ag yr Oedd . . .' (Ibid., tt. 52-53): 'Mynych y clywais Williams Parry yn sylwi ar y gydnabyddiaeth a roid gan brifysgolion i rai o'r beirdd Saesneg fel beirdd: Walter de la Mare mewn swydd gydnaws â'i natur ym Mhrifysgol Lerpwl, Edmund Blunden yn Japan, ac Alfred Noyes mewn rhyw brifysgol yn America.'

Cymry Gŵyl Ddewi:

Cerdd arall sy'n dychanu'r Brifysgol, a Chymru yn gyffredinol, oherwydd eu hagwedd Philistaidd at yr artist creadigol.

Goronwy Owen (1723-1769) oedd prif fardd caeth y ddeunawfed ganrif. Er mor ddisglair ydoedd fel bardd ac ysgolhaig, curad tlawd fu drwy'i oes, a châi drafferth i gael dau ben llinyn ynghyd. Bu'n gurad mewn sawl lle, Croesoswallt, Uppington yn ymyl Amwythig, Walton yn ymyl Lerpwl, nes iddo benderfynu hwylio am Virginia ym 1757, ar ôl derbyn swydd athro yn ysgol ramadeg Coleg William a Mary yn Williamsburgh. Bu farw ym mhlwyf St. Andrew yn Swydd Brunswick, Virginia, ym 1769. Cafodd fywyd helbulus. Collodd ei ferch fach Elin yn ystod ei gyfnod yn Walton, 1753-1755, collodd ei wraig a'i fab Owen, baban dengmis oed, yn ystod y fordaith i Virginia, collodd ei ail wraig, chwaer Llywydd Coleg William a Mary, ryw naw mis ar ôl bod yn briod â hi, a chollodd fab arall o'i briodas gyntaf, Goronwy, yn Virginia.

Am ddwy ganrif bu Goronwy yn symbol o'r modd y gwrthodai Cymru ei meibion athrylithgar, gan mai yn Lloegr, ac wedyn yn Virginia, y bu Goronwy yn ennill ei damaid ar ôl 1747. Credid na chawsai gynnig swyddi yng Nghymru, ond nid gwir hynny. Gwrthododd symud yn ôl i Gymru i dderbyn curadiaethau. Byddai wedi symud pe cynigid dyrchafiad iddo, ond ni ddyrchafwyd mohono yn berson. Mam y Morrisiaid, Marged Morris, a fu'n gyfrifol i raddau helaeth am blannu'r uchelgais i fod yn berson ynddo.

Ni chefaist ganddynt dŷ na gardd: cyfeiriad at Awdl y Gofuned, un o gerddi cynharaf Goronwy Owen:

> Rhent gymedrol, plwy' da'i reolau,
> Diwall a hyfryd dŷ a llyfrau . . .
>
> Gardd i minnau, gorau ddymuniad,
> A gwasgawdwydd o wiw gysgodiad . . .

Rhyw hanner dyn a hanner duw,/ Creadur Pope, creawdwr Puw: Alexander Pope (1688-1744) oedd un o brif feirdd y ddeunawfed ganrif yn Lloegr. Un o ddamcaniaethau mawr y ddeunawfed ganrif, er mai datblygu damcaniaeth o gyfnodau cynharach a wnaethpwyd, oedd y ddamcaniaeth mai hanner dyn oedd dyn mewn gwirionedd, a bod Duw wedi ei osod yng nghanol cadwyn bod, rhwng y creaduriaid isaf, ar y naill law, a'r angylion, ar y llaw arall. Hanner anifail a hanner angel oedd dyn mewn gwirionedd. Cwymp dyn yng Ngardd Eden a fu'n gyfrifol am ei safle yng nghanol y gadwyn, ac er bod dyn yn ceisio nesáu at yr angylion a dringo i gyfeiriad Duw, 'roedd ei natur bechadurus yn ei wthio'n ôl yn barhaus. 'He,' meddai Joseph Addison am ddyn, 'who in one respect is associated with angels and arch-angels, may look upon a Being of infinite perfection as his Father and the highest order of spirits as his brethren, and may in another respect say to *Corruption, thou art my father, and to the worm, thou art my mother and my sister'*. Mynegwyd y syniadau hyn am ddyn gan Pope yn *An Essay on Man:*

Placed on this isthmus of a middle state,
A being darkly wise, and rudely great:
With too much knowledge for the sceptic side,
With too much weakness for the stoic's pride,
He hangs between; in doubt to act, or rest,
In doubt to deem himself a god, or beast . . .
Created half to rise, and half to fall;
Great lord of all things, yet a prey to all . . .

Geiriadurwr ac ysgolhaig, o ryw fath, oedd William Owen [-Pughe] (1759-1835), aelod blaenllaw o Gymdeithas y Gwyneddigion yn Llundain. Creodd, i bob bwrpas, ei Gymraeg ei hun, a chyfeiliornodd yn arw wrth ymhél ag orgraff a geirdarddiad yr iaith. Mae ei Gymraeg, o'r herwydd, yn ymylu ar fod yn annealladwy. Cyhoeddodd gyfieithiad carbwl o *Paradise Lost,* John Milton, *Coll Gwynfa* (1819). Gan i Pughe ddisgrifio Duw yn ei iaith ryfedd ei hun, a pheri iddo lefaru yn yr iaith ffug hon, rhyw hanner Duw, Duw ffug, oedd creawdwr William Owen [-Pughe].

Addolid Goronwy fel bardd gan rai o'i gyfoeswyr, ac 'roedd yn 'hanner duw' iddynt. Ar y llaw arall, 'roedd yn hanner dyn hefyd, oherwydd blerwch a helbulon ei fywyd. Gallai Goronwy fod yn greadur digon diegwyddor ar brydiau. Disgrifiwyd Goronwy fel hyn gan Lewis Morris ar ôl iddo ffraeo â'r bardd (*The Letters of Lewis, Richard, William and John Morris, of Anglesey (Morrisiaid Môn) 1728-1765,* Gol. J. H. Davies, Cyf. 1, 1907, t. 489): 'His body is borrowed or descended from the dregs of mankind and his spirit from among the celestial choir, what a stinking dirty habitation it must have'.

ac ni chyhoeddit chwaith: am flynyddoedd bu rhai o gyfeillion Goronwy, fel William, Richard a Lewis Morris, y tri brawd rhyfeddol o Bentre-eiriannell, Môn, a Thomas Ellis, Caergybi, yn ceisio cyhoeddi gwaith Goronwy, ond heb fawr o lwyddiant. Dywedodd Goronwy Owen droeon na faliai ryw lawer a gyhoeddid ei waith ai peidio.

Ac nid yw Lewys Morys mwy: Lewis Morris (1701-1765), bardd, hynafiaethydd, ysgolhaig a mapiwr, a gŵr a fu'n gefn mawr i Goronwy Owen fel bardd. Ffraeodd y ddau â'i gilydd yn ystod cyfnod Goronwy yn Llundain a Northolt, 1755-1757, a dechreuodd Lewis ddifrïo Goronwy fel bardd ac fel dyn.

Cyfeirir at Goronwy Owen mewn cerddi eraill, er enghraifft, 'Cymru 1937', lle ceir cyfeiriad at ei blwyf genedigol, Llanfair Mathafarn Eithaf ym Môn, a 'Breuddwyd y Bardd' ('Rhown ginio i ryw Oronwy yn ei gell'), a llinell gan Goronwy Owen yw 'Fy mharchus, arswydus swydd', a roddodd deitl y soned 'Y Barchus, Arswydus Swydd' i R. Williams Parry.

Ple Mae Garth y Glo?:

Ceir trafodaeth ar y gerdd hon gan R. Geraint Gruffydd, 'Dwy Gerdd gan Williams Parry: R. Geraint Gruffydd yn trafod 'Ple Mae Garth y Glo?' ', *Barddas,* Rhifau 83/84, Mawrth/Ebrill 1984, t. 8. Meddai: 'Fe leolir Garth y Glo ym mro Dewi Arfon, sef David Jones (1833-69), yr englynwr medrus a fu yn ei dro yn chwarelwr, yn ysgolfeistr ac yn weinidog -- ef oedd olynydd Eben Fardd yng Nghlynnog. Yn y Tŷ-du wrth droed yr Wyddfa, ryw ddwy filltir i'r de-orllewin o Lanberis, y ganed ac y maged Dewi Arfon ac felly yn y cyffiniau hynny, yn nhyb y bardd, yr oedd Garth y Glo . . . Y mae Garth y Glo yn y gerdd yn cynrychioli'r byd y codwyd ef ynddo a'r holl bethau hyfryd a sicr a berthynai i'r byd hwnnw: diddanwch cwmnïaeth ei dad, rhwymau teulu, traddodiad y bardd gwlad a gynrychiolir gan Ddewi Arfon ac y teimlai Williams Parry mor gryf ei fod yn perthyn iddo, y ffydd Gristnogol y maged ef ynddi ac y glynodd wrthi am gyfnod'.

Hitleriaeth:

Fel y cyfaddefodd R. Williams Parry pan gyhoeddwyd y gerdd yn *Y Llenor,* Cyf. XX, Rhif 3, Hydref 1941, t. 104, cerdd E. Gwyndaf Evans, 'Tywysog Tangnefedd', a awgrymodd 'Hitleriaeth' iddo. 'Awgrymwyd gan 'Tywysog Tangnefedd' Gwyndaf, a chynigir yn ostyngedig i Bwyllgor Addysg Sir Gaernarfon' meddai'r nodyn rhwng cromfachau. Dyma gerdd Gwyndaf, a luniwyd ym 1940 (*Cerddi Gwyndaf: y Casgliad Cyflawn,* 1987, t. 104):

Wrth feddwl am y cyrff ar daen
   Fel egin gwyw ar ddolydd Sbaen;
   A chofio geiriau mawrion byd
Sy'n dweud nad yw yr hiraeth drud
Am hedd
Ond twyll i gyd;
A gweled mamau llwyd eu gwedd
Yn hongian rhwng y byw a'r bedd
A phris eu gwrid yn prynu cledd:
'Rwy'n gwelwi'n swil o synio'n drist
Sut fyd fai hwn i Iesu Grist!

Beth ddwedai'r sant tae Mab y Saer
Yn gwrthod diffyn mam a chwaer?

Beth ddwedai'r dewr tae Plentyn Duw
Yn gwrthod lladd i ni gael byw?

Beth ddwedai'r doeth tae Mab y Dyn
Yn llosgi Ysgol Fomio Llŷn?

Bu llawer o chwerwedd yn ystod 1940 o ganlyniad i agwedd rhai awdurdodau cyhoeddus tuag at wrthwynebwyr cydwybodol. Nid oedd erlid gwrthwynebwyr cydwybodol yn bolisi gan Lywodraeth Prydain yn ystod yr Ail Ryfel Byd, ond ceisiodd rhai cyrff cyhoeddus, yn enwedig rhai o bwyllgorau addysg Cymru, weithredu'n groes i benderfyniad y Llywodraeth. Yng Ngorffennaf 1940 penderfynwyd gan aelodau Pwyllgor Addysg Môn ddiswyddo'r athrawon a oedd yn wrthwynebwyr cydwybodol. Digon tebyg oedd agwedd pwyllgorau addysg a chynghorau sir rhannau eraill o Gymru, fel Caerdydd a Sir Aberteifi. Cyhuddwyd yr awdurdodau cyhoeddus hyn o ddilyn ac arddel dulliau Hitleraidd. Nid oedd y gyfundrefn Natsïaidd yn cydnabod hawl yr un unigolyn i wrthwynebu rhyfel ar dir heddychiaeth, ac fe saethid pob gwrthwynebwr cydwybodol. Ni phleidleisiodd pob aelod o Bwyllgor Addysg Môn o blaid diswyddo'r holl athrawon a oedd yn wrthwynebwyr cydwybodol o fewn y sir, ond cyhuddwyd y mwyafrif o'r aelodau o ddilyn dulliau Hitler. Mewn gwirionedd, 'doedd agwedd Pwyllgor Addysg Arfon ddim mor ddidostur ag agwedd pwyllgorau addysg eraill, ond 'roedd yn ddigon drwg er hynny: argymhellwyd y dylai pob gwrthwynebwr cydwybodol a oedd yng ngwasanaeth y Pwyllgor ymgymryd â rhyw waith buddiol ac ymarferol ynglŷn â'r Rhyfel, ond disgwylid iddyn nhw gyflawni'r gwasanaeth hwn yn ddi-dâl. Mae'r gerdd hefyd yn ymosodiad arall ar grefydd Cymru, gan fod agwedd llawer o grefyddwyr tuag at wrthwynebwyr cydwybodol yn un hollol Natsïaidd. Dychenir hefyd y Cymry a oedd mor gul nes eu bod yn barod i erlid o'u swyddi rai na fynychai'r capel.

Cymru 1937:

Soned a ysgogwyd gan garchariad Saunders Lewis, Lewis Valentine a D. J. Williams ar Ionawr 19, 1937, yn dilyn y weithred o losgi'r Ysgol Fomio ym Mhenyberth, Llŷn.

Trafodwyd y brotest a'r achos fwy nag unwaith gan W. J. Gruffydd yn ei Nodiadau Golygyddol yn *Y Llenor,* ac mae gan rai pethau a ddywedodd ran amlwg yn holl syniadaeth y soned. Mae'n bur amlwg mai sylwadau W. J. Gruffydd oedd man cychwyn y soned. Ganddo ef y cafodd Williams Parry y ddelwedd o wynt chwyldroadol, adnewyddol ac ailenedigaethol yr oedd gwir angen iddo ysgubo drwy ferfeidd-dra Philistaidd Cymru ar y pryd. Meddai Gruffydd (*Y Llenor,* Cyf. XV, Rhif 4, Gaeaf 1936, t. 194):

> A beth am yr Aelodau Seneddol Cymreig? Tybed a ellir cael ryw wynt o rywle fel y byddo byw y lladdedigion hyn? A oes mewn gwirionedd unrhyw allu, naturiol neu wyrthiol, a all gyffroi'r bobl gysurus wynebgaled hyn i roi am unwaith un hwb fechan iddynt hwy eu hunain i helpu Cymru yn ei hadfyd, ac i warchod Cymru rhag anghyfiawnder?

Mae'r ddwy linell:

> Rho awr o wallgofrwydd i'r llugoer tu ôl i'w fur . . .
> A dyro i'r difater materol ias o anobaith . . .

yn adleisio'r hyn a ddywedodd W. J. Gruffydd wrth gyfeirio at 'ymddygiad hwliganiaid Cymreig Pwllheli' yn un o'r cyfarfodydd protest yn erbyn yr Ysgol Fomio a gynhaliwyd gan y Blaid Genedlaethol ym 1936, cyn protest fawr y tri, yn rhifyn Gwanwyn 1936 o'r *Llenor* (Cyf. XV, Rhif 1, t. 5):

Pe bai'r siawns leiaf [o] newid meddwl y Llywodraeth drwy brotestio mewn print yn ei herbyn, buasai'n dda gennyf lenwi'r LLENOR â hynny fel atodiad bychan i waith y Blaid Genedlaethol a rhai o'r papurau Cymraeg. Ond ysywaeth nid perswadio'r Llywodraeth Seisnig ydyw'r gorchwyl mwyaf anodd, ond ail-eni'r Cymry llygoer a materolaidd sy'n meddwl y bydd y sefydliad hwn yn lles ariannol iddynt hwy eu hunain.

Yn ôl Saunders Lewis, gan seilio'i sylw ar yr hyn a ddywedasai Williams Parry wrtho, cyfeirio at Syr Ifor Williams, Pennaeth yr Adran Gymraeg yng Ngholeg y Brifysgol, Bangor, ar y pryd yr oedd y llinellau 'Rho awr o wallgofrwydd i'r llugoer tu ôl i'w fur' a 'Gwna ddaeargrynfeydd dan gadarn goncrit Philistia'. 'Roedd Ifor Williams yn hollol wrthwynebus i'r weithred o losgi'r Ysgol Fomio. Gw. 'R. Williams Parry – Bardd Trasiedi Bywyd', *Cyfres y Meistri 1: R. Williams Parry,* t 290.

Cymer i fyny dy wely a rhodia, O Wynt: cf. geiriau Crist wrth y claf a iachawyd o'r parlys (Marc 2:11): 'Wrthyt ti yr wyf yn dywedyd, Cyfod, a chymer i fyny dy wely, a dos i'th dŷ'. Awgrymir bod Cymru hefyd wedi'i pharlysu ac yn afiach, a bod angen meddyginiaeth ac adnewyddiad arni.

Ni'th eteil gwarchodlu teyrn na gosgorddlu rhaglaw: cyfeiriad at y llinellau canlynol o gywydd 'Y Gwynt' Dafydd ap Gwilym:

Ni'th dditia neb, ni'th etail . . .
Na llu rhugl, na llaw rhaglaw,
Na llafn glas na llif na glaw.

dan gadarn goncrit Philistia: dylid cadw mewen cof i Saunders Lewis gyhoeddi dwy gyfrol dan y teitl cyffredinol 'Yr Artist yn Philistia', sef *Ceiriog* (1929) a *Daniel Owen* (1936).

Llanfair sydd ar y Bryn: yng Nghefn-coed, ym mhlwyf Llanfair-ar-y-bryn yn Sir Gaerfyrddin, y ganed William Williams Pantycelyn (1717-1791), yr emynydd.

Llanfair Mathafarn: ym mhlwyf Llanfair Mathafarn Eithaf ym Môn y ganed Goronwy Owen (1723-1769).

Ymson ynghylch Amser:

Hon ydyw'r afon, ond nid hwn yw'r dŵr: mae'n ddiddorol nodi fod yr un syniad yn union gan Thomas Hood yn 'The Streamlet':

Still glides the gentle streamlet on,
With shifting current new and strange;
The water that was here is gone,
But those green shadows do not change.

Dafydd Ddu: Dafydd Ddu Eryri, sef David Thomas (1759-1822), llenor, bardd, eisteddfodwr ac athro beirdd. Fe'i boddwyd wrth ddychwelyd o Fangor i'w gartref yn Y Fron Olau, Llanrug, yn nŵr Afon Cegid wrth ymyl fferm o'r enw Bach Riffri ar Fawrth 30, 1822. Caer Dinas Dinorwig yn Arfon, nid nepell o Fethel a Llanddeiniolen, yw'r gaer y cyfeirir ati rhwng cromfachau dan deitl y soned. Gellir gweld Ffynnon Cegin Arthur, sef tarddle Afon Cegid, islaw, o gopa'r bryncyn lle saif y gaer. Cyfeirir at y gaer yn *Hen Atgofion* W. J. Gruffydd (1936): 'Os edrychwch yn agos atoch, ni welwch yn unman bron ond corsydd lleithion yn ffurfio mân ddyffrynnoedd bychain rhwng gwrymiau o dir caletach, a'r tyddynnau wedi eu hau yma ac acw ar draws ac ar hyd y gwrymiau; tir cleiog oer adwythig diobaith heb goed na chysgod yn un man ond yn yr ychydig lwyni o fasarn a ffawydd a blannwyd i gysgodi'r tyddynnau'.

Gwydion/ Gilfaethwy: Gwydion fab Dôn a'i frawd ym Mhedwaredd Gainc y Mabinogi.

Mae'n bosibl y ceir adlais o'r llinellau hyn gan Rose Macaulay, o'r gerdd 'New Year 1918', ar ddiwedd y soned:

> For time, caught on the ancient wheel of change,
> Spins round, and round, and round;

Dyfynnwyd un o linellau'r gerdd, 'Whatever the year brings, he brings nothing new', uwchben y soned 'Marwoldeb', felly 'roedd Williams Parry yn gyfarwydd â'r gerdd.

Mae 'Y chwrligwgan hon' yn adleisio 'The whirligig of time' Shakespeare (*Twelfth Night*, 5:1), a cheir 'As on this whirligig of Time/We circle with the seasons' gan Tennyson yn 'Will Waterproof's Lyrical Monologue'.

Marwoldeb:

Mae'n rhaid gwybod cefndir llenyddol-hanesyddol y soned hon cyn y gellir ei deall yn llawn.

Yn ystod tridegau'r ugeinfed ganrif mynnodd nifer o feirdd, o Loegr yn bennaf, fod angen i farddoniaeth ymdrin â'r bywyd cyfoes, ac ymdrin yn enwedig â bywyd diwydiannol y cyfnod, ac effaith peiriannau a dyfeisiadau newydd ar fywyd yn gyffredinol, 'A generation whose Muses were Cassandra and the Goddess of the Machine,' chwedl L. A. G. Strong, un o olygyddion *A New Anthology of Modern Verse 1920-1940,* ar y cyd â C. Day Lewis (1941, t. xiii). Beirdd mwyaf blaenllaw'r mudiad hwn oedd W. H. Auden, C. Day Lewis, Louis McNeice a Stephen Spender. Dylanwadwyd ar rai o feirdd Cymru ganddynt, yn enwedig Alun Llywelyn-Williams, J. M. Edwards, W. H. Reese ac Aneirin Talfan Davies. Gelwid yr ysgol hon 'Yr Ysgol Beilonnaidd' gan rai beirniaid, ac mae'n ddiddorol nodi fod gan R. Williams Parry ei hun soned am 'Y Peilon'. Meddai C. Day Lewis yn *A New Anthology of Modern Verse* (t. xvii):

> Consider, for example, the rapid changes that have taken place during the last hundred years in what the eye sees. A landscape which for centuries had been developing and changing gradually, almost imperceptibly – the contours of a countryside, the architecture of a village, showing so little alteration for centuries – have suddenly been changed out of all recognition. The village has become a town. Or there is a railway line or a line of pylons running through the field, there are aeroplanes flying overhead, there is a public telephone booth beside the

> village green. All this happened in what, compared with the rate of progress of previous centuries, is the twinkling of an eye. All this the poet must try to absorb into his work, if – as often happens – it appeals passionately to his imagination.

Cyhoeddwyd ysgrif ar y testun 'Barddoniaeth mewn Oes Ddiwydiannol' gan Alun Llywelyn-Williams yn *Y Llenor,* Cyf. XIV, Rhif 1, Gwanwyn 1935. Dywedodd yn yr ysgrif honno (t. 23) mai 'Hyd yn ddiweddar, ar amaethyddiaeth yn y pen draw y seiliwyd gwareiddiad Ewrop, ac felly, o ganlyniad, holl fynegiadau'r gwareiddiad hwnnw hefyd, yn cynnwys ei ddiwylliant ac, yn fwyaf arbennig, waith creadigol yr artist'. Ond ers tros gan mlynedd, meddai, daeth y chwyldro diwydiannol i ddisodli'r hen gymdeithas amaethyddol. 'Roedd yn rhaid i'r bardd, o'r herwydd, 'wynebu ar broblem newydd' (t. 25): 'Os ydyw'n ddidwyll ac am gadw ei waith mewn cysylltiad agos â bywyd, os mynn ef fod yn wir ddehonglydd i'w oes i ddangos ei harwyddocâd artistig, y mae'n rhaid iddo'n awr gael mynegiant barddonol a fyddo'n addas i oes ddiwydiannol.' Cyfeiriodd at y mudiad newydd hwn yn Lloegr (t. 26): 'Er tua 1930, daeth ysgol newydd o feirdd i'r maes, a gwaith y gwŷr ieuainc hyn, Mr. W. H. Auden, Richard Ebehart, Cecil Day Lewis, Stephen Spender, Julian Bell ac eraill, yn ddiau yw'r mudiad pwysicaf ym marddoniaeth gyfoes Lloegr,' oherwydd mai 'Eu hamcan hwy yn awr yw wynebu o ddifrif ar y broblem sut i roi mynegiant artistig i'r gwareiddiad newydd, dinesig, gwyddonol'.

Traethwyd yr un genadwri gan Alun Llywelyn-Williams yn *Y Tir Newydd.* Meddai yn ei ysgrif 'Y Bywyd Dinesig a'r Gymraeg' (Rhif 3, Gaeaf 1935, t. 15): 'Tuedd y Cymry Cymraeg yw gwrthod wynebu problemau artistig ein hardaloedd diwydiannol (ac yn wir eu problemau eraill), a cheisio dianc rhagddynt trwy eu hystyried fel ffenomenau anghymreig'. Mynegwyd safbwyntiau tebyg gan Aneirin Talfan Davies a W. H. Reese yn y gyfrol o farddoniaeth a gyhoeddwyd ar y cyd ganddyn nhw ym 1937, *Y Ddau Lais.* Meddai W. H. Reese (t. xvii):

> Y mae diddordeb newydd yn codi yng ngwaith ein beirdd ieuainc, ac y mae hynny'n arwydd iach. Ceisiant ddehongli a mynegi profiadau bywyd y cyfnod hwn. Ac yn sicr, ni bu cyfnod mwy beichiog. Fe glywir cri'r diwaith, a'r gweithiwyr (*sic*) wrth eu hamrywiol alwedigaethau; mewn gair, fe bortreadir bywyd dyn yn y cyfnod prysur, arwynebol, efallai, a pheiriannol hwn. Clywir rhu'r driliau, a gwae neu wynfyd y gwŷr sy'n trafod yn y lofa neu'r chwarel. Nid y waun o angenrheidrwydd sy'n fan myfyrdod y bardd, ond y ddinas brysur a'i miliynau eneidiau, gyda'i thramau a'i cheir. Fe wêl yr Ysgol Newydd bosibilrwydd barddoniaeth yng nghefndir diwydiannol y cyfnod, ac ym mhroblem economaidd dynion.

Cyfarch y 'beirdd ieuainc' hyn y mae R. Williams Parry yn llinell gyntaf y soned, 'y prydydd ifanc'. Dywed nad oes diben iddo sôn am y 'newyddoes ddur' hon, nac am 'anfri'i ch'ledi', sef diweithdra'r tridegau, 'cri'r diwaith', chwedl W. H. Reese. Gwae a therfynoldeb marwolaeth yw'r unig thema wir briodol i fardd ganu arni, neu, o leiaf, dyna thema fawr R. Williams Parry. Ni all newyddbethau'r oes ddiddymu gwae marwolaeth, na mygu 'hen bruddglwy'r pridd'.

Branwen: Branwen ferch Llŷr. Gw. y nodyn ar 'Drudwy Branwen'.

A dry'r ffigysbren diffrwyth eto'n ir/ Pan eilw y seffyr ac ni syfl Arianwen?: mae'r ddwy linell hyn yn dra chymhleth, ac yn dra chyfeiriadol hefyd. Mae'r ffigysbren diffrwyth yn cyfeirio at y ddameg a draddodwyd gan Grist yn ôl Luc 13: 6-9:

> Ac efe a ddywedodd y ddameg hon: Yr oedd gan un ffigysbren wedi ei blannu yn ei winllan; ac efe a ddaeth i geisio ffrwyth arno, ac nis cafodd.
> Yna efe a ddywedodd wrth y gwinllannydd: Wele, tair blynedd yr ydwyf yn dyfod, gan geisio ffrwyth ar y ffigysbren hwn; ac nid ydwyf yn cael dim: tor ef i lawr; paham y mae efe yn diffrwytho y tir?
> Ond efe gan ateb a ddywedodd wrtho: Arglwydd, gad ef y flwyddyn hon hefyd, hyd oni ddarffo i mi gloddio o'i amgylch, a bwrw tail.
> Ac os dwg efe ffrwyth, da; onid e, gwedi hynny tor ef i lawr.

Y seffyr, Zephyros, oedd gwynt y gorllewin yn yr hen chwedloniaeth Roegaidd, mab Aeolus ac Aurora, ac ymddengys mai cyfeirio at 'Ode to the West Wind' Shelley a wneir yma. Symbol o farwolaeth, o bydredd a dilead, oedd y gwynt hwnnw:

> O wild West Wind, thou breath of Autumn's being,
> Thou, from whose unseen presence the leaves dead
> Are driven, like ghosts from an enchanter fleeing,
>
> Yellow, and black, and pale, and hectic red,
> Pestilence-stricken multitudes . . .
>
> Thou dirge
> Of the dying year, to which this closing night
> Will be the dome of a vast sepulchre . . .

Mae 'Arianwen' yn cyfeirio at y gerdd o'r un enw gan John Morris-Jones *(Caniadau,* 1907, t. 29), cerdd y mae marwolaeth yn brif thema iddi:

> Pan ganai'r adar ar y pren
> Y wen Arianwen roed
> I orwedd mwy mewn pridd a main,
> Yn rhiain ugain oed.
>
> Ei thad a'i mam yn ymdristáu,
> Llifeiria'u dagrau dwys;
> A llawer sydd yn llaith eu grudd
> Roi honno'n gudd dan gŵys.
>
> Ond ni wybuant archoll un,
> Pan roed y fun i fedd;
> Ar hwnnw'n wir ni sylwodd neb
> Na'i wyneb gwael ei wedd.

Gofyn y mae R. Williams Parry: a oes modd adfywio'r ffigysbren o ddifri, hynny yw, a oes modd i fywyd barhau a ffynnu, a marwolaeth o'n cwmpas ym mhobman, a hynny ers y dechreuad?

Mae'r llinell olaf fel pe bai'n gwrth-ddweud, yn gyfeiriadol, yr hyn a ddywedodd John Donne yn llinell glo un o'i 'Holy Sonnets':

One short sleep past, we wake eternally,
And death shall be no more; death, thou shalt die.

Gwae Awdur Dyddiaduron:

Harris: Hywel (Howel/Howell) Harris (1714-1773), un o arweinwyr y Diwygiad Methodistaidd, o Drefeca, plwyf Talgarth, Sir Frycheiniog.

Ein Didduw Brydyddion:

Mae'r soned hon yn enghraifft arall o gasineb R. Williams Parry at sychdduwioldeb Piwritanaidd crefydd gyfundrefnol Cymru. Mae'r dirmyg a geir yn y gair 'dirwestwr' yn amlwg ddigon.

Amddiffyn rhai o'i gyd-feirdd yn erbyn y cyhuddiad eu bod wedi cefnu ar Grist ac nad oedden nhw'n rhoi arweiniad ysbrydol i'w cenedl a wna R. Williams Parry yma. Dewisodd bump o feirdd i wrthbrofi'r haeriad.

T. Gwynn Jones yw'r enghraifft gyntaf. Mae'r llinell 'Am nef lle mae dysg ni phaid a rhinwedd ni ddiffydd' yn cyfeirio at y pennill hwn yn y gerdd 'Rhos y Pererinion' gan T. Gwynn Jones:

Er bod trybini lond y byd,
A'i flodau i gyd yn grinion,
Mae dysg a rhinwedd ddydd a nos
Yn Rhos y Pererinion.

Cyfeirir wedyn at W. J. Gruffydd, gwrthrych y soned 'W.J.G.' a'r englyn cyntaf yn y gyfres 'Beddargraffiadau'r Byw'. Cyfeirir yn benodol at ddwy o gerddi W. J. Gruffydd, 'Litani: yn Amser Rhyfel':

Rhag gwrando ar dwyllodrus air
Hen ddynion wedi oeri'u gwaed,
D'erlidwyr Di,
Crist, gwared ni.
Er mwyn hiraethus ofid Mair,
Er mwyn dy ddwylo Di a'th draed,
O gwrando ni.

a'r gerdd 'Y Pharisead':

Mae'r holl Rabbiniaid duwiol wrth siarad wrth y plant
Yn codi hwn yn batrwm o Iddew ac o sant;
Dirwest a byw yn gynnil a'i gwnaeth yn fawr fel hyn,
Ond hwn a yrrodd f'Arglwydd i ben Calfaria fryn.

Dylid sylwi fod Gruffydd ac R. Williams Parry yn ymosod ar ddirwest a dirwestwyr.

Gwenallt a Saunders Lewis oedd y ddau 'brydydd crefydd Crist', dau o feirdd Cristnogol Cymraeg mwyaf yr ugeinfed ganrif, a chyfeiriad sydd yma at y ddau'n croesi rhiniog yr Eglwys ('Y gwesty drud') gan gefnu ar Ymneilltuaeth, Gwenallt yn ymuno â'r Eglwys Wladol, a Saunders Lewis â'r Eglwys Babyddol.

T. E. Nicholas, y bardd Comiwnyddol, yw'r pumed bardd, y 'Comiwnydd miniog', a chyfeirir at ei soned 'I Aderyn y To', a gyhoeddwyd yn y gyfrol *Llygad y Drws: Sonedau'r Carchar* (1940):

Wele friwsionyn arall am dy ganu,
   A darn o afal i felysu'r bwyd.
Daw sŵn dy bigo cyson i'm diddanu
   A da yw gweld ar dro dy fantell lwyd.
Daethost, fe ddichon, o dueddau Penfro,
   O'r grug a'r eithin tros y Frenni Fawr,
A buost, dro, ar adain lwyd yn cwafro
   Uwch Ceredigion deg ar doriad gwawr.
Cymer y bara: pe cawn ddafn o winoedd
   Gwasgfa'r grawnsypiau pêr o'r gwledydd pell,
Mynnem ein dau, yng nghanol helynt trinoedd,
   Gymun, heb groes nac allor yn y gell.
Mae'r bara'n ddigon santaidd am y tro,
Offrwm o galon nad oes arni glo.

Breuddwyd y Bardd:

Dic o Aberdaron: Richard Robert Jones, Dic Aberdaron (1780-1843), y crwydryn a'r ieithydd o Lŷn.

Rhown ginio i ryw Oronwy yn ei gell: cyfeiriad at gwpled agoriadol 'Cywydd y Nennawr', Goronwy Owen:

Croeso i'm diginio gell,
Gras Dofydd, gorau 'stafell . . .

Siluriad: brodor o Went yn y cyswllt hwn; y Siluriaid oedd y llwyth Celtaidd a drigai yn ne Cymru yn ystod yr Oes Haearn a chyfnod y Rhufeiniaid yng Nghymru. Daeth y llwyth hwn yn rhan o Frenhiniaeth Gwent yn y chweched ganrif.

fel y brawd/ a geisiodd gan y person yn y llan/ Gofio am deigar dof y garifán: cyfeiriad at gerdd Ralph Hodgson, 'The Bells of Heaven':

'Twould ring the bells of Heaven
The wildest peal for years,
If Parson lost his senses
And people came to theirs,
And he and they together
Knelt down with angry prayers
For tamed and shabby tigers
And dancing dogs and bears,
And wretched, blind pit ponies,
And little hunted hares.

W.J.G.:

Soned i W. J. Gruffydd (1881-1954), bardd, llenor, beirniad, ysgolhaig a golygydd *Y Llenor* o 1922 hyd 1951. Cyfeirir yn y cwpled clo at gerddi uniongyrchol foel Gruffydd, fel 'Y Pharisead', a'i gerddi rhamantaidd, moethus, fel 'Y Tlawd Hwn'. Englyn i W. J. Gruffydd yw'r englyn cyntaf yn y gyfres 'Beddargraffiadau'r Byw'.

Heffrod:

Mae'r soned yn cyfeirio at 'Ode to a Grecian Urn', John Keats:

> Thou still unravished bride of quietness,
> Thou foster-child of Silence and slow Time . . .
>
> Who are these coming to the sacrifice?
> To what green altar, O mysterious priest,
> Leads't thou that heifer lowing at the skies,
> And all her silken flanks with garlands drest?

Hen Gychwr Afon Angau:

Ceir nodyn ar y soned gan Bedwyr Lewis Jones yn *Dawn Dweud: R. Williams Parry* (t. 151):

> Yn *Yr Herald Cymraeg,* papur newydd Arfon, rhifyn 3 Hydref 1938, adroddir am farw'r bargyfreithiwr Ellis W. Roberts, Llandegfan, Sir Fôn. Yr oedd yr angladd, meddai'r adroddiad: 'yn un o'r angladdau mwyaf fu yn y rhan honno o Fôn erioed. Yr oedd 87 o foduron yn yr orymdaith.' Dyna ddwy linell a hanner gyntaf y soned, yn syth o'r papur newydd. Ymateb Williams Parry yw'r gweddill. Iddo ef angau oedd angau, diwedd byw, diddymdra. Nid sôn fod Ellis Roberts wedi peidio â byw yr oedd y papur ond sôn, yn ymffrostgar bron, am rwysg yr angladd a brolio faint o foduron oedd yno (yn 1938 . . . *cyn* bod ceir yn bethau agos mor gyffredin ag ydynt heddiw). Yng ngolwg y bardd yr oedd y newid pwyslais, oddi wrth angau fel difodwr at rwysg yr angladd, yn wrthun. Bod dyn wedi marw oedd y peth. Pa ots faint o geir oedd yn y cynhebrwng?

Eifionydd:

Soned i John Thomas (1848-1922), cymeriad rhyfedd o ohebydd a golygydd. Bu'n olygydd *Y Genedl Gymreig* ac *Y Werin* ar wahanol gyfnodau, a hefyd *Y Geninen,* o 1883 hyd ei farwolaeth. Bu hefyd yn Gofiadur Gorsedd y Beirdd.

Gwyddon: ap Gwyddon, Dr Edward Rees, 'Yr Hen Ddoctor', a phriod Awen Mona (gw. 'Ymson Awen Mona').

Alafon: Owen Griffith Owen (1847-1916), bardd o Eifionydd, awdur *Cathlau Bore a Nawn* (1912), a *Ceinion y Gynghanedd* (1915), ac un o gyfeillion R. Williams Parry yn ystod ei gyfnod yn athro Cymraeg a Saesneg yn Ysgol Sir Llanberis, ym Mryn'refail, 1908-1910. 'Roedd Alafon yn weinidog ar gapel Ysgoldy yn ymyl Deiniolen ar y pryd.

J.S.L.:

Cerdd arall i Saunders Lewis (John Saunders Lewis).

Mae'r agoriad yn ddyledus i Thomas Hardy. Ceir y llinellau hyn gan Hardy yn ei gerdd 'To Shakespeare':

> So, like a strange bright bird we sometimes find
> To mingle with the barn-door brood awhile . . .

na Duw o'r un defnydd: cyfeiriad at Babyddiaeth Saunders Lewis.

weithiau de ac weithiau ddysg: cyfeiriad at gwpled Pope, o'i gerdd 'The Rape of the Lock':

> Here, thou, great Anna! whom three realms obey,
> Dost sometimes counsel take, and sometimes tea.

Taw, Socrates:

Athro a gŵr doeth o Wlad Groeg oedd Socrates (*c.* 470-399 CC). Credai fod gwybodaeth yn rhinwedd, a bod drygioni yn gynnyrch anwybodaeth. Gofyn cwestiynau i'w fyfyrwyr oedd ei ddull o ddysgu, a gadael iddyn nhw ateb, er mwyn dangos fod yr atebion i'w cael ym meddwl y myfyriwr ei hun. Plediai ef ei hun anwybodaeth ynghylch y pwnc a drafodid, er mwyn cael y myfyrwyr i gynnig atebion. Mae R. Williams Parry yma yn gofyn cwestiynau yn ôl dull Socrates.

Y Cyrn Hyrddod:

Pan gyhoeddwyd y soned hon gyntaf, yn *Y Faner*, Chwefror 21, 1945, 'Pump Mawr Prosser Rhys' oedd ei theitl. Cyfeirir ynddi at bump o bersonau a edmygid gan Edward Prosser Rhys (1901-1945), bardd, cyhoeddwr a newyddiadurwr, a chyfaill i R. Williams Parry. Bwriedid i'r soned fod yn gerdd goffa i Prosser Rhys. Cyfeiriai'r llinell gyntaf yn uniongyrchol ato: 'Er mor ddibryder ydoedd byddai'n brudd . . .' Meddai R. Williams Parry, yn ei deyrnged i Prosser Rhys, 'Er Cof am E. Prosser Rhys', yn *Y Faner,* Chwefror 14, 1945, t. 2:

> Carem yr un bobl, a chasaem yr un pethau. Mawrygem yr un gwron, a ffieiddiem yr un Philistiaeth. Gofynnem yr un cwestiynau hefyd, megis pa hyd y pery'r hil ddynol i addoli proffwydi doe ac i ladd proffwydi heddiw.

Daw'r teitl o Josua, pennod 6, er enghraifft, 6: 4 a 5: 'A dyged saith o offeiriaid saith o utgyrn o gyrn hyrddod o flaen yr arch: a'r seithfed dydd yr amgylchwch y ddinas saith waith; a lleisied yr offeiriaid â'r utgyrn./ A phan ganer yn hirllaes â chorn yr hwrdd, a phan glywoch sain yr utgorn, bloeddied yr holl bobl â bloedd uchel: a syrth mur y ddinas dani hi, ac eled y bobl i fyny bawb ar ei gyfer'. Dyma orchmynion Duw i Josua pan oedd Jerico dan warchae. Ar y seithfed dydd cwympodd y ddinas. O flaen y saith offeiriad a ddygai'r saith utgorn o gyrn hyrddod cerddai'r fyddin arfog. 'Roedd sain y cyrn hyrddod, felly, yn golygu buddugoliaeth i Josua a'i luoedd, a chwymp y ddinas.

Cyrn Hyrddod o ryw fath oedd y pum unigolyn y cyfeirir atyn nhw yn y soned. Y rhain a dreiddiodd drwy fur caled, didostur, difater Cymru yn y tridegau, difater o safbwynt ei chenedlaetholdeb a'i Christnogaeth. Y rhain a gynhyrfodd y dyfroedd, gan darfu ar ferfeidd-dra a hunan-fodlonrwydd Cymru â'u gweithredodd chwyldroadol a phellgyrhaeddol.

Y tri cyntaf o'r pump yw tri arwr Penyberth, 'Y tenau ffyliaid hynny', Saunders Lewis, Lewis Valentine a D. J. Williams. George M. Ll. Davies oedd yr 'ymarferol frawd.' Gw. y nodyn ar y gerdd 'Gwrthodedigion'. Y pumed y cyfeirir ato yw'r Parchedig Tom Nefyn Williams (1895-1958). Cyhoeddodd bamffled ym 1928, *Y Ffordd yr Edrychaf ar Bethau,* a achosodd helynt ddifrifol. Yn y pamffled gwrthododd dderbyn rhai o brif athrawiaethau

Cristnogaeth, fel y Drindod. Fe'i galwyd yn heretig gan Gymdeithasfa'r De o Eglwys Bresbyteraidd Cymru, a'i wahardd rhag gweinidogaethu.

Dywedodd Bedwyr Lewis Jones fod y geiriau 'rhawd/ Blygeiniol bugail unig' yn 'Enghraifft arall o gywirdeb manwl cyfeiriadaeth Williams Parry', oherwydd

> Ar ôl dod yn weinidog i'r Gerlan, Bethesda, ym 1937, byddai Tom Nefyn, yn union fel y canai cloch y chwarel am hanner awr wedi saith, yn agor giât Festri Capel y Gerlan yn feunyddiol, ac âi i mewn yno 'I ymbil dros y gweithiwr yn y graig'.

Gw. 'Y Cyrn Hyrddod', *Cyfres y Meistri 1: R. Williams Parry,* t. 345.

Yr Utgorn Arian:

Soned ddychanol yw hon sy'n ymosod ar ragrith crefydd ac ar fath arbennig o weinidog, y gweinidog sy'n gymdeithasol dderbyniol gan nad yw'n cynhyrfu'r dyfroedd mewn unrhyw fodd nac yn bygwth sefydlogrwydd cymdeithas. Dyma'r unigolyn call, pwyllog, rhesymol na fyn ddangos ei ochr na chefnogi unrhyw weithred eithafol, chwyldroadol. Mae'r soned yn dychanu'r gymdeithas ddi-hid a'r unigolyn sydd mor dderbyniol ganddi. Ni wyddai'r gweinidog hwn ddim oll am uffern dynion, ac ni 'sgydwodd farf y diafol erioed. Ni wnaeth ddim byd ond cynnal gweinidogaeth lipa, gymrodeddus. 'Annog pwyll ymhob peth' a wnaeth, a pherthynai, felly, i ddosbarth y Cymry llugoer, difater. Cf. 'Gan bwyll y bwytawn . . . Yr Academig dost' yn 'J.S.L.'

Daw teitl y soned o Numeri 10: 1, 2 a 3: 'A llefarodd yr Arglwydd wrth Moses, gan ddywedyd,/ Gwna i ti ddau utgorn arian; yn gyfanwaith y gwnei hwynt: a byddant i ti i alw y gynulleidfa ynghyd, ac i beri i'r gwersylloedd gychwyn,/ A phan ganant â hwynt, yr ymgasgl yr holl gynulleidfa atat, wrth ddrws pabell y cyfarfod'. Yn Numeri, seinid yr utgyrn i alw'r gynulleidfa ynghyd yn unig; seinid larwm i anfon y lluoedd i ryfela: 'Ac wrth alw ynghyd y gynulleidfa, cenwch yr utgyrn; ond na chenwch larwm' (Numeri 10:7). 'Roedd yr utgyrn arian ynghlwm wrth ddefodaeth ond y larwm yn gysylltiedig â rhyfel (cf. Numeri 10:10: 'Ar ddydd eich llawenydd hefyd, ac ar eich gwyliau gosodedig, ac ar ddechrau eich misoedd, y cenwch ar yr utgyrn uwchben eich offrymau poeth, ac uwchben eich aberthau hedd; a byddant i chwi yn goffadwriaeth ger bron eich Duw . . .'). Gweinidog a gysylltir â defodaeth a dogma, ac nid â chwyldro a gwrthryfel, yw gweinidog 'Yr Utgorn Arian'.

Y Barchus, Arswydus Swydd:

Llinell o eiddo Goronwy Owen a roddodd i'r soned hon ei theitl. Daw'r llinell o'i ail gywydd hiraeth am Fôn, sef Cywydd yn Ateb y Bardd Coch o Fôn:

> Erglyw, a chymorth, Arglwydd,
> Fy mharchus, arswydus swydd.

At ei waith fel gweinidog yn Eglwys Loegr y mae'n cyfeirio.

Dyffryn Nantlle Ddoe a Heddiw:

Cerdd arall, fel 'Y Ddôl a Aeth o'r Golwg', sy'n crisialu agwedd Williams Parry tuag at y modd y dinistriwyd hud a harddwch gorffennol Dyffryn Nantlle gan hagrwch diwydiant. Ardal Baladeulyn yw cwr uchaf Dyffryn Nantlle, a cheid dau lyn yno, y llyn isaf a'r llyn uchaf, ac at y llyn isaf y cyfeirir yn y llinell gyntaf, sef y llyn a sychwyd, ac a lanwyd gan rwbel o chwarel Dorothea. Ceir cyfeiriad at y ddau lyn yn llinell gyntaf yr englyn a ganodd Gwydion wedi iddo ddarganfod Lleu yn rhith eryr ar flaen pren yn y lle a enwyd yn Nantlleu oherwydd mai yno y darganfuwyd Lleu: 'Dâr a dyf yrhwng dau lyn'. Cyfeiriad at yr un llinell yn yr englyn sydd yn ail linell y soned, y 'ddâr oedd ar y ddôl'.

Y ddau wareiddiad newydd a ddaeth i'r ddau blwy (Llandwrog a Llanllyfni) oedd crefydd a diwydiant y chwareli. Chwyddwyd poblogaeth yr ardal gan y cynnydd diwydiannol mawr a ddigwyddodd yn ystod y bedwaredd ganrif ar bymtheg, a chodwyd nifer o gapeli yn sgîl y cynnydd yn y boblogaeth. Chwarel Dorothea oedd y chwarel fwyaf yn y cylch.

Cyfeirir wedyn at Bedwaredd Gainc y Mabinogi. 'Roedd Math fab Mathonwy, brenin Gwynedd, yn ddewin yn ogystal, ac at y modd y trodd Gwydion yr eryr Lleu yn ddyn drachefn y cyfeirir wedyn, gan adleisio'r llinell 'Dâr a dyf yrhwng dau lyn'. Y 'ferch a wnaeth o flodau'r banadl' oedd Blodeuwedd, gwraig anffyddlon Lleu, a grewyd o flodau'r deri, blodau'r banadl a blodau'r erwain gan Fath a Gwydion, drwy hud-a-lledrith, fel y gallai Lleu gael gwraig. Ni allai Lleu gael gwraig naturiol oherwydd i'w fam, Arianrhod, dyngu tynged na châi wraig 'o'r genedl ysydd ar y ddaear yr awr hon'. Awgrymir yn y cwpled clo nad oes dim o'r hud-a-lledrith a geid yno gynt wedi aros yn yr ardal, ac eithrio natur fradwrus, ddigydwybod a diegwyddor Blodeuwedd.

'Dwy Galon yn Ysgaru':

A rhoed y llannerch rugog sy'n y lle: merch o Rosllannerchrugog, yn ymyl Wrecsam, oedd priod R. Williams Parry. Gw. y nodyn ar 'Cyffes y Bardd'.

Cynhwysodd T. Emrys Parry ddau fersiwn arall o'r soned hon fel un o gerddi coll R. Williams Parry (Rhif 44 i a ii, Atodiad 1), ond dylid nodi fod sawl drafft o'r soned hon wedi goroesi. Gw. *Cyfres y Meistri 1: R. Williams Parry,* tt. 367-369.

Morys T. Williams:

Bu farw Morris T. Williams (1900-1946), priod Kate Roberts, ar Ionawr 6, 1946. Prynodd Wasg Gee a *Baner ac Amserau Cymru* ym 1935, a symudodd ef a'i briod i Ddinbych i fyw. Ef oedd ysgrifennydd cyffredinol Eisteddfod Genedlaethol Dinbych ym 1939. Ymddangosodd teyrnged iddo yn rhifyn Ionawr 9, 1946, o *Baner ac Amserau Cymru,* t. 1, a cheir y manylion canlynol amdano yn y deyrnged:

> Dewiswyd ef yn aelod o Gyngor Tref Dinbych yn 1937 ac ymddiswyddodd o'r Cyngor yn 1940. Ym mis Tachwedd diwethaf ymladdodd etholiad am sedd ar y Cyngor fel aelod o Blaid Genedlaethol Cymru, ac etholwyd ef yn un o wyth allan o ddau ar bymtheg. Cyflawnodd wasanaeth gwerthfawr i dref Dinbych mewn cyfnod byr.
>
> Yr oedd yn llenor Cymraeg ac yn fardd, enillodd gadair Eisteddfod Cerrig-y-drudion yn 1936 ac yn 1937. Cyfansoddodd amryw sonedau praff, a chyhoeddwyd un o'i gerddi yn y 'Llenor' yn ddiweddar. Ysgrifennodd ddwy nofel hir nas cyhoeddwyd, a chanmolwyd hwy gan feirniaid craff a'u darllenodd mewn llawysgrif. Bu'n Olygydd y 'Welsh Nationalist' ac ysgrifennodd erthyglau a nodiadau o dro i dro i amryw bapurau a chylchgronau Cymraeg a Saesneg.

Yr oedd yn awdurdod ar bob math o waith argraffu ac yn gysodydd penigamp. Yr oedd yn un o aelodau amlycaf Plaid Genedlaethol Cymru ac yn Heddychwr Cristnogol, a safodd dros yr egwyddorion a goleddai ym mhob cyfwng.

Neuadd Goffa Mynytho:

Agorwyd Neuadd Goffa Mynytho yn Llŷn, yn ymyl Abersoch, ar Dachwedd 30, 1935. 'Roedd dosbarth nos gan R. Williams Parry ar Lenyddiaeth Gymraeg ym Mynytho ar y pryd, a darllenodd yr englyn yn y cyfarfod a gynhaliwyd i agor y neuadd yn swyddogol.

Beddargraffiadau'r Byw:

1. *W.J.G.:* W. J. Gruffydd, gwrthrych y soned 'W.J.G.'.

2. *Edgar Jones:* Major Edgar Jones oedd prifathro Ysgol Sir Y Barri, lle bu R. Williams Parry yn athro Cymraeg a Saesneg rhwng Medi 1913 ac Ebrill 1916. Yn ôl y 'Bywgraffiad Byr' ohono'i hun yn *Gwŷr Llên (*Gol. Aneirin Talfan Davies, 1948, t. 185), ym mis Chwefror 1914 aeth gydag Edgar Jones 'i weld Cymru yn curo Sgotland mewn gêm Rygbi yng Nghaerdydd'; hynny a'i trodd yn 'Genedlaetholwr Cymreig fyth oddi ar hynny'.

3. *J. R. Roberts:* prifathro Ysgol Ganolraddol Caerdydd, lle bu R. Williams Parry yn athro Saesneg, o Ebrill 1916 ymlaen, nes iddo ymuno â'r Fyddin yn Nhachwedd 1916. Aeth yn ôl i Ysgol Ganolraddol Caerdydd wedi i'r Rhyfel Mawr ddirwyn i ben, ym mis Ionawr 1919, ac 'roedd J. R. Roberts wedi'i benodi'n brifathro'r ysgol erbyn hynny. Gadawodd R. Williams Parry Gaerdydd ym 1921. Ym mis Mawrth, 1921, cychwynnodd ar ei swydd newydd fel prifathro Ysgol Oakley Park ym Maldwyn, rhyw ddwy filltir a hanner o gyrraedd Llanidloes.

4. *R. T. Jenkins:* hanesydd a llenor (1881-1969), awdur nifer o lyfrau pwysig fel *Hanes Cymru yn y Ddeunawfed Ganrif* (1928), *Ffrainc a'i Phobl* (1930), *Yr Apêl at Hanes* (1930), *Hanes Cymru yn y Bedwaredd Ganrif ar Bymtheg* (1933), *Y Ffordd yng Nghymru* (1933), *Casglu Ffyrdd* (1956), *Ymyl y Ddalen* (1957), a nofelau fel *Orinda* (1943) a *Ffynhonnau Elim* (1945). 'Roedd yn un o gydweithwyr R. Williams Parry yn Ysgol Ganolraddol Caerdydd yn ystod ei ail gyfnod yno.

Dau Ysbrydegydd:

Cyfansoddwr, cyfeilydd a beirniad cerdd oedd Thomas Osborne Roberts (1879-1948). 'Roedd yn briod â'r gantores enwog, Leila Megane (Maggie Roberts). Ar gyfer Leila Megane y cyfieithodd R. Williams Parry Rif 23, Atodiad 1, o opera Saint-Saëns, *Samson a Dalila.* Cydweithiodd Williams Parry ag Osborne Roberts ar fwy nag un achlysur, gan gyfieithu cerddi iddo i gyd-fynd â rhai o'i alawon, sef rhif 50, Atodiad 1, a rhifau 34 a 35, Atodiad 3.

Mae'r ddau englyn yn cyfeirio at Osborne Roberts a'i briod. 'Roedd y ddau yn ymwneud ag ysbrydegaeth. Dyfynnir rhan o deyrnged Leila Megane i Osborne Roberts, a gyhoeddwyd yn y *Caernarvon and Denbigh Herald,* Mawrth 23, 1956, t. 4, gan E. Wyn James yn ' 'Osborne Druan!': Gohebiaeth R. Williams Parry a Leila Megane', *Taliesin,* cyf. 99, Hydref 1997, t. 52:

> It was clearly understood between us that the one who went first would ask for a special concession to return to the bereaved one with a message and a perfect proof that life was continuing in a higher form. Twelve hours after Osborne's death I happened to be with the Rev. A. L. Williams and a lady friend when I distinctly heard an organ playing the first two lines of the hymn, 'Ymddiriedaf yn Dy allu' . . . The other two heard nothing, but I recognised Osborne's tempo, his touch and his phrasing.

'A thybed,' gofynna awdur yr erthygl, 'a oedd yr achlysur hwn yn rhannol ym meddwl R. Williams Parry pan ofynnodd yn yr englynion coffa i Osborne Roberts yn *Cerddi'r Gaeaf*, 'A ydyw'n wir y daw'n ôl i ryw gwr o'r gorwel ysbrydol?' ' Ar gais Leila Megane y lluniodd R. Williams Parry yr englyn beddargraff, 'Dinesydd Deufyd', Rhif 49, Atodiad 1, a Rhif 36, Atodiad 3. Ceir yr englyn ar garreg ei fedd ym Mynwent Eglwys Ysbyty Ifan. Bu farw T. Osborne Roberts ar Fehefin 22, 1948.

Dau Enaid Rhamantus:

Dau englyn i goffáu dau a fu farw ym 1937. Athro hanes a llyfrgellydd Prifysgol Lerpwl oedd W. Garmon Jones (1884-1937). Bu'n ddarlithydd mewn hanes ym Mhrifysgol Lerpwl o 1913 hyd 1919, ac yn athro ychwanegol o 1924 hyd at ei farwolaeth, ac yn llyfrgellydd y Brifysgol o 1928 ymlaen. 'Roedd yn briod ag Eluned, merch yr hanesydd, Syr J. E. Lloyd, Bangor. Bu farw W. Garmon Jones ar Fai 28, 1937. Cyfeirir at Garmon Jones gan R. Williams Parry yn ei nodyn ar y soned i Lewelyn Williams, cyfaill o gyd-hanesydd i W. Garmon Jones.

Brawd y bardd I. D. Hooson oedd Thomas John Hooson. Bu'n fyfyriwr yng Ngholeg Brasenose, Rhydychen, ac yn Gray's Inn, ac arferai gyfrannu adolygiadau ac erthyglau i'r *Times*. At ei allu a'i addysg y cyfeiria'r llinell 'Er meddu dysg fel dysg dau'. Gŵr tawel, encilgar oedd Tom Hooson, ac ni bu'n llwyddiannus iawn fel cyfreithiwr. Meddai ar lyfrgell eang. Bu farw ar Fehefin 7, 1937, yn 64 oed.

David Hughes, Llanarmon-yn-Iâl:

Uwchben y copi o'r ddau englyn yn llawysgrifen y bardd a geir ymhlith papurau J. Maldwyn Davies yn Llyfrgell Genedlaethol Cymru, Aberystwyth, ceir y cyflwyniad canlynol (gw. *Cyfres y Meistri 1: R. Williams Parry,* t. 369):

> Mynd i'r Wyddgrug dros gymydog di-gefn ar fore braf o hydref; troi'n ôl am Lanarmon yn gynnar ar y prynhawn; galw heibio i berthynas iddo i helpu gyda'r dyrnwr; derbyn niweidiau angheuol wrth y gwaith – dyna hanes oriau olaf David Hughes y Cwm, blaenor ffyddlon yng nghapel Rhiw Iâl ac athro hoff yn ysgoldy Glanalun.
>
> 'The ruling passion strong in death' yn wir, canys ni bu yn fyw neb parotach ei gymwynas ac addfwynach ei natur. Ato ef y rhedai tlawd a chyfoethog am gymorth cyfamserol: y naill gyda'r cynhaeaf gwair, y llall gyda'r cynhaeaf ŷd, pawb, cyn ac wedi ymddeol. Gyriedydd ydoedd wrth ei alwedigaeth, gyrrwr peiriannau, a'r unig beiriant a yrrai yn ddidrugaredd ydoedd ef ei hun. Bu farw Hydref 28, 1946, ar y ffordd i'r ysbyty, a chladdwyd ym mynwent Rhiw Iâl ar ôl y gwasanaeth coffa yn y capel.

Yn dilyn, ceir y ddau englyn, gydag amrywiad yn esgyll yr ail englyn, sef 'Neithiwr yn ir a siriol' yn lle 'Doe'n ddiddan yn ein canol'.

Richard Gwillim – Bonheddwr ac Eisteddfodwr:

Eisteddfodwr pybyr, cerddor ac arweinydd corau o Fron-y-garth, Y Glais, Cwm Tawe, oedd Richard Gwillim neu Gwilym (Gwilym ar garreg ei fedd ym mynwent Capel Ainon, Capel y Bedyddwyr, Heol Las, Birchgrove, Abertawe). Fe'i ganed ar Fawrth 21, 1868, a bu farw ar Fehefin 24, 1928. Fe'i cofir fel gŵr bonheddig o hyd yn ardal Y Glais.

Ymddangosodd y manylion canlynol amdano yn y *Western Mail,* ar y dydd Llun ar ôl ei farwolaeth ar ddydd Sul ('Mr. Richard Gwilym Glais: Swansea Musician and Eisteddfodwr', Mehefin 25, 1928, t. 11):

> Mr. Richard Gwilym, G. and L.T.S.C., passed away at his residence, Bron-y-Garth, Glais, on Sunday morning. He had been ailing for twelve months but had returned from holidays in the South of England just a fortnight ago, apparently better. He was a well-known figure in Swansea Dock circles, being the secretary of Broadoak Collieries (Limited), the Clyne, Merthyr, Collieries (Limited), and the Neath Abbey Patent Fuel Company (Limited). An ardent Welshman he seldom missed the National Eisteddfod, and was admitted into the Gorsedd at the last Swansea National Eisteddfod, where he took the title of 'Gwilym Tawe.' He was precentor and organist for thirty years, and a composer of numerous songs and glees. Some of his hymn-tunes are in the Welsh Baptist Hymn-book. He conducted the United Gymanfa Ganu for Glais and district for the last twenty years. He leaves a widow, two sons, and one daughter.

Cyhoeddwyd englynion R. Williams Parry er cof am Richard Gwilym yn rhifyn Awst 6, 1928, o'r *Western Mail.* Cynhaliwyd Eisteddfod Genedlaethol 1928 yn Nhreorci.

Ymson Awen Mona:

Elizabeth Jane Davies Rees, priod Dr Edward Davies Rees, 'Yr Hen Ddoctor', oedd Awen Mona. Bu farw ei mab, Iolo, ar Awst 26, 1945, yn 28 oed. Ymddangosodd y gerdd ganlynol, 'Heddiw', yn *Baner ac Amserau Cymru,* ar Chwefror 27, 1946, t. 4, cerdd sy'n mynegi ei hiraeth am Iolo:

Ddoe, cefais fy hun ger y feiston
  A'r llanw ynghwsg ar y traeth;
Agorais ddrws cawell fy atgof
  Ac ymaith fel breuddwyd yr aeth.

Gwelais hi'n croesi blynyddau,
  A'i mantell yn decach na'r dydd;
Lliw'r enfys oedd ar ei sandalau,
  A blodau yr haf ar ei grudd.

I'm hymyl daeth llanc penfelyn
  A'i lygaid yn lasach na'r lli;
A mwy na holl olud y moroedd
  Oedd golud ei gariad i mi.

Ar dywod y môr cododd gastell
A dringodd fel arwr i'w ben:
'Roedd castell gen innau'n fy nghalon
A'i dyrrau yn cyrraedd y nen.

Cododd y gwynt mewn cynddaredd
A ffromodd y môr wrth ei ru;
Tywyllodd y nen, a dychwelodd
Fy atgof yn ôl yn ei du.

Coffawyd Iolo ganddi hefyd yn y soned ganlynol, 'Cofiaf Di' (*Môn* (cylchgrawn sir), Cyf. III, Rhif 1, Gaeaf 1967-68, t. 24), ac mae'n cyfeirio at farwolaeth Dr Edward Rees yn y soned hefyd:

Yn chwarae ar fy nglin yn gowlaid dlos,
A'th lygaid bywiog fel y saffir drud;
Neu pan ddôi cwsg i liwio'th ruddiau'n rhos,
A'th dad a minnau'n ffoli uwch dy grud.
A phan ddaeth bwlch i gylch y dedwydd dri,
A chwalu muriau gwyn fy nghastell cu;
Fel milwr bychan dewr y cofiaf di,
Yn sefyll rhwng dy fam a'i gofid du.
Bu'th gwmni'n drech na hiraeth trwm y bedd,
A gwybûm eilwaith beth oedd chwerthin llon;
Yr aelwyd ddaeth drachefn yn fangre hedd,
A gwelais dlysni ewyn ar y don.
O'r cwmwl cododd enfys deg ei lliw,
A'r hen addewid droes yn falm i'm briw.

Cyhoeddwyd y gerdd ganlynol, 'Wrth Fedd Iolo (Unig blentyn 'Awen Mona' a'r diweddar 'Ap Gwyddon')', o waith W. J. Richards, Machynlleth, yn *Y Cymro*, Hydref 26, 1945, t. 3:

Pam y daethost yma, Iolo,
Pan oedd haf yn llenwi'r coed?
Onid cynnar i noswylio
Ydoedd wyth ar hugain oed?

Aeth dy fam, yn drom ei chalon,
Tuag adref hebot ti.
'Does a ŵyr mor drist ei hymson
Ac mor fawr ei hiraeth hi.

Iaith y byd yw sôn am gartre'
Gwag a thywallt dagrau ffôl:
Ni ddychwelit, pe cait gyfle,
Byth i boenau'r byd yn ôl.

Cwsg heb glywed afon Dyfi
Obry'n sisial ar y gro.
Mae dy dad i ti yn gwmni,
Daear Maldwyn iti'n do.

Cyhoeddodd Awen Mona nifer o lyfrau: *Cyfrinach y Dyffryn a Throion yr Yrfa: Telynegion ac Ystorïau* (1911), *Y Gwylain Penddu ac Ystraeon Tylwyth Teg Eraill* (1922), *Rhamant y Blodau* (1927), a *Helyntion Cwm Hir: Saith Stori* (1944). Bu hi ei hun farw ym 1972.

Y Capt. Richard Williams:

Mae gan R. Williams Parry ei hun nodyn gweddol helaeth arno. Brodor o Gaernarfon oedd Capten Richard Williams, Dirprwy-gofrestrydd a Thrysorydd Coleg Prifysgol Gogledd Cymru, Bangor, am gyfnod maith, o 1888 hyd 1931, ac fe'i gelwid yn 'Dickie Sixpence' gan y myfyrwyr. Ym 1908 sefydlwyd cangen o'r OTC *(Officers' Training Corps)* yng Ngholeg Bangor, fel rhan o gynlluniau'r Swyddfa Ryfel i sefydlu Byddin Diriogaethol ym Mhrydain, i ddisodli'r hen Gwmnïau Gwirfoddol. Dyma'r 'University of Wales OTC', gyda Syr Harry Reichel yn bennaeth arno, a Chapten Richard Williams yn is-bennaeth. Erbyn Mawrth 1915 'roedd 140 allan o 170 o fyfyrwyr Coleg Bangor yn perthyn i'r OTC. Meddai J. Gwynn Williams yn *The University College of North Wales: Foundations 1884-1927,* 1985, t. 334:

> The Bangor OTC specialized in artillery and was affiliated to the local Welsh (Caernarvonshire) Royal Garrison Artillery. Several Bangor students thereafter served in the Royal Garrison Artillery, amongst them Griffith Thomas Roberts (Nantlle) and in due course, Robert Williams Parry. The 6th Royal Welch Fusiliers, the 'Kitchener' battalion, raised in Rhyl from early September 1914, became known later as the 'North Wales Pals Battalion', with which the undermanned University of Wales Battalion was amalgamated.

Lladdwyd 94 o fyfyrwyr Coleg Bangor yn y Rhyfel Mawr, yn eu mysg Tom Elwyn Jones, mathemategydd disglair ('Morwr' yn 'In Memoriam'), Llewelyn ap Tomos Shankland ('Mab ei Dad'), Robert Pritchard Evans, Joseph Richard Joseph, a Lewis (neu Lewys) Jones Williams o Bwllheli (Rhif 16, Atodiad 1), a fu farw o'i glwyfau yn Ffrainc ar Ragfyr 22, 1915, egin-fardd a chyfaill mawr i egin-fardd arall a gollwyd yn y Rhyfel Mawr, David Ellis.

Adroddir hanesyn am Richard Williams ac R. Williams Parry yng Ngwersyll Mornhill, Caer-wynt, yn ystod cyfnod y Rhyfel gan Huw Hughes (' 'Oriau Gofir a Gefais' ', *Cyfres y Meistri 1: R. Williams Parry,* t. 40.):

> Ymhen rhyw dridiau neu bedwar, yr oedd Capten Williams o Fangor . . . yn arwain hanner cant o filwyr o un gwersyll i'r llall. Disgynnodd llygaid y Capten ar rywun yn golchi'r gwn mawr ar ymyl y ffordd. Yn sydyn gwaeddodd *Halt* a gorchymyn i'r milwyr fynd yn rhydd am gwpanaid o de a sigaréts. Aeth ar ei union at y sawl a oedd yn golchi'r gwn; safodd o'i flaen a dywedyd:
>
> 'Williams Parry, yntê?'
> 'Ie, Syr,' meddai yntau.
> 'Na hidiwch am y 'Syr' yna,' meddai'r Capten. 'Ers pryd ydach chi yma, Parry?'
> 'Ers tridiau,' ebe Parry.
> 'A phwy a'ch gyrrodd chi yma i olchi'r gwn?'
> 'Y Sarjant Major,' atebodd yntau.

'Biti, biti,' ebe'r Capten, 'caf air ag ef ganol dydd. A fuasech chi'n hoffi cael dod i'r offis yn glerc?'

'Buaswn yn wir, Syr,' ebe Parry.

Yr oedd rhywbeth yn debyg i hyn i fyny yn y cwt y noson honno:

'Gunner R. Williams Parry to report to Headquarters Office at 9 a.m. tomorrow,' a phawb yn meddwl ei fod wedi torri rhyw ddeddf ac yn cael ei alw gerbron y Cyrnol. Cyfarfyddiad dau ddyn oedd cyfarfyddiad Capten Williams a Williams Parry – a phur wahanol i gyfarfyddiad y lifftenant a'r gynnwr.

T. Rowland Hughes:

T. Rowland Hughes (1903-1949), y nofelydd a'r bardd, awdur nifer o nofelau, fel *O Law i Law* (1943), *William Jones* (1944), *Yr Ogof* (1945), *Chwalfa* (1946), *Y Cychwyn* (1947), a sawl drama a chasgliad o storïau. Enillodd Gadair yr Eisteddfod Genedlaethol ddwywaith, ym 1937 a 1940. Gwanychodd ei iechyd yn raddol o 1937 ymlaen, ond llwyddodd i lunio'i holl nofelau pwysig yn ystod y cyfnod hwn o waeledd. Anfonodd R. Williams Parry yr englyn ato ar Galan Ionawr 1948, yn gyfarchiad blwyddyn newydd iddo.

Mae'r llinell gyntaf yn adleisio llinell gyntaf Gruffudd Gryg yn y cwpled hwn o'i 'Gywydd i Dduw':

Pwy yw'r gŵr piau'r goron,
Duw wyn, a'i frath dan ei fron . . .

ac mae'r llinell olaf enwog i'w chael yn englyn Ioan Madog i Ddewi Wyn o Eifion:

Gwêl ac wyla o galon – ar dŷ oer
Dewi Wyn o Eifion,
Y dewraf o awduron
Gyrhaeddai deg wraidd y dôn.

Chwarae Teg Iddynt:

1. *David Lloyd George:* y gwleidydd enwog o Gymro (1863-1945) o Lanystumdwy, Arfon, a Phrif Weinidog Prydain o Ragfyr 1916 hyd at Hydref 1922.

2. *Syr William Davies:* newyddiadurwr (1863-1935) o Dalyllychau, Sir Gaerfyrddin, golygydd y *Western Mail,* papur y Blaid Geidwadol yn ei hanfod, o 1901 hyd 1931. William Davies a ofalai am y golofn ddyddiol 'Wales Day by Day', a chynhwysid cerddi gan feirdd Cymru, yn Gymraeg a Saesneg, yn y golofn hon. Ymddangosodd nifer o gerddi R. Williams Parry yn y golofn yn y dauddegau, a derbyniai dâl amdanynt. Maecenas oedd Gaius Clinius Maecenas (marw 8 CC), gwladweinydd Rhufeinig a noddwr y celfyddydau, cynghorwr i'r Cesar Octavius ifanc. Noddwyd Fyrsil a Horas ganddo.

3. *Aneurin Bevan:* gwleidydd ac Aelod Seneddol y Blaid Lafur dros Lynebwy, sir Fynwy, o 1929 hyd 1960 oedd Aneurin Bevan (1897-1960). Penodwyd Bevan yn Weinidog Iechyd ym 1945, gan sefydlu'r Gwasanaeth Iechyd Cenedlaethol. Gwrthwynebodd sawl mesur yn y Senedd, gan gynnwys Deddf Diweithdra ym 1934, a argymhellai gwtogi taliadau i'r di-waith.

Gwrthwynebodd hefyd gynllun ailarfogi'r Llywodraeth a'r mesur gorfodaeth filwrol ar drothwy'r Ail Ryfel Byd. Y ddelwedd a geir yn yr englyn yw'r ddelwedd o Dafydd yn lladd y cawr Goleiath, y Philistiad o Gath, â ffon-dafl, yn ôl 1 Samuel 17:50: 'Felly y gorthrechodd Dafydd y Philistiad â ffon-dafl ac â charreg, ac a darawodd y Philistiad, ac a'i lladdodd ef; er nad oedd cleddyf yn llaw Dafydd'.

4. John Saunders Lewis: gw. y nodyn ar 'Y Cyn-ddarlithydd,' a chymharer â'r cerddi eraill i Saunders Lewis, 'Y Gwrthodedig', 'Y Dychweledig', 'J.S.L.' a 'Cymru a'r B.B.C.'.

Tri Physgotwr o Roshirwaun:

Y tri oedd John Roberts Jones (1907-1933), Ellis David Jones (1912-1933), a Richard Jones (1914-1933), meibion Humphrey ac Ellen Jones, Tir Dyrys, Bryncroes, Llŷn. Boddwyd y tri ar Fehefin 17, 1933, a'u claddu ar Fehefin 21, 1933, yn ôl y garreg fedd ym Mynwent Capel Hebron, Bryncroes, Llŷn. Ar gais ewythr i'r tri y lluniwyd yr englyn. Nid oedd R. Williams Parry yn adnabod y teulu yn bersonol. Cynigiodd ddwy linell gyntaf wahanol i fam y bechgyn ddewis rhyngddyn nhw, 'Y tri physgotwr eon' a'r llinell a ddewisodd, 'Y tri llanc ieuanc eon'. 'Roedd yr englyn gwreiddiol yn cynnwys trydedd linell wahanol yn ogystal, a gyfeiriai at y fynwent lle claddwyd y tri: 'Obry ni chynnwys Hebron'.

Yn ôl adroddiad yn y *Western Mail,* Mehefin 19, 1933, t. 7: 'Three brothers were drowned on Saturday when lobster-catching near the famous whistling sands at Aberdaron, on the Caernarvonshire coast . . . The three brothers went out in a 15ft rowing boat at nine o'clock on Saturday morning to set lobster pots. The sea was boisterous . . . The three brothers were big men and powerful swimmers. The two youngest were sailors, having just secured berths after being out of employment for a considerable time. The eldest, who lost his leg when a boy, had an artificial leg. It is assumed that the boat capsized in the rough sea'.

Mae'n ddiddorol nodi fod y llinell gyntaf wedi ei llunio gan fardd arall, o flaen R. Williams Parry, sef y bardd gwlad Gwaenfab o Benllyn, Meirionnydd. Cyhoeddwyd yr englyn canlynol, 'Y Tri Llanc yn Babilon,' yn ei gyfrol *Blaguron Awen,* 1901, t. 84:

Y tri llanc ieuanc eon, – yn Babel
Fu'n bybyr wŷr cryfion
Roed i ddal anrhydedd Iôn
Trwy holl adeg trallodion.

Cymru a'r B.B.C.:

R. Williams Parry a luniodd y rhagair i gyfrol William Griffith, Hen Barc, *Byr a Phert,* a gyhoeddwyd ym 1928, ac mae'n dyfynnu'r englyn canlynol yn y rhagair (*Rhyddiaith R. Williams Parry,* t. 127):

Cyfaill yw'r dyn sy'n cofio – ei frawd hoff
Mewn dwfr dwfn, bron suddo:
Fe rydd ei fara iddo,
Neu ddarn aur yn ei ddwrn o.

Cymharer trydedd linell yr englyn uchod â llinell olaf englyn cyntaf 'Cymru a'r B.B.C.'.

Goronwy Owen biau trydedd linell yr ail englyn yn wreiddiol, ac fe'i ceir yn y cywydd a luniodd ar gyfer Gŵyl Ddewi 1755:

Hwyntau, gan lwyddo'u hantur,
Â glân barch o galon bur,
Er oesoedd a barasant
Addas ŵyl i Ddewi Sant;
Ac urddo'r cennin gwyrddion
Yn goffâd o'r hoywgad hon,
A bod, trwy'n cynnefod ni,
Diolch i Dduw a Dewi.

Mynegai i'r Llinellau Cyntaf

Cyfieithiadau Saesneg